新潮文庫

恋人たちの森

森茉莉著

新潮社版

2257

目次

恋人たちの森

ボッチチェリの扉

由里《ユリア》が田窪《たくぼ》という家の二階の六畳の、もと田窪信吉という、たしかに幸福ではなかったに違いない男の寝台《ベッド》のあった跡の場所に、自分の寝台を置いて、そこに起居していたのは既に十年近い昔になる。田窪信吉というのは、その頃既に死んでいた人間で、その家の主人である。東大の湖沼学という、変った科目の教授だったということで、あった。どういう訳か、多分夫人と不和だったのだろうが、その男の肖像写真《ポルトレ》は、家族のいる部屋には置かれていなくて、由里の部屋の壁の、由里の寝台を見下ろす位置に、掛かっていた。由里がその家の中にあるものを少しずつ見るようになって来るのに従って、由里はその肖像の男が、その家族たちに対して自分と同じ考えを持っていたのではないかと思うようになり、肖像が自分に物を言うような気分のすることもあるように、なった。肖像の男は、英吉利《イギリス》人のような美貌《びぼう》の老人で、眼が大きく、眉《まゆ》が狭《せば》まった、激しいものを潜めている顔を、していた。昭和二十三年から五年にかけて、由里はその家にいたが、その間に見たというよりも、味わされた、といった方が当っている田窪家の状態というものは、全く憂鬱《ゆううつ》なものだったし、又由里はそこで、ひどく胸のいたむことにも出会ったので、あった。

大きな家である。荒れた叢園《そうえん》の中に、建物全体が蒼朧《そうろう》として建っている、という印象のある家で、下宿する人間が由里でなかったら、その家を見ただけで引返したかも知れなかったが、由里という人間はものが変っているということには、全く不感性で、あった。家の中には、まるでその家の主《ぬし》のような老女が、灰色のきものを幾重にも纏《まと》いつけた感じでふわふわと、漂っていた。細い眉の下に腫《は》れ眼蓋《まぶた》に見開いた細い眼と、寸詰りな薄い鼻、鼻の下の短い薄い脣《くちびる》に、面妖《めんよう》な色気のある、銀髪の醜い老女である。

この家の中では、未亡人であるこの絵美矢《エミヤ》という名の女の気分がすべてを支配しているのは当然だが、それにしても庭の隅々や壊れた門の内側、植込み、敷石の周囲《まわり》、なぞに雑草が蓬々《ぼうぼう》している家の外廓《がいかく》と、古風な家具のある暗い家の中全体にある気分、それと絵美矢との関係は酷《ひど》く密接であって、絵美矢の気分がこの家を造り出していたのに係らず、先にこの家があって、その中から絵美矢夫人が湧《わ》いて来たようにも、見える。二階へ上る階段が軋《きし》んで鳴る音がしている。木目《もくめ》が黒く浮き上って、低いところは白っぽくけばだっている廊下は、人が歩くたびにみしみし言ったりしている。その中に絵美矢という灰色のふわふわとした物体が漂い、その灰色のものの頂点から、針金の管を通って出るような細くびんびん響く金切り声の口小言が、絶え間なしに発しているのである。このまるで建物と人とが交互に相手を腐らせ合っているような状態は、大分前から続いていたもののようで、あった。田窪信吉は由里がその家に入る七年前に、死んだ。田窪信吉の死と敗戦と、体面ばかりを頭においている絵美矢夫人のふんぎりのつかなさ。それはこの家の状態の表面の理由である。真実《ほんとう》の理由は、絵美矢の内面にある、どうも出来ない、困ったもの、であった。大学教授と言ってもかなりの資産のあった家だったらしいことは直《す》ぐにわかるし、又、絵美矢の頭に去来している過去の夢が、そうさせることもあるのだろうが、この大きな家の中にいると、黒光りのする板壁の隅や、扉簞笥《とびらだんす》の蔭《かげ》のあたりに、賑《にぎ》やかだった昔のこの家の物音が、幽《かす》かなオルゴオルの音のように、鳴っているような気がすることが、あった。台所口から入って行くような時、由里はふと立止って煤《すす》けた広い台所を覗《のぞ》き、どういうわけか、耳を澄ませた。現在では道具屋にしかないようなどっしりと重いサイドボオドと茶簞笥、瑕《きず》と何かの浸《し》みで一杯の油光りのした調理台。茶の間に行く通路にある冷蔵庫が、これも黒く古びて、金具は錆《さび》が出ている。板の間も黒く光っていて、その中を眼に見えない風が吹きぬけている。赤錆びになった瓦斯《ガス》台《だい》には、欠けた洋皿に竹輪と、なにかの経木包みが載り、真中《まんなか》が窪み、角《かど》の丸くなった満身創痍《そうい》の俎《まないた》の上には、挽肉《ひきにく》かと思うように刻み叩《たた》いてねっとりとした古漬けが、その窪みを埋めて小高く、蛞蝓《なめくじ》の形に静止している。色の褪《さ》めた標準服の上着を着膨《きぶく》れた上に着た絵美矢が、頑丈な皺《しわ》のある腕を延ばして、サイドボオドから茶器を取り出している。その夫人の厚い肩の辺りに、不満のような、怒りのようなものが滲《にじ》み出しているのを見ると、由里の耳に聴える過去の音のざわめきが、一際《ひときわ》大きく、聴えて来た。騒々《ざわざわ》とした来客の気配である。畳や板の間を擦る女中達の足音、湯の沸く音、ものの煮える音、頰を紅《あか》くした女中が、頭を首に埋めたような後姿で何かを刻んでいる早間《はやま》な音、男客の陽気な笑い声。その間を縫って、夫人の細い透《すきとお》った、ヒステリックな声が何かを命じ、華やかに笑い、幼い二女《じじょ》の麻矢《マヤ》の弾くピアノの音が、ポツン、ポツンと歌の節を形づくって行くのである。そうしてそれらの物音に伴《つ》れて、暗い台所も絵美矢夫人も、微《かす》かに揺れ出してくるようにも、思われた。絵美矢夫人は用があるというのでもなく、この家の中を漂っていたが、この家の中をあてもなく彷徨《さまよ》っているような気配で歩いているものは、まだ他にもあった。それは二男《じなん》の沼二という男と、カメという毛の長い黒猫である。沼二は異常なほど神経の鋭い、誰とも口を利《き》かない青年である。互いに避けているらしく、この沼二と絵美矢とは出会《でくわ》すことがなく、別の所を歩いていた。全身の毛が長く、殊《こと》に後首の部分が化けもの染《じ》みて長い、真黒なカメは、夫人の後《あと》からふわふわと飛ぶように階段を上ったり、沼二や誰彼の後に従《つ》いたりして、漂い廻《まわ》っていた。

そんなような家にいつの間にか住みついた由里は、憂鬱な風景に包まれながらもそこから出て行こうとは、しなかった。由里という人間には一度何処《どこ》かへ腰が据わると、そこから容易に動けない習性のようなものがあった。部屋の中ででも、他人《ひと》の家ででもそうで、まして動くのに煩瑣《はんさ》な雑事と費用が要る引越しとなると、動くよりは死んだ方がましな位のものである。ふらふらと出歩く由里は、日に何度となく田窪家の玄関を出たり入ったりしていたが、その玄関には由里が、後になって田窪家というものを頭に想《おも》い浮べる時、忽《たちま》ち眼の前に出てくる印象の強いものが、あった。それは玄関の正面にある扉の上に張りつけてあった、ボッチチェリの「春」の女神の、胸までの画《え》である。その画は由里が入口を入らない前から、硝子戸《ガラスど》越しに朧《ぼんや》りと、見えていて、その画を見る度に由里の頭に、沼二というものの存在が、なんとなく頭に引っかかって来たもので、あった。それは由里が、沼二という青年の毎日というものを幾らか知っていて、そのボッチチェリの画というものが、沼二の生活の、ほんの少しの自由な時間の中で、そこに張りつけたものだということを知っていたからである。沼二が玄関の左脇《ひだりわき》の居間から護謨《ゴム》糊《のり》を右手に、画らしい厚紙を、左の脇にごわごわさせて出て来た時、偶然通りかかって見たのだが、由里は瞬間ぎょっとしたのである。今にも後の台所からか、或《あるい》は又扉の後の茶の間からか、絵美矢の細く透ったヒステリイ声が襲い掛かって来はしないかという恐怖で、ぎょっとなったのである。沼二が何か自由な行動を——その多くは奇妙なことであったが——とるのは、母親の留守の間で、しかも家族の誰もが見ていない時という、よく見定められ、狙《ねら》いをつけられた時間である。それを驚きの為《ため》につい忘れたのである。沼二の行動は母親を始め、家族の人々の眼でいつも油断なく見張られていた。沼二がやたらに人眼につく所をうろつくことを、田窪家の人々は嫌っていたからである。妹の麻矢を除けば、それらの眼は厳しく、冷酷であったが、沼二はそれを恐れている様子はなかった。ただ嫌いな人間に出くわさぬように、専念《ひたすら》注意を集中しているように、見えた。沼二は田窪家の人々から精薄児同様に扱われていた。消炭色のスウェータアの首のところと袖口《そでぐち》とに白い襯衣《シャツ》が細く出ている。胴も足も長い沼二は、逼《せま》った眉の下の大きな眼でじっと人を見る、面長な青年だった。凶暴なものがふとちらつくことのある彼の眼の底に、熱っぽい人懐《なつ》っこさが隠れているのを、由里は見付けていた。大抵手を洋袴《ズボン》の後《うしろ》に突っこんで歩いている。動作がのろく、いつも無言で、ごく稀《まれ》に吃《ども》りながら必要なことを言うだけのこの青年は、この家では精薄児扱いをされていたが、由里は、精薄じみた青年を昔見たことがあったが、それと比べてみると沼二はそれとは異《ちが》っていた。飄々《ひようひよう》と漂うように歩いてはいるが、空洞《くうどう》な所はない。中に固い、なにかの充実があって、後姿にも空洞がない。

握手したことはないが、冷たく汗で湿っていそうな感じのある大きな掌《てのひら》や、スウェータアから突き出た長すぎる手首なぞには、幾らか普通でない感じはあったが、由里はこの青年の眼を見ていて、精薄児という感じは受けなかった。単なる変り者かも知れない。どうかすると狂人かも知れない。由里はそう想った。眼はいつも、熱のある人のようである。柔かな髪の下の広い額は引締って固く、いつも滑らかに冷たい艶《つや》をおびて、いた。時々台所口を下りて、どこともなく出て行くが、その他は思いもかけぬ時に廊下や部屋々々を歩く他は、三畳の居間に籠《こも》っていた。由里が最初にこの青年を見た時、由里は眼を疑った。客の声がするので、由里が台所口から出て裏を廻って行くと、玄関へ曲る角の硝子戸が四寸程開いていて、そこにひどく背の高い若い男の姿が、その戸の隙間《すきま》一杯に、細い羽子板のようになって立っていたからである。その男は鋭い眼でじっと由里を見た。それが沼二だったのだ。由里が出かけようとして門の方へ歩いて行くと、ふと通用門がガタンと内側へ開いて、ようよう潜《くぐ》るようにして入った彼が、長い体を延ばし、こっちへ来るような時、由里は明るい所で彼の顔を見た。彼の顔には智的《ちてき》なものがあるのが分り、ひどく出来のいい青年が、何かの詛《のろ》いでこのような長い、不恰好《ぶかっこう》な体の中に押し籠められているのではないか、というような不思議な感じを由里は受けとった。由里の部屋にあるこの青年の父親の、彫りの深い、英吉利人のような顔立ちに似ていることが、一層彼をそんな風に見せるのだった。眼の中に凶暴なものがあることに眼を潰《つぶ》れば、沼二は一人の美青年だった。

青年は由里をじっと視《み》てから、その眼を伏せ、何ごとかを深く考えている人のような、幾らか苦しそうな横顔を見せて擦れちがって行った。激しい怒りのようなものが濃い鳶色《とびいろ》の二つの眼から出ていて、その怒りの一部は由里にも解《わか》ったが、その由里に解る部分はほんの少しなので、その奥には、由里の脳細胞では計り得ない、抑えられたような、内に籠ったような感情が隠れているようで、あった。その怒りのようなものは、所謂《いわゆる》平常な人間の中にはないもので、もしそれがあるとすれば天才か、偉人の中にだけあるのだ。そんな気が由里にはしたのである。そういう時の沼二の由里を視る眼は、敵か味方かを見定めようとするもののようであったが、由里はそんな時、我にもあらずどぎまぎした。異様に鋭い眼だからだ。その眼で見られると、自分は沼二に偉大な人類愛を抱いているわけでもないし、立派な医者のような親切な心を持っているわけでもない、という気がして来るのだ。ふと階段の下なぞで擦れちがうことがあったり、夕方、近くの水道道路の端を歩いて来るのに出会ったりすることもあったが、彼の顔はいつも苦しそうだった。特に苦しそうなのは額で、目に見えない鉱《かね》で出来た輪が、額の周囲《まわり》を締めつけていて、それは絶対に除《と》れないものなのだ、という気がする。一刻も外して脇へおいておくということが出来ない輪なのだ。誰かがそれを除ってやろうとしても、どうやっても除ることが出来ない、それは神が嵌《は》めた輪のようなものだった。だが少なくともこの男は何かを持っている。と、由里は想った。それが何だか訳の分らないものではあっても、この男は空っぽではない。由里は智識を持った青年の中にも、多くの空洞の人を見ていた。何かの主義とか、何かの考えを持っているようなのだが、それが皆借りて来たもののように見えるのだ。（混沌《こんとん》としたものであるにせよ、内側から湧き出たものが、この男にはある。人々はどうして内側から湧き出たものをもっと大切にしないのだろう）由里は自分の部屋にしている二階の部屋で、寝台《ベッド》に足を投げ出し、拡《ひろ》げた紙に何ごとか書いているような時、或は又、それが栄養になると信じ込んでいる生キャベツの繊切りと、種よりも内側のジフテリアの膜のようなものを気にして除りのぞいたピーマンを、マヨネエズで和《あ》えたのが山盛りになっているのを、馬か犬のようにフォオクで口へ運びながら、そんなことを想っていた。二女の麻矢は、沼二の味方なので、沼二の同情者である麻矢の心の一部を、由里もそうやっている内に少しずつ、自分のものにし始めるようで、あった。麻矢は十八歳になる、咲いてから間のない、肉の厚い黄紅色《きべにいろ》の薔薇《ばら》のような少女だった。その麻矢の、温かそうな心臓のあたりにある心の一部を、自分も分けて持っているということは、もし由里が男であったらそれだけで、心がときめいて来たに違いない位の、素晴しいことだったろう。

そんな風で由里は、沼二という青年に幾らかの関心を持っていたので、それで玄関のボッチチェリの画を見る度に、沼二の存在が頭に来ることになるので、あった。彼の稀《たま》にしかない、わずかな時間の楽しさが、そこに現れているようなその画を見ると、なんとなく由里は一刻、彼の存在に頭を奪《と》られ、それに眼を当てるのだった。それは一つの哀《かな》しみの画で、あった。由里の頭に沼二が引っかかるのにはまだ他にも、理由があった。この方の理由はあんまり由里にとって愉快な理由ではない。由里は沼二に似てどことなく間がぬけていて、動作も鈍い。訳の分らない怒りをひそめているようなのも似ている。子供の頃はそれだから、親類の人なぞが、田窪夫人が沼二に対するのによく似た扱いを、自分に向ってするのを、暗々の内に由里は受けとっていたのである。頭の中に混沌を詰めこんで飄々と漂っているのも、或は同じかも知れなかった。唯《ただ》由里の方はその混沌をまとめて文章というものにする能力を、幾分か持っていることだけが、異っていただけである。部屋借りの為に訪問した面会の一瞬で、由里は田窪夫人から、沼二とどこかで共通した人物であることを、見破られた形跡が濃厚で、それだから半年経《た》つか経たぬかに、由里に対する夫人の扱いに、沼二に対するそれと、どこやら似通ったものが出て来ていたことも、否《いな》めなかった。由里は珈琲《コオヒイ》店通いや、又米国製のチョコレエトとか、戦後出始めた小型の角砂糖、上等の緑茶、紅茶などの購入のために、電車で二駅ある町に出ることを日課としていた。それがなくては我慢が出来ないことは一種の病気のようなもので、それらは近所にはなかった。絵美矢は朝由里が洗い場へ下りてくるのを捉《とら》えて、有無を言わさず宣言した。

「今日《こんにち》は私《わたくし》は一寸《ちょっと》出ますが、団さんはお家《うち》にいらっしゃいましょうね」

それに対して由里が何か言おうとして、口の中をもぐつかせると、夫人はその暇を与えずに重ねて、言った。

「上北沢《かみきたざわ》までいらっしゃらなくては、どうしてもいけませんか？」

どうしてもいけませんかと言われると、いかにも自分の変った日課がひどく異様なような劣等感に襲われる、又夫人の口調もそこを衝《つ》いて来ているから、由里は止《や》むを得ず沈黙した。(日本人は他人の生活を容喙《ようかい》しすぎる。人間の毎日は全部その人ののなんだ)由里はいつもの癖で、問題を日本人全体にまで拡げて怒りながら二階へ引返した。

そういう夫人の由里を自由にするやり方は、少しずつ範囲を拡げていって、次第に由里を憂鬱《ゆううつ》な網のようなもので囲いこんだ。由里の沼二への関心は、全く当然の結果である。由里は沼二とも、心の一部を分け合った共同の仲間として、どこかで繫《つな》がっているようなもので、あった。

田窪夫人の絵美矢は、胸板が男並みに広い頑丈な体をしていて、体重なぞも重そうだが、不思議にふわふわとして、大きな柔かいものが動くように動いていた。灰色の布を幾重にも纏《まと》いつけた大きな物体を二階に運んでくる夫人は、由里の寝室の傍《そば》に腰を下ろして、死んだ夫の話をする。田窪信吉は足の水虫をこじらせて、右足が附根《つけね》まで腫れ上って自由を失った上に、周期的に激痛が襲うので、痛みが起きると啼《な》き叫ぶ彼の声が、家の外まで聴えたというのである。丸太のように腫れ上った足に当てる多量のガアゼ、塗り薬、氷、なぞを入れた鞄《かばん》を手荷物にして、夫人は夫を伴れて旅行をした。あらゆる大学を歴訪したのである。由里は絵美矢のヒステリイの原因の一つを、この長い看護婦生活に探りあてながら、夫人を見た。明るい所でつくづく見る絵美矢夫人は顔から首の上部にかけて、妙にどす黒い、余り見たことのない顔色をしていた。毛染めの薬にかぶれた跡だということが後で判《わか》ったのだが、その顔の上に艶の出る白粉《おしろい》を塗っている。どういう訳か黄色のが混っている三色《みいろ》の胡麻塩《ごましお》の髪の渦巻いたのを、その上に被《かぶ》っている。どっしりと坐《すわ》った灰色の塊の中から、話は蚕の糸を繰り出すようにして出てくるのである。洋紅が隈《くま》どったように残っている薄い脣《くちびる》で、茶碗《ちゃわん》の縁を舐《ねぶ》るようにして茶を飲むのを見て、由里は肉慾《にくよく》的な或想像を、した。秋口でも兵隊洋袴《ズボン》の上は裸で歩いている下男の似内《にたない》の胸が、由里の頭に浮んでくる。由里がこの家に入って、幾日も経たない或日の午後、外から帰って通用門を入ると、半裸で歩いてくる男を見た。兵隊洋袴に、馬の腹に巻いてあるような皮の帯《バンド》の男は、片方の掌を胸に当てるようにして由里を見て、擦れちがった。その時由里ははじめて似内を見たのである。額の狭い、地の透いた五分刈りの頭と、白眼の多い細い眼とが印象に残ったが、その後何度も見る内に由里は、似内の裸な胸に妙な嫌悪《けんお》を覚えた。圧《お》すと凹《へこ》みそうな黄色い胸だが、乳頭が、絶えず強く吸われている母親のそれのように、荒れていて、乳暈《にゅううん》から離され、ひしゃげたようになっている。その胸には由里に嘔吐《おうと》を感じさせるものが、あった。やがてその乳頭と、絵美矢の薄い、よく動く脣とが、由里の頭のどこかで関聯《かんれん》したものになって映り、由里の頭に由里がそれまでの人生で、想像する機会のなかった場面が浮んだのである。その二つの関聯は、由里の中に愕《おどろ》きを残して消えずにいて、それが由里に或意地の悪い観察を、強いた。看《み》ていると似内という男はあまり仕事をする様子もない。ただ白い眼を光らせて歩き廻っているだけである。歩いている彼の様子の中には、仕事のない男というよりも、或種類の倦怠《けんたい》の中に思想も体も浸り切っている人間というものが、感ぜられる。女に食わせてもらっている人間の、全く精気のない生活の匂《にお》いである。一方絵美矢夫人は頑健という字が嵌《はま》る健康体である。髪は三色だが皮膚の色は、顔と首の上部の他は薔薇色をしている。歯は悪くなっているが食慾が旺盛《おうせい》で、着物の上からも分る頑丈な骨組みは労働をして生活している女のようである。由里は絵美矢の男のような広い胸や、細かく皺《しわ》のある薔薇色の腕を見ていると、轍《わだち》にかった梃《てこ》の下に肩を入れて、道路にめりこんだ馬車を持ち上げたジャン・ヴァルジャンを、聯想するのである。夫人は理性的とはいえないし、細く透ったオクタアヴの高いその声が示しているように、単なる雌《フメル》である。又彼女が故意に品のいい言葉を操ることが証明するように、夫人の育った環境は上等なものではないらしい。由里はこれだけのことをみていてその内に、絵美矢と似内との行動に気づいた。絵美矢が四時間ほど家をあける日には、似内の姿が同時に見えなくなる。二人は前後して帰ってくる。そうして月に二回のその行動は例外がなかった。

絵美矢は話し続ける。

「大学でも田窪の足と申しましたら有名でございました。御大典の折なぞ京都へ参りましたが、皆さんあの時には大礼服かモオニングでございましたが、田窪だけは特に着物でお袴《はかま》が許されまして。その折頂戴《ちょうだい》いたしました、まだとってございますが、今度又お目にかけましょうが、お料理についておりました銀の、あれは純銀でございましょうかね、簪《かんざし》のようなのもとって御座います。団さんもお父様が、さよでいらっしゃいましょうね、ご立派なお父様でいらっしゃいまして。……とにかくその足が容易なことじゃございませんで、痛みのございません時でもとても坐ってなぞおられはいたしません。椅子《いす》に、それも特別によい、柔かな椅子に寄りかかるようにして、左の足はいつも投げ出しておりました」

由里はヴェランダ附きの部屋という、昔から憧《あこが》れていた部屋を借りていて、そのヴェランダに椅子を持ち出して、紅茶を飲むことも出来るし、由里が生来持っている、頭の中の放浪癖とでもいったらいいだろうか、茫然《ぼうぜん》として考えるともなく考えていることも出来る、という、当時の自分の特権を、夫人の饒舌《じょうぜつ》の為に絶えず中断せられて充分に使うことが出来ないという不快な苛立《いらだ》ちを抑えながら、太陽の降りそそぐ窓の外に、眼を遣《や》った。夫の足の看病の話から、夫人の話は亜米利加《アメリカ》物資の手に入る自慢話に移行するのが、きまりである。麻矢の友達が亜米利加から直送してくるのだという、食糧品や衣料品の話である。

由里の憂鬱はこれだけではなかった。亜米利加の物資はたまには入るが、新円以後夫人の経済は窮乏に陥っていたので、由里のいる六畳の他にまだ二間ある空間に、女が二人入ったのである。一人は山内千勢子《やまのうちちせこ》と言う事務員風の女で、社長との関係かなにかで贅沢《ぜいたく》な間借りをしている、という種類である。もう一人は大柄で顔が長い美人だが、美人も大分くたびれていた。三十七八だろう。木谷ジョリイといった。父親か母親のどっちかが瑞典《スエーデン》人だということで、七分通り白人の顔である。日本の女の妙な見栄張《みえは》りや羞恥《しゅうち》や、せせこましさがない代りに、到底椅子のない部屋には住めない荒々しさ、があって、ヒステリイも酷《ひど》かった。夫人のヒステリイと、彼女のそれとが打つかるような時にはひどい荒れ模様に、なった。病気と病気がぶつかるのだから本人同士はそっちのけである。そういう時のジョリイは、髪やきものを神代時代のものにさえすれば、そっくり素戔嗚尊《すさのおのみこと》になるような凄《すさま》じさを、現した。絵美矢夫人もジョリイと渡り合う時になると、由里の前で見せる、令夫人風の粧《よそ》われた皮は跡かたもなく剝《は》ぎ取られていた。二人が茶の間で金切り声を立てている時、台所に立つ由里の耳に入るのは、大変な言葉である。夫人の論旨は木谷ジョリイの部屋代の未払いへの攻撃から、GIを相手にする境遇に対するジョリイへの侮辱に移るのである。ヒステリイが頂点になると二人の声は、赤ん坊の爪《つめ》で硝子《ガラス》を引掻《ひっか》くような声になる。夫人の声を抑えるように、一声高くジョリイが叫んだ。

「そんなこと言ったって、手前《てめえ》だって将校のいいのを一人世話して呉《く》れって言ったじゃないか」

すると夫人は訳の分らない叫び声を発して、完全に狂乱状態となった。だがその場合は二階へ逃げれば済むのである。由里を最も憂鬱にしたのは、木谷ジョリイ、又は山内千勢子の部屋代停滞を吊《つる》し上げる時に、夫人が由里を呼び出して同席を強いることであった。そういう時には階段の下で、夫人の妙にやさしい、低い声がするのである。

「団さん誠に相済みませんが、一寸下りて来て下さいませんか」

夫人の声は撫《な》でるように柔《やさ》しいが、決して由里に逆らわせない威嚇《いかく》の力を持っているのである。やがて由里はどれかの女と夫人との間に、坐らせられる。

「団さんをごらんなさいまし、ジョリイさん、ちゃんちゃんと月初めにお払い下さるんですよ」

教訓調に、きっぱりした口を利《き》く時の絵美矢夫人には、もと女教師をしていたことがあるのではないかと疑われるような、厭味《いやみ》な、底意地の悪いものが滲《にじ》み出ていた。

雨が灰色に家全体を閉じ籠《こ》めているような日に、畳の赤くなった茶の間で、盛《さかん》だった時代に誂《あつら》えたらしい紫の繻子《しゅす》に白のストライプのナイトガウンの、角《かど》のあるへちま襟《えり》の縁《へり》や袖口《そでぐち》が糸の抜けているのを着た夫人が、あまり上等でない食事をしているのなぞを見ると、絵美矢夫人の哀しみが由里の背中にこびりつくようでもあったが、絶え間のない喧騒《けんそう》と、娘たちを叱《しか》りつけるヒステリイ声に、懶《ものう》い昼寝の夢を醒《さま》されたり、寝台《ベッド》の上での空想を中断されたりすることが重なると、哀れみなぞは何処《どこ》にも感ぜられなくなるのである。由里を、粘りのある蜘蛛《くも》の糸のようなもので絡《から》めるようにする、こういう絵美矢夫人の存在は、剝げ落ちたヴェランダの外壁と、ヴェランダに向いた窓の修理の費用を由里に要求する、という形でも、由里を襲った。由里は当時、祖父が死んだ母に買い与えた金剛石《ダイアモンド》を売った金と、亡父の幾らかの遺産との入っている預金帳を持っていたが、それが無くなった後《のち》には完全の飢餓が待っている、という状態であった。敗戦直後で、ひどく冷酷な空気が辺りに張り詰めていた時である。往来を歩いていると、おろし金《がね》で顔を逆なでにせられるように、風も空気も苛々と痛い風潮の中に、三十六万円の預金帳を一冊抱えて漂っている状態であるから、夫人の要求は過重というより不可能であった。丁度その頃、四人の子供を抱えて、亡父の遺産なぞは遂《と》うの昔に霧消してしまった由里の弟の匡《きよう》も遣《や》って来て、由里の預金帳と判とを度々借用して行くのである。絵美矢夫人は由里の日常の金の費い方を見て、嫉妬《しっと》の心を燃やしていた。こんな贅沢をしている風来坊から外壁の修理費用を出させるのは当然だ、と、絵美矢夫人は考えるのである。弟の匡の細君は（お姉様はお一人だから）というのが口癖である。寄ってたかって由里の日々に減って行く金で遣っている贅沢を憎んでいる感じがある。由里は絵美矢夫人や弟の存在を詛《のろ》った。自分自身の金で贅沢をしているのがどうして悪いのだ。由里は心の中に呟《つぶや》いた。それも直《す》ぐになくなる金だ。預金がなくなった後は、往来に坐って人の投げて呉れるのを貰《もら》うより、由里にはいい思案もないのである。一人で六人分使おうが、それは私の権利である。由里は心の中で憤激した。千万円あって利子で食べているのなら、田窪家の外壁と窓はおろか、洗い場と瓦斯台《ガスだい》のブリキを取替え、雑草を抜く草取女を雇って遣ってもいいのである。その上に夫人に緑茶と上生《じょうなま》を各日にプレゼントしてもいいのである。弟の生計費の補助として月三千円を出してもいいのである。そう思って由里は憤慨した。憂鬱はまだ、あった。木谷ジョリイと情人のベオ・マリとは、由里の止むを得ない留守番をいいことにして、往来からヴェランダに向って呼びかけ、由里に戸を開けさせることがある。何処かで声がするので覗《のぞ》くと、門の向うにベオとジョリイの顔が此方《こっち》に向いて何か言っている。戸を開けて呉れと言うのだと解《わか》ると、由里は仕方なしに階段を下りる。下りて行く内に玄関の硝子戸を叩《たた》く気短かな音がするのである。階段を駈《か》け下りるのだが、駈け下りて玄関を見るともう二人の影はなく、今度は台所の木戸が破れんばかりに鳴っている。木戸を開けると由里は直ぐに引返した。ジョリイの訪問も由里の悩みの一つである。ジョリイは長い顎《あご》の、どこか洞《うつ》ろな眼をした顔でふらりと入って来る。人を来させないように冷淡にするという、一種の術のようなものを由里は知らないので、入りたいものはどんどん入って来た。ジョリイのヒステリイとへまとで、ベオは時々来なくなった。するとジョリイは由里の部屋へ上って来るよりないのである。一度に十も老《ふ》けた顔をして、ジョリイは由里の鏡台を覗きこむ。

「あたし白髪が出来ちゃったわ」

そう言って顔をとみこうみする。

「随分荒れてるわ。団さんクリイム貸してね」

米兵を伴《つ》れて来ることから成り立っているジョリイの生活を考えると、性病の酷いのに冒《かか》っているのではないかという恐怖が、由里にはあった。ジョリイが使ったあとは大量に抉《えぐ》り取って、捨てるのである。それが済むと向き直って坐り、ベオとの喧嘩《けんか》について訴え始めるのだ。

「ヘンリイってのが前にいたのよ。善い人だったんだ。その人の呉れたハンカチ、使っちゃう気がしないからとってあるのよ。それをうっかり見せちゃったの。それでベオが焼餅《やきもち》をやいて来なくなったんだわ。団さんあんたフランス語知ってるんでしょう。PXのベオの友達にフランス語の読める人がいるから、団さん手紙を書いて呉れない？　お願いだわ」

ジョリイは婆《ばあ》さん染《じ》みて見える顔に深い哀《かな》しみを見せて、言った。彼女は生活の方便として男たちを伴れてくるのだが、その本来の目的よりも、専《もっぱ》ら恋愛にうきみを窶《やつ》しているようで、あった。彼女の言う通り、ベオが来なくなってから何もたべていないことも事実らしかった。

「団さん、水頂戴」

そう言ってジョリイは紅茶茶碗に薬罐《やかん》の湯ざましを注いで、酔い醒めの水を飲むようにして、咽喉《のど》を鳴らして飲むのであった。由里はヘンリイのハンカチを今度は絶対にベオに見せないように忠告して遣り、苦心してフランス語の長文の手紙を書いた。風のひどい日であったが、ジョリイはその手紙を持ってPXへ行き、ベオのジイプに同乗していた男の通るのを待っていて、それを渡して来るというので、あった。そこへ灰色の塊が上って来て、由里の空想の時間は全く破壊せられる。夫人は手紙を見せて呉れと言って眼鏡を取り出すのだ。由里からその日本訳を聴くと、何度も肯《うなず》いて、

「それだけ言ってお遣りになれば、ベオさんもきっとまいりますよ」

と満足の意を現すのである。ジョリイから逃げ出して門を飛び出し、水道道路の方へ長い足で足速に行く米兵の後から、上っ張りの下の着物の腰にかぎ裂きの三角の布をひらひらさせた絵美矢が、転《まろ》ぶように走って行くのをヴェランダから見ることも、

ある。

「ベオさん！　ベオさん！」

だがベオは振り向きもせずに、その長い足で、瞬《また》く間《たま》に遠ざかるので、あった。精一杯ひそめた柔《やさ》しげな夫人の声が、全く無関心な米兵の耳に、風の音と一しょに次第に微《かす》かになって行くのである。

そういうような家の中で、藻《も》のような、五月蠅《うるさ》いものに絡みつかれている由里は、六月の暗い雨の降る日なぞに、濡《ぬ》れそぼつヴェランダの欄干《てすり》のあたりに眼をあてながら憂鬱《ゆううつ》の中に陥《お》ちこんで、いた。二女の麻矢に出会う時の他はとかく憂鬱な台所の周辺をうろつくのが、雨の日なぞはことに厭なので、ヴェランダに焜炉《こんろ》を置いて簡単なものはそこで造《こし》らえることを、由里は思いついたが、夫人はとんでもないことだというように眼を白くして、反対した。壊れ果てた家の二階に炭火の煙がたなびくのは、由里には風流なことに思われるのだが、夫人の方は落ちぶれたところを人に見せたくないという考えであるらしかった。階段の下や、裏の物置の辺りなぞで、似内と沼二とが出くわすような時、似内を異様な眼で見る沼二を見るのも、憂鬱なことの一つである。或日《あるひ》外から帰った由里が、裏へ廻《まわ》って行くと、台所口から似内が出て来た。すれちがう時ふと何かを感じた由里が、反射的に後を振り返ると、そこに由里の心を凍りつかせるような、沼二の顔があったのだ。太く濃い眉《まゆ》を寄せ、形のいい脣《くちびる》は少し開いていて、眉の下の二つの眼は斜に似内を見下ろしている。二つの眼は似内を見ているのにも係らず黒い大きな瞳《ひとみ》が幾らか寄っているような感じがある。由里は沼二の心の底にさわったことを知り、胸の中まで冷たいものが入って来るのを、おぼえた。そんな風に、五月蠅い出来事に満ちていて、その一皮内側《ひとかわ》にはひどくいやなものが隠れている、といったような家の中では、玄関の脇《わき》の樹《き》に春が来るたびに咲く、夢のような薔薇《ばら》色《いろ》の椿《つばき》をみても妙にぎょっとする感じが、あった。

この家の中で健康なのは、麻矢とその姉の恵麻《エマ》、時々来て宿《とま》って行く恵麻の夫の除《よけ》村《むら》敬三、長男の湖太郎《こたろう》夫婦、なぞであったが、中でも生々と、花のように咲き、花のように呼吸しているのは、十八歳の麻矢であった。湖太郎と恵麻とは絵美矢に似ていて眼も細かったが、麻矢は信吉に似た美貌《びぼう》で、沼二とも似ている。麻矢はこの家の中での最も美しい、嫩《わか》い生命で、あった。雑草で霞《かす》んでいるような、蒼朧《そうろう》とした家や、怪物のような老夫人。庭や植込みの間、裏の物置のあたりなぞに出没して、ものぐさな様子で縄屑《なわくず》なぞを片づけていることもあるが、多くは朧《ぼん》り《や》と歩き廻っている似内、それらを見た眼で麻矢を見ると、嫩さと健康とがそこだけに燦《きらめ》いているのを、由里は、見た。嫩さが、匂いのように皮膚の下から湧《わ》き出ていて、丸みのある賢こい二つの眼は、春の哀しみと歓《よろこ》びとを中に潜めながら、いつも明瞭《はっきり》と、今目醒めたというように、開かれていた。幾らか摘《つま》み上げたような上唇を受ける下唇には、うねりがある。赤子が乳を欲《ほ》しがる唇のようでいて、ひどく誘惑的な形をしている。だがその煽情《せんじよう》的な唇は、激しいところのある、偉物《えらぶつ》の男のような彼女の気性のために、無邪気さと凛《りん》としたものとを、保っている。由里が夫人に郵便物を渡すために、奥の日本間の縁側に廻って引返してくるような時、応接間の窓から肱《ひじ》を突いた肩を乗り出している麻矢を、見ることがある。由里がそっちを見ると、麻矢は魅するような眼をじっと由里の眼に据えて、微笑《わら》った。親しい人を見て微笑う時、楽しいことを隠していて、それをそっとしらせるような、そんな眼をして微笑う娘である。薔薇色の唇は、家にいる時には何もつけていない。亜米利加製のゆるく襟の開いたピンクのネグリジェは、蜘蛛《くも》の巣のようなレエスとフリルがついていて、そこから琥珀色《こはくいろ》をした首と肩とが、出ている。敗戦のすぐ後で米兵を下宿させたことがあり、その中の二人が麻矢の美に搏《う》たれたらしい。本国に帰った彼等は時々贈物をして来た。ことにピータアと言う男の方は金持ちの息子らしく、麻矢を主に、恵麻や絵美矢夫人にも高価なものを送って来る。降誕祭《クリスマス》にピータアから届く大きな厚紙の包みは、この一家の女達の全部を、喜ばせた。降誕祭にその大きな包みが届くと、荷解きをした箱が応接間に運ばれる。砂糖菓子《キャンディ》やチョコレエトの箱が開けられ、長椅子の上にも卓子の上にも帽子や靴、ブラウス、外套、なぞが華やかな色彩《いろ》を散らし、絵美矢の顔にも柔かな微笑が溢《こぼ》れ、夜遅くまで笑い声がしていた。そうして寝ようとしている由里の部屋へ、銀紙にくるんだチョコレエトクリイムを一個手に持った絵美矢夫人が現れるのである。由里もそうがつがつ育った訳ではないから、他人の所へ来たものの分け前を期待していた訳ではないが、夫人の徹底した吝嗇《りんしょく》には舌を巻かざるを得ないのであった。田窪家と由里との関係では三つ五つ位のところが当時としては常識だろうが、一つというのは徹底していた。由里は巴里《パリ》の下宿の女主人を想《おも》い出し、夫人の風貌もまさにそういう女と同じだということに、心から感歎《かんたん》した。由里は、成城の駅の下り口に近い道具屋で購入した寝台《ベッド》に横になって、その一個のチョコレエトを齧《かじ》り、壁に掛かっている田窪信吉の肖像写真《ポルトレ》を、一種の感慨をもって、見上げた。六十五六の、半白なこわそうな髪を七分三分に分けた面長の顔は、品格が辺りを払うようである。麻矢の顔には丸みがある。沼二を老人にしたような、目の鋭い美貌だった。売ってしまったのだろう、今はないが、肉の厚い浮き出し模様の肱掛椅子に、衰えの来た細長い体を寄せかけ、肱つきの片方に肱を突き、片方に手を伸ばすように置いているようすも、なんとなくよかった。足が悪くなってから写したものだろう。椅子の脇に、これも豪奢《ごうしゃ》な分厚く膨《ふく》らんだ寝台の一部が見えている。由里のいる部屋はもと信吉の寝室だったらしい。由里の寝台を置く前に、既に畳の上に寝台の脚の跡がついていたのを、由里は見ていた。コピータアから届く包みの中には、絵美矢を喜ばせる黒レエスのストールや手袋、ココアの大罐《おおかん》なぞも、あった。銀座にある義兄の店や、日本橋の事務所に手伝いに行っている麻矢は、それらの贈物の中の、紅《あか》い靴や、駱駝《らくだ》色《いろ》のレエンコオト、薄い栗茶《くりちゃ》のショルダア・バッグなぞを、手持ちのものの中に調和するように混ぜて着け、素晴しい好みで歩いていた。体にも、顔にも品格があって、銀座好みの淡彩《あっさり》した洋服で歩く麻矢を見ると、金に困らない、贅沢《ぜいたく》の充分《たっぷり》出来る家の娘に見えた。家中の壁や扉を突き徹《とお》して響きわたる、絵美矢のヒステリイ声は、家の外を通る人の耳にもよく聴えるので、近所の人は夫人に敬意を持たなかったが、湖太郎や恵麻達、中でもこの麻矢には、彼らは少しの冷笑も現さなかった。ジターヌのように男を惹《ひ》きつける女であると同時に、血統のいい男の子のように凛然としたものを持っている麻矢は、一眼で人々の尊敬と愛情とを贏《か》ち得るのである。ネグリジェを着ていても品格が、あった。台所の冷蔵庫の上に乳酪《バタア》入れを置いて、スリップ一つで立った儘《まま》牛乳を飲み、麵麭《パン》を齧っている麻矢を見ることがある。よく伸びた、若い馬のような首、肩、脚。赤子の時の、滑らかな皮膚のままで大きくなったような体である。(育ちのいい西洋の娘のようだ)

そう由里は想いながら、電話の取り付《つ》けてある柱と、冷蔵庫との間の狭い板の間の通路を、通り抜けた。そういう時にふと、刺戟《しげき》のある香《にお》いがすることがある。澄んで、それでいて睡《ねむ》くなるような、香いである。よく柴《しば》なぞにする細木《ほそぎ》の枝の中に、折ると香水のように強い、きれいな香いのするのがある。紅みのある褐色の、艶《つや》のある枝で、楓《かえで》の芽のような固い芽がついているのである。その香いに似ている。清潔《きれい》な嫩い皮膚の上に、皮膚の内側から湧き出る清潔な、或息吹《いぶ》きの籠っている時、人によっては花の香いがすることがある、香いのいい木の枝の香いのすることもある。滑らかな皮膚の中で、一つの神秘のような、不思議な香《こう》が焚《た》かれるのである。人間というものが宇宙の中に漂ういろいろなものの中の一つであって、植物とも、鉱物とも、同じ仲間の獣や魚、虫なぞとも同じな、それらのものと決して別な、無関係なものではないことを由里は考えていたが、そんな時にはそれが立証されたように、思うのであった。

勿論《もちろん》、灰色の塊りの絵美矢夫人は麻矢を、愛していた。湖太郎と姉の恵麻も、麻矢に愛情を持っている。恵麻の夫の除村敬三も、それなりの愛情を持っているのだが、それらの人々は、何処《どこ》となくお座なりな、体裁好きな、体裁というものを第一にしている階級に、属していた。体裁が滅茶々々になった暁には、愛情はどこかへ行ってしまって、狼狽《ろうばい》と、憤怒《ふんぬ》と、憎悪《ぞうお》とが、替りに胸の中を占める、といったような、上流によくある、互いの繋《つな》がりというものがどこか薄弱な人々である。由里という人間はこれという才能もなく、技術もないのだが、唯何《ただ》を見てもいちいち、それに反応を起している人間で、あった。後に、というのは現在《いま》のことだが、随筆という形でその反応を書き始めた。すると今度は小説を書けという命令を貰うことになったのである。それを才能がないから、と言って立派に拒絶をしていたとすれば、その頃の預金帳の金はとうの昔に無くなっていて、随筆だけでは食えないから、現在上北沢の一隅に相変らず寝台を置いた部屋にとぐろを巻いて、又々反応を起しているということは絶対に不可能の筈《はず》なのである。どれかのきょうだいの家で、共同の部屋に中ぶらりんに存在し、生甲斐《いきがい》がなく、それかといって自殺をする勇気もなく、遂には頭が鈍って、精薄か、半狂かという、沼二のような人物になってい兼ねないのである。そういう由里は、田窪家の人々に対して理由のない憤激を抱いていた。この家では、田窪信吉より他には人間の匂《にお》いのする人はいないのだ、と、由里は想った。もしそういう人がいるとすればそれは麻矢と沼二とである、と由里は想い、この二人の人物に或同感を、抱いた。

十八歳の稚《おさな》い麻矢は男の、それも立派な男の分子を、持っていた。麻矢だけがこの家の中で、沼二というものに親しみと愛情を、抱いていた。そうして沼二を酷《ひど》く扱っている仲間の主力である絵美矢にも、愛情を持っていた。絵美矢が、信吉が昔恩恵を与えたことのある人間の現在の住所と職業とを、何処からか聞き込んで来て、その人物に金の無心をしようと計画して、それを口に載せるような時、麻矢は心の中に怒りを、燃やした。この家でそんな話が出るのは、米国製のココアか、敬三の呉《く》れる緑茶の上等を淹《い》れて、皆でがやがや言う時である。或日絵美矢は恵麻や麻矢たちと、ココアを淹れて喋《しゃべ》っていた。薄い、肉慾《にくよく》的な、洋紅の斑《まだら》についた脣で、例によって茶碗《ちゃわん》の縁《へり》を舐《ねぶ》るようにしながら、ココアの溶液を粉になった滓《おり》まで啜《すす》り終ると、絵美矢は言った。

「鈴木さんは神戸の須磨《すま》だって言ったわよ。今は須磨区……」

すると食麵麭《パン》の上に乗りかかるようにして庖丁《ほうちょう》を入れていた恵麻が、母親の口を塞《ふさ》ぐようにして遮切《さえぎ》った。

「駄目にきまってるわよ。今は義理なんてそんなものを人に対して持つ人ないんだから。ことにお母様のような方に」

麻矢が可愛《かわい》らしい声で、

「ママのような醜老女は……」

と言いかける。忽《たちま》ち振り向いた恵麻の眼交《めま》ぜで沈黙はするのだが、麻矢はその時、

(早く死んでしまったらいいのよ)と、あとを続ける積りだったのだ。麻矢の辛辣《しんらつ》な言葉は麻矢の愛情である。母親と、人間と人間とのつきあいというものを遣《や》ろうと、そうはっきり意識しているのではないのにしろ、しているのは麻矢一人で、あった。沼二は奇妙な人間ではあるが、人間そのものである。由里の寝台を見下ろしている額縁の中の田窪信吉は、由里に向って言った。

(己《お》れは麻矢を愛している。沼二の奴《やつ》も、愛している)

と。

麻矢の嫩《わか》い声がどこかでする時、蒼朧《そうろう》とした叢園《そうえん》をめぐらせた暗い家の、何処かの物蔭《ものかげ》でする過去の物音の、そのひそかな音響が、一際昂《ひときわたか》まるのを、由里は聴くのである。幽《かす》かなざわめきの中で、麻矢が笑った。麻矢の笑う声がする時、由里はふと、空想を止《や》めて、爽《さわ》やかな響きが壊滅の中に鳴るのに、耳を澄ませた。由里が空想を中断せられて怒《いか》るのは、その中断させる物音や声が、由里の空想と容《い》れない、別世界のものである場合である。物音や声が、由里の空想と協和音を出している時、或《あるい》はそれが由里の空想よりすぐれた声や音楽なぞである時、由里は自分の方から空想を止めて、聴くのである。

ひどく気持のいい、丸みのあるソプラノである。麻矢の何か言うのを聴いていると、赤子の時に、辿々《たどたど》しく話しはじめた発音や言い廻しが次第に馴《な》れて、ようやく現在のものまでになった、とでもいうような、何処か稚い言い方である。感情の動く順序で言葉が出て来る。それがぽつん、ぽつんと断《き》れるのである。もう一つ、麻矢の発音には一つの特徴があった。人が「し」(si) と発音する時に、麻矢はフランス人の(chi) の発音をするのである。それが稚い感じがする。賢さが、二つの眼を中心に表情、ようす、全体に溢《あふ》れていて、それで物の言い方がどこか稚い。それがひどく魅力がある。鋭敏な麻矢は、絵美矢の在り方も、汚れたものも、絵美矢の運営するこの家の状態というものが、どんなものかということも、いやという程感じ取っているのだが、彼女の青春の歓び、何《ど》うしてうれしいのか、彼女自身にも解《わか》らぬ、「春」の歓びが、それを包み蔽《おお》っていた。男の持つような激しい気性は黒い、光る眼の中にふと、怒りのようなものを宿すことはあるが、その影も、すぐに青春の夢の潤《うるお》いの中に包まれて、麻矢の眼は黒い葡萄《ぶどう》の実のように、光るのである。洗い場で由里と二人になると、麻矢はふと心の底にあるものをとり出して、由里に見せることがある。勿論、洗い場に窓が向いている湯殿の中に、絵美矢夫人が潜んでいないということを、見定めている時である。絵美矢は娘達同士、又は由里と他の下宿人との会話を盗み聴く為《ため》に、洗い場の会話が全部聴える湯殿の窓の下に、用もないのによく、入っていた。

「団さん。あたし、ママがいる内は結婚出来ないわ」

そう言うと直《す》ぐに背中を向けて、麻矢は台所に上り、茶の間の方に消えるのだ。由里は、簀《す》の子《こ》を踏んで行く麻矢の、健康な、形のいい足を見た。麻矢の足は琥珀色《こはくいろ》で、産毛《うぶげ》が少しある。踵《かかと》に丸みがあって幾らか後に出ている。その足には赤ん坊の時の可《か》哀《わい》らしい足が、その儘《まま》娘の足になった感じが、あった。電車なぞで乗り合せて、隣り合って坐《すわ》るような時、麻矢の顔が傾いて由里の顔のすぐ傍《そば》で微笑《わら》うと、賢い眼の光や、整った顔にも係らず、明るい、罪のない赤子の笑いが、横眼に見る暈《ぼや》けた視野一杯に拡《ひろ》がるのだ。瑞々《みずみず》しい赤子の笑いである。憂鬱《ゆううつ》に閉ざされる由里の耳に麻矢の声が、甘やかな歓びを伝える。「帰れ、ソレントへ」が好きで、ピアノを弾きながらそれを歌う麻矢の声が、応接間の辺りから登って来る。由里はその歌の中に、青春の泉の音が湬《せせら》いでいるのを、聴き分けていた。絵美矢の苛々《いらいら》した声が、(麻矢。もう止めて頂《ちょう》戴《だい》!)と言っているのも聴えるが、麻矢は絵美矢夫人の叫びなぞは完全に無視していた。

麻矢は、日本橋の事務所や、銀座の店に行ってはいるのだが、我儘《わがまま》勝手な勤めだから、今日は行ったのかと思っていると、歌の声がした。麻矢の愛しているものは多い。家族の人々を皆愛していたし、その人々の事で、柔かな胸をいためてもいる。だがこの家の中で、特に心持を分け与えているのは沼二と、黒い、毛の長い猫のカメで、あった。麻矢は沼二について、由里に、言った。

「沼二兄さんは変っているけど、善い人なの。何でもよく解るの」

黒い魔のようにふわふわと、絵美矢のあとから飛び歩き、或時はふと塀《へい》の上などに、大きな体を長々と延ばして、乗っていたりするこのカメという猫は、麻矢の心の中に、その心を入れているようで、あった。（カメ）という、麻矢の声で、何処からともなく、黒い風のように飛んで来るのである。麻矢は又、多くの男の友達を持っていたが、それらの男の子達のどれにも、温かい心で、向っていた。麻矢は心臓の温かな、娘である。カメを抱いた麻矢が、台所なぞに立って、由里を見て微笑う時、由里は立止って、二つの美しい創造物《クレアチュウル》を、視た。

「カメって何か意味があるの？」

由里が或日訊《き》くと、麻矢が言った。

「うち、金沢なの。行ったことないのよ。小さい時だけ。そこで蜥蜴《とかげ》のことをかめちよろって言うのですって。カメが蜥蜴に似ているって訳じゃないけど、ただ可愛い名だから。ママもみんなも、馬鹿《ばか》だって言うわ。はじめはカメチョロって呼んでたけど長くて大変でしょう？　だから……」

麻矢は由里の眼に、その黒葡萄のような瞳《ひとみ》をじっとすえ、何かの楽しいことを、秘密に打ち明かす人のようにして、微笑った。

麻矢は勤め先や、姉の恵麻の家で識《し》り合う、男の友達が多かったが、特に親しくよく来るのは、佐伯譲《さえきじよう》で、あった。(ジョウ、ジョウ)と、親しそうに彼を呼ぶ麻矢の声が、甘い、果物の汁のように、譲の耳に響いていた。譲は麻矢を、母親のいない処では(麻矢)と、呼んでいた。譲が麻矢のピンク色のエプロンを、青灰色の背広の腰にかけて、台所で何か遣っている姿を、由里は通りながら、見た。浅黒い、細面の、少し陰気な横顔が、麻矢を想っているためか、ひどく暗くみえるのである。譲が来ている日曜の午後なぞには、台所の周辺も、幾らか明るくて、由里の耳に聴える、この家の過去の物音の幻聴楽が、円舞曲《ロンド》の調子で、鳴るのである。だがその浅黒い、寂しげな青年はいつの間にか、姿を消した。麻矢の様子はあまり変ったところがなく、(帰れ、ソレントへ)の歌声は、相変らず由里の心を魅すように甘く、切なく、響いていた。

或日《あるひ》由里が洗い場で、麻矢と並んで顔を洗っていた時、麻矢が不意に、言った。

「佐伯さん、横浜のキャバレにいるのですって」

そう言った麻矢の頰の上に、透《すきとお》った涙の玉が、弾《はじ》けるように滾《こぼ》れ散るのを、由里は見た。佐伯と麻矢との両方を知っている、秋山という男が、横浜へ踊りに行って、見て来たのである。譲は前からアルバイトでキャバレのバンドに行っていたが、麻矢を見ずに済むために、横浜に行ったのである。由里は麻矢の、温められた大理石のような頰の上を走った涙の玉に見入り、それを見なかったことを、佐伯譲のために、よろこんだ。瞬間的には佐伯は喜んだろう。その涙を手に受けて、その手を生涯誰にも触らせたくないと、思っただろう。だが佐伯の苦痛は新たになり、一層ひどくなったにちがいないと、由里は想ったのである。由里の想像通り、絵美矢は麻矢の結婚によって、廃屋のようになっている家を建て直すことは出来ぬにしても、なにかの潤沢なものに浴したいと、思っていた。そういう絵美矢は、経済学者という、実際の金のことに役に立たない学者の息子である佐伯と麻矢との結婚を、喜ばなかったし、麻矢の心も、それをおしきるほど、佐伯に傾いてはいなかった。それを佐伯はよく知っていたのである。譲は、胸の中では麻矢に、いつも物を言い掛けていたが、表面に現れたところでは、何時《いつ》も育ちのいい、品のある顔に気弱な微笑を浮べて、何処へでも従《つ》いて行くというだけで、あった。処女《むすめ》の心にぐんぐん入って行く、精神力があって、それが眼差《まなざ》しに出、ようすに現れて、処女の心をときめかせるということが、佐伯にはない。勿論それが、言葉になることもない。行動的には勿論零《ゼロ》で、あった。キャバレで踊った帰り、巌屋《いわや》のような出口から登って往来へ出る階段を、切ない心持を胸一杯にして登る譲は、眼の直ぐ下に、半ば開《あ》いた、幾らか乾いたような麻矢の唇《くちびる》が、頬と顎《あご》との間に影を造っているのを見ても、咄嗟《とっさ》の行動をとることが、出来なかった。躊《ちゅう》躇《ちょ》と羞恥《しゅうち》が、何時も固い膜のように譲の行動を、抑えていた。譲の居なくなったあとで、麻矢の心に残ったものは、寂しさ、だけで、あった。一人の内気な青年の、ひそかに持っていたらしい炎の感触、だけであった。或日譲は帰り際に、眉墨《まゆずみ》の棒のキャップを麻矢が手に持っていたのを、じっと見ていたが、それを下さい、と言い、麻矢が「これ？」と言って渡したのを、自分の鉛筆に嵌《は》め、大切なものを奥深く蔵《しま》うようにして、上着の内隠しにそっと落しこんだが、そんな時の様子が麻矢の心に、小さな哀《かな》しみのように、残っていた。麻矢は譲の内気な、けれども、自分の彼への心持の何倍かを上廻《うわまわ》っていた、恋の抑えた炎を、知ってはいたのである。恋の炎というものへの女の感応は、他のどんなものよりも鋭敏で、あった。由里は麻矢の頬の上を、転《まろ》ぶように滑った、透った涙の玉に感動して、二階に上った。

佐伯譲が来なくなった麻矢の、幾らか空虚になった心に、梶達郎《かじたつろう》の風貌《ふうぼう》が、彼の、無理やりに突き入るような強引さで、入って来たのは、佐伯が去ってから三カ月程後のことで、あった。梶達郎は、田窪信吉の教えた学生で、あった。スマトラから復員して直ぐ、背嚢《はいのう》を持ったまま、田窪家の玄関を叩《たた》いた。出征したのは二年前である。東京の家が焼けて、岐阜の父親の家へ帰る途で、親しくしていた田窪家に一旦《いったん》荷物を下ろしたのである。商人の息子ではあったが、役者のように粋《いき》な梶を、田窪家の人々は、洒落《しゃれ》た男というと、話題にのせていた。少年の頃からませていた梶には、女の噂《うわさ》が、多かった。結婚する意志というものがないようで、何か生活に翳《かげ》のある男である。出征した時には既に三十になっていたので、当時十六だった麻矢はひどく年上の男だと思っていたが、その感じはその時も変ってはいなかった。ただ一寸眩《ちょつとまぶ》しそうな眼をして見下ろすようにする彼の眼が、二年前とは異《ちが》っているのを、麻矢は直ぐに、知った。梶は麻矢を見て、（やっと帰って来ましたよ）と、言った。なんとなく、恋人に言うような、言い方である。そう言いながら、麻矢を見た苦味のある微笑が、瞬間麻矢を、惹《ひ》きつけていた。もう麻矢を相手にしはじめた顔である。一種の遊び人で、絵美矢夫人なぞをも適当によろこばせる術《すべ》を持っている梶を、絵美矢も、麻矢の結婚相手として考えては、いなかった。

その晩梶は遅くまで茶の間で、女達と話していた。金沢から送って来た山胡桃《やまくるみ》が鉢に盛って出されていて、皆はそれを胡桃割りで割ってはたべていた。胡桃割りの話から戦前の話になって、話が弾んでいた。梶は、（お疲れでしょう）と、何度も犒《ねぎら》う夫人の言葉で、始めから膝《ひざ》を崩していたが、その内に畳に肱《ひじ》をついて横になった。梶が手から落した胡桃が転がって、離れて坐っている麻矢の膝の下へ来て、止った。故意《わざ》と遣ったのである。梶が麻矢を、下からすくい上げるようにして、見た。大きく開いた眼には微笑《わら》いがある。苦い、麻矢を知らぬ世界へ誘う、微笑いである。故意としたのを知っていて、麻矢も、微笑った。二年の間に精神も肉体も生長した麻矢の微笑いは、遊び人の梶にも触れるものが、あった。

「麻矢さん、大きくなったな」

梶は夫人たちを顧みて、明るく笑って、言った。何処《どこ》がどうとも言いようはないが、ギャランな、女を扱う手のようなものを、梶は持っている。最初の夜から、麻矢の心に小さな恋の石が投げられ、その小石を吸いこんだ麻矢の胸は、波立っていた。二度目に岐阜から出て来た背広姿の梶は、もう完全に粋な男の風貌で、麻矢の心を新しく、摑《つか》んでいた。

これは結婚を目標にしているものではない。それを知っていることが、そう思うことが、麻矢を危ないようなもので、ひどく誘うのである。麻矢の心を誘うのは梶の眼である。肉感的なものが潜んでいる。自分を見る梶の、なにかで黝《くろず》んだような眼である。そうして、脣である。梶の眼の中にあるものは、麻矢の知らない世界である。だが、どこかで、知っている、世界である。二人だけになると、梶は煙草《たばこ》を麻矢に取って呉れと言い、麻矢の手から受取った紙巻を咥《くわ》えて、麻矢を視る。燐寸《マッチ》を探り、無い、といや仕科《ごなし》をして、

「燐寸ない？」

と、紙巻を咥えた口で言って、苦味のある微笑いを浮べる。麻矢は燐寸を擦る。麻矢が燐寸を差出すより先に麻矢の顔の近くに顔を寄せて、麻矢の指を軽く抑え、火を点《つ》ける。燐寸の燃える匂《にお》いと一緒に梶の、男の顔が、大写しになる。そうして直ぐに退《の》く。梶の眼は麻矢に囁《ささや》いている。（どう？）。そのどう？　は、僕と遊ばない？　のどう？　である。麻矢は梶が、これという言葉も言わぬのに梶の手もとにぐんぐん、たぐりよせられて、いた。顔も体つきも細く、線の細い顔だが精悍《せいかん》なものが溢れている男である。古びた暗い灰色の背広に、濃い灰色のネクタイのこの男は、麻矢の心を自由に手もとへひきよせながら、心の中で動揺する麻矢の心を、甘い果物のように、味わっていた。それが麻矢にはわかるのだ。そうしてそれがひどく誘惑的で、あった。

やがて絵美矢と恵麻が入って来る。絵美矢は何事かを感じたが、そんなことに構っている梶ではない。

「僕はばかな女は嫌いだな」

梶は話の合間に、ふいにそんなことを、言った。それは上手なうれしがらせである。それは麻矢以外の大方の女に嵌る言い方だが、そばにいる女といえば、恵麻である。

「まあ、それじゃあ私たちなんか嫌われますわね」

恵麻が微笑って言って、新しく梶の茶碗《ちゃわん》に紅茶を注いだ。

「どういたしまして。恵麻さんや麻矢さんのような人はざらにはいませんよ」

「光栄ね」

麻矢が首をすくめて、言った。梶の誘いへの返事である。女の智慧《ちえ》というものは、小さな子供と同じで、上手な教師や、巧妙な男の手で、幾らでも汲《く》み出されるものである。縁側に跫音《あしおと》がして、不意に沼二が現れ、ゆっくりと歩いて通り過ぎ、又引返して来た。沼二は梶を虫が好かぬので、深い怒りを燃やして、出て来たのである。裸の足がねばつくような音を立てて、ぎゅっと鳴った時、沼二の眼が的確に麻矢の顔と、梶の様子とを、射た。

「まあ、ご挨拶《あいさつ》もしないで」

恵麻と絵美矢とが同時に言って、顔を顰《しか》めた。沼二はそっぽを向き、横眼に梶を見てガクンと一つ頭を下げて、去った。

「だが……」

と梶が言った。

「こういう食糧事情じゃあ、当分湖水にも行けないな」

「湖水って、いいでしょうね。だけど沼なんてどんなでしょう。なんか湿っぽいようなところにあるんでしょうね」

恵麻が、言った。麻矢はじっと梶を視て、微笑っている。梶は、(大したもんだ。こりゃあ)と心の中に、呟《つぶや》いた。

その日由里は、麻矢と梶とがつれ立って上って来たのに、愕《おどろ》かされた。

「ごめんなさい、パパの知ってる方なの。パパの写真を見にいらしったの」

麻矢が言って、

「梶達郎さん」

と、紹介した。

「お邪魔します」

自分と無関係な女を見る眼で由里を見て言い、梶は直ぐに背中を向けて写真の前に、立った。直ぐ麻矢をふり返って、

「そうそう、ここの部屋だったたな。麻矢さん何処にねるの? 今。赤ちゃんの時はこ

こだったろう？」

梶の出征前の頃のことを言うのである。

「まあ、赤ちゃんだって」

麻矢が、言った。

三カ月前に、弾けるように涙が滾れ散った薄紅い頬は、今日も温かな大理石のように、夕陽をうけて、紅《あか》らんでいる。

階段を先に降りながら、梶がふと立止まって、麻矢を見上げた。

「今度僕の部屋へ来ない？　人にばっかり来させるの？」

「だって……」

「だから赤ちゃんさ」

梶は言い、大きな音を立てて、先へ下りて行った。

その日から一週間程経《た》った或日のことである。梶は絵美矢夫人に、風呂《ふろ》へ入るように勧められていた。（今、麻矢が入って居《お》ります）とは、夫人に言われていたが、梶はその時だけは下心《したごころ》なく、恵麻が廊下を通ったのを麻矢と思い違えて、湯殿の硝子戸《ガラスど》を開けた。戸に手が掛かった時、中に気配を感じた梶は、こんどは明瞭《はっきり》、（見て遣《や》ろう）という気持で、戸を開けた。開け放しの湯殿の、白い靄《もや》を背に、こっちへ向いて立ち、籠《かご》の下着へ手を伸ばしていた麻矢は、足もとのタオルを首の下まで引き上げ、それを体に纏《まと》うように抑えて、立竦《たちすく》んだ。湯気に湿った、柔かな脣は半ば開いている。大きく開いた眼は、（あっちへ行って）というような歎願《たんがん》を含んで、必死にこっちに向けられているが、体には幾らかの媚《こ》びが、潜んでいる。本能的な媚びである。後の霓《にじ》に滲んだような柔かな輪廓《りんかく》の中の、大きな掌《てのひら》で抑えたら殆《ほとん》ど隠れてしまうような、膨《ふく》らんだ瑞々《みずみず》しい乳暈《にゅううん》をいただいた紡錘形《ぼうすいけい》の乳房と、濡《ぬ》れた髪とが、梶の眼に灼《や》きつくように、映った。

「早く着て来給《きたま》へ」

梶は微笑って言って、戸を閉めた。

多くの女達の内部では、健全な頭と娼婦性《しょうふ》とが、生ぬるい湯と水とを混ぜたもののような、鈍い混りかたで同居しているのだが、麻矢の場合は、その二つのどれもが烈《はげ》しくて、火のようで、あった。梶が麻矢に火を点けるのは易《やさ》しかったし、梶と麻矢とは或種の、いい一対で、ある。

麻矢の心には、梶の言う通りになってみようという心持が次第に屢々《しばしば》起きるように、なっていた。ああいう男には既《も》う出会わないかも知れぬという、既に一人の女を内部《なか》に持っている麻矢の、大胆な計算も、あった。自分なら梶の、花をむしって歩く長い旅の中で、一つの新鮮な、大きな花になれるだろう。梶の心の中に、一つの大きな跡を遺《のこ》すことが出来るだろう。そういう稚《おさな》い、稚いが強い気勢のようなものがある。麻矢は馬で言えば、サラブレッドで、あった。そういうものを引《ひき》くるめたものの上を、処女の恐怖が、固い殻を被《かぶ》せて、いた。胡桃のような固い殻である。「胡桃割り」。それは伊達男《だておとこ》の好きな遊びの一つである。麻矢は恐怖と、そぞろなものとの混ざった心持に揺すぶられながら、奥の縁側の籐椅子《とういす》に、凭《もた》れていた。デニムのスラックスの足を長く伸ばし、肱つきにぐったりと肱を突いていた。片方の手は力が抜けたように、垂れている。カメの黒い、肥えた胴体が、膝の上に長くなっている。陽は細かな黄金《きん》色《いろ》の雨のように、十八歳の娘の上に降りかかり、硝子戸に向いた頰と、裸の足首には陽炎《かげろう》が燃えて、いた。恐怖と、或ときめきとを湛《たた》えて、裂けるように見張った眼を、金魚の水槽《すいそう》の辺りにすえて、麻矢はじっとしていた。

「麻矢！　お使いに一寸行って頂戴《ちょうだい》！」

茶の間から絵美矢の鋭い声がして、我にかえった麻矢は、立上った。緋色《ひいろ》の木綿のブラウスの麻矢の顔は、蜜《みつ》を湛えた花のように、秘密ありげに匂い、十八歳の娘の美の頂点を、示していた。麻矢はふと心の中で、言った。（ママや恵麻はこういう時にはいいわ）梶が麻矢を、赤門前の、友達の弟の提供して呉《く》れた部屋に来させることに成功するのは、既に時日の問題で、あった。

梶が来始めたのと丁度同じ頃に、木谷ジョリイとベオ・マリとの間が完全に駄目になり、黒人《ニグロ》と白人との混血児のパサデナという男が来るように、なった。パサデナは、故郷のコンゴでは大きな邸宅を持つ豪族の息子だというのは、真実《ほんとう》ではないとしても、どこかにその言葉を裏がきするような様子があったし、金離れもいいので、絵美矢夫人としては歓迎すべき人間が来たわけではあるが、いかにも黒人の方の血が多く入り過ぎていた。絵美矢は由里に向い、

「今度のパサデナさんは、白人との間に出来た混血さんでございますけれど、色が何分あの通りでございますからね。よその方《かた》には仰言《おっしゃ》らないで置いて下さいましね」

と、眉《まゆ》を顰《ひそ》めて、言った。ジョリイの客は宿《とま》る訳ではないが、暑い時季だったし、昼過ぎなぞに洗い場に背中を拭《ふ》きに来るのを、いけないと言う訳にも行かない。GIを相手にする女を置いている以上、五十歩百歩であるが、絵美矢夫人はパサデナの皮膚の色を、ひどく気に病んでいた。

八月の中旬《なかば》の或日《あるひ》、麻矢は恵麻が日本橋の家に帰っていたので、そこへ行って宿り、二三日目に帰って来た。酷《ひど》く暑い日で、あった。外から入ると直《す》ぐ台所へ行った麻矢は、明るい洗い場の一部が長四角に光っている筈《はず》のところに、黒い大きなものが立塞《たちふさ》

がっているので、見ると黒人の半裸体で、あった。息を呑《の》んで立止った麻矢を、パサデナの方でも愕いた様子で、上って来ようともせずに立っている。次の瞬間、パサデナの眼に、柔《やさ》しい、深い光が宿った。麻矢も愕きの一瞬が過ぎると、この家では全くあり得ることであるのに気附《きづ》いた。気の毒をしたとも思うので、やさしく微笑い、そのまま構わずに水を飲む洋杯《コップ》を出すために、黒い人に背を向けたが、敏感な麻矢は、パサデナの眼の中に、一瞬宿っていた深い、澄んだあるものを、強く感じ取ってはいたのである。パサデナはそのことがあってから前よりは多く来るようになり、ジョリイの留守の時にも来て、直ぐには帰らずに、ジョリイの部屋に長い間いるように、なった。麻矢はパサデナの心持に、深いものがあることを、最初の出会いの瞬間に読み取っていたので、成るべくパサデナと出会わぬように、していた。だがそうやっていても稀《たま》には打つからない訳には行かない。台所や門の辺りで擦れちがったり、往来で、向うから来るのに会うこともある。台所や洗い場で一寸の間一緒にいて、何かすることも、ある。パサデナは、麻矢がすぐ近くにいるような時、麻矢を見はしなかった。だが黒い、大きな瞳《ひとみ》をじっとさせている、パサデナの横顔にあるものを、麻矢は見ていた、というより、感じとって、いた。紫色を帯びた黒い皮膚の、黒人《ニグロ》にしては小柄な体全体から、麻矢を想《おも》っている苦しみのようなものが出ている。閉め切った部屋の中の、蒸し暑い空気のように、それは麻矢を、襲った。その中に、強い誘いがある。純粋な、肉体的なものを含んだ男《マスキユラン》というものの、強烈なあるものが、麻矢を襲うのである。そういう時ふと麻矢は、自分がパサデナが感じている通りの一匹の肉感的な雌であることを、感ずる。それは麻矢が、生れて初めて感じとった、強くて深い、誘いである。令嬢とか、教養とかいう飾りが、そこでは剝《は》ぎ取られている。麻矢はそういうものを、飾りとしてつけてはいない。どこかで、何かがわかっている娘である。自分が雌であることを感じとった時、それを不快には思わなかった。本能では歓迎しながら、そういうものに、下劣だという顔をしてみせる令嬢でもない。人から話を聴かなくても、何かの書物で読まなくても、どこかで何かを知っている、麻矢はそういう娘で、あった。パサデナの心を、麻矢は冷笑してはいなかった。むしろパサデナの中にある、友達のようなものは、ひそかに受けとっていたのである。パサデナは、黒人にしては智的な、静かなもののある青年である。黒人に多い厚ぼったい顔ではなくて、肉の薄い、平たい顔で、脣《くちびる》も薄い。麻矢を見るパサデナの眼に、どうかすると静かな光が宿る。パサデナは麻矢を想いつめていて、肉体的なものの中から、きれいな、宗教的なものをさえ、麻矢に受けとらせていた。沸《た》ぎるような男《マスキユラン》というものを、麻矢に打つけているパサデナの様子の中に、尾を垂れて、主人の命令を待っている善良な犬の哀れさが、ある。だがパサデナの皮膚の色は、麻矢に不快と恐怖とを与え、麻矢は彼を見る時、ひそかな友達の心をさえ、失うので、あった。麻矢の心には恐れと、哀れみとが、沈んだ。唯《ただ》、麻矢とパサデナとの間にあるものの中に、麻矢に一つの深い、衝撃《ショック》を与えたものがあって、それが麻矢を、梶の言う通りになって、梶の部屋に行こうという決心をつけさせる、原動力になったことは否《いな》めないもののようで、あった。麻矢は九月の或日梶の部屋に、行った。

長椅子に寝転んでいた梶が半身を起して、微笑《わら》った。謎《なぞ》のある、いつもの、麻矢には未知なものを、梶が二人の共謀のようにしている、微笑いである。何かの淵《ふち》にひきこむ、微笑いである。梶の眼から額の辺りが暗み、青みがかって、みえた。梶は麻矢を自分の脇《わき》に掛けさせ、今度は明るい、親しい微笑いを見せて、言った。

「なんて言って来たの。ママに」

「事務所の人のところって。その人家《うち》に来ないから」

「男の子だろう?」

麻矢が肯《うなず》いた。生毛《うぶげ》の光る顎《あご》である。

「気の毒だな。麻矢が行ったら喜ぶんだろう?」

「知らない」麻矢はその知《し》を（chi）の発音で、言った。梶は体をよじって、長椅子の後から葡萄酒《ぶどうしゅ》の罎《びん》をひき上げた。

「飲む？」

「好き」

長椅子の傍《そば》の小卓の上の洋杯に、透《すきとお》った、深い紅色が漲《みなぎ》って揺れた。

「これ、甘い？」

麻矢が洋杯を脣に持って行きながら、言った。

「渋いだろう」

「強い」

麻矢は一口飲むと眉を顰《しか》めて、微笑った。茶っぽい色をした、濃いが周囲のぼやけた眉である。麻矢は洋杯を置き、梶をみて微笑った。大きく開いた眼の中に不思議なふかみがあり、青みを帯びてみえる。梶が顎をもって持ち上げた。摘《つま》みあげたような鼻。柔かそうな、口紅の薄い脣が、生毛のある頰と顎の間に、幾らか窪《くぼ》みこんでいて、梶の眼をその一点に惹《ひ》きつけた。麻矢の瞳が外《そ》れ、下眼むきに横に流れた。

最初の接吻《せっぷん》は、軽く、触れ合いに近く、少年と少女とのそれのようである。それが済むと麻矢は、何かの誘いに乗り、瞳に暗い火が点《とも》った。梶は麻矢の腰の後に長い足を延ばして、再び肱《ひじ》をついて横になった。梶は麻矢に火を点《つ》けさせた紙巻を咥《くわ》える。

麻矢の洋杯を奪って飲み、それを麻矢に返す。麻矢は間接の接吻を覚え、急激に梶に親しんだ。梶はこれという話もしないが、処女《むすめ》を平気にさせる柔かなところがあり、処女を面白がらせる手を心得ていて、後をひかせるものを、沈黙の内に麻矢にわたしていた。長椅子の上にねそべるようにしている梶の傍で一緒に絵を見る麻矢は、直ぐに彼に寄りかかって覗《のぞ》きこむようになった。梶が渦巻いた麻矢の髪にさわる。麻矢は梶の傍にいて、幽《かす》かな煙草《たばこ》の匂《にお》いを香いだ。父親の胸で香いだ、昔の匂いである。二度目には麻矢は梶に凭れていて、何か笑うような時なぞに、自分の方から梶の肩に飛びついて、梶の頰に自分のをくっつけて揺すぶりたいように、思った。梶は麻矢の髪に唇を埋め、じっとしている麻矢の胴に腕を廻《まわ》した。麻矢は自然に梶の胸に抱きこまれ、麻矢は始めて深い接吻というものを知った。接吻はその度に、長くなった。麻矢が梶の下になり、寝ていてする接吻を覚えたのは、三度目の訪問の時で、あった。女を扱いつけている梶は、麻矢を幼児のように扱い、梶はその白い手で麻矢を間接に愛《あい》撫《ぶ》しているようなものである。連れ立って東大前の通りを歩き、料理店に入ることもある。二人で寝るというのでもないのに、梶は麻矢が部屋に入ってくると、首飾りを外して遣る。外へ出る時にはつけて遣るのである。そうして首の根に接吻する。それらのことが一つ一つ、麻矢の処女の固さを解《ほど》いて行った。十月の初めの酷く冷たい日

である。入って来た麻矢に、

「冷たい？」

梶はそう言って燐寸《マッチ》を擦り、小卓の下に置いてある青い陶器の小さな瓦斯《ガス》ストオヴに火を点けた。

「冬みたい」

麻矢は起った儘《まま》両掌を頰に当てて、それを見ていた。ふと梶の眼を感じた麻矢は少し後《うしろ》へ退《すさ》り、掌を脣の上にずらせた。梶は心の中で微笑った。若い処女の恐怖がさせる、神が教えた技巧である。梶がその掌を除《の》けようとする。麻矢は拒み、身をひねって後向きになる。恋の火は二人の中に燃え、麻矢は夢中の状態の内に長椅子の上に梶と絡《から》み合うようにして倒れ、倒れた梶の上になる。羞恥《しゅうち》が麻矢の稚い顔を、はしばみの葉のように紅くし、麻矢はとまどって梶の首の脇に顔を伏せる。梶の手で直ぐに麻矢は梶の下に、抑えられた。深い接吻が続いた。抵抗をする麻矢の手を潜《くぐ》るようにして梶の手が巧妙《うま》く衣《きもの》を脱がせる。やがて羞恥と、蒸暑さと、燃えるもの、懶《ものう》い疲れとの海の中で、麻矢は外地から帰ったばかりの兵隊の、精悍《せいかん》な力と、巧緻《こうち》な技巧との下に、征服せられた。何処《どこ》かで煙草の香《にお》いがし、麻矢は父親と男とを同時に、感じたようにも、思った。麻矢はその時、二人の丁度頭の所にある戸棚の上にあった、熱帯植物の葉の葉脈の模様、その壁に映った影なぞを、うつつの間に不思議なものを見るようにして、見ていた。

やがて梶は腹匍《はらば》いになって、紙巻に火を点けていた。白い男の指が、不思議なものになって麻矢の眼を伏せさせる。梶が麻矢を見下ろした。

「花嫁さんおつかれ？」

麻矢ははにかみの下から、窃《ひそ》かに、秘密を含んだ微笑いを浮べた。深い微笑いである。（既《も》う麻矢は女になったのだ）そういう感動が我にもなく梶を襲った。梶は麻矢の賢さを知っていて、ここまでつれて来たのである。風のように来て風のように去る彼の恋愛行為は、いつも素速くて、それぎりである。自分の近くの、奥さんとか、同じような地位の女が多い故《せい》もある。続いていたことのある女は、必要上のものである。麻矢のようなのは勿論《もちろん》直ぐに放して遣らなくてはならない小鳥である。それは梶という男の、カザノヴァ哲学のようなもので、あった。麻矢が母親や姉たちの話をきいていることもあって、それを洞察《どうさつ》していることも、後を追う筈のないことも、最初から知っていたのである。一時引かれても、それを思い止まらなくてはならない世間の配列にいる娘である。魅力さえ完全な、令嬢である。梶はその後、四五回の密会を重ね、麻矢を、死のような疲労の海の中に漂わせたあとで、麻矢との関係を断った。最後の日、梶は思いがけない未練に悩まされながら、もう二度とは見つけられないように思われる麻矢を、薄い外套《コオト》を着せかけ、首飾りをつけて遣《や》って、巷《ちまた》の中へ、放して遣った。事実梶は、麻矢が結婚をして何年一緒にいても、厭《いや》にならない女だということを認めている。だが彼には結婚というものが、虫ずが走るほど生温《なまぬる》く、阿呆《あほう》で、不快なもので、あった。

麻矢は確かに変化をした。それが下宿人の由里にも見えるのである。絵美矢も感づいたようである。魅するような、深い微笑が、一層翳《かげ》をもって来たし、歌う声も、声帯が熟したように一層柔かくなって、幽かな、その嗄《かす》れるような響きは切なく、悩ましい心を起させるように、なった。確かに女の足になった麻矢の足の運びが、言い現しようのない重い魅惑を、感じさせるのである。それらの麻矢の変化に、鋭い眼を向けていたのはパサデナで、あった。パサデナは憂愁の霧を、その紫色を帯びたココア色の体に纏《まと》いつけ、それまで通りにジョリイの所へ通っていた。パサデナは或日不意に絵美矢夫人に、厚紙の箱に詰まった米製品を附け届けて、絵美矢夫人の相好《そうごう》を崩させた。木谷ジョリイは戸惑いながらも、絵美矢夫人への報復の快感に胸をどきつかせたので、あった。由里はジョリイが、皺《しわ》の出て来た顔に亜米利加《アメリカ》の水白粉《みずおしろい》を塗り、洋紅の上等をくっきりと引いて、上機嫌でいるのを見ると、ジョリイと偶然つれ立って門を出て、向うから来かかった梶が、何もかも知りぬいた顔で、ジョリイの方を見もせずに、無表情な顔をして擦れ違った時なぞは、ひどく気の毒に思ったのである。擦れ違った梶は、あまり靴の音もしない。ふと振り返って見ると、梶が首をふり向けようとしていたので、由里は直ぐに向き直った。白い毒のある花粉のようなものが、通って行ったあとに道をつけてゆくような感じのある、何かの精のように見える後姿である。灰色に地味な格子《こうし》のある夏の背広に、胸の隠しの白い手巾《ハンカチ》、銀鼠《ぎんねず》をおびた白に、濃灰色のドット風の小模様のネクタイは、ギャバンのギャングを堅気にした好みで、由里の気を充分ひくもので、あった。（学者のようには見えない男だ。だが湖と沼に関係のある男としては適している。こっちをふり向きかけていたところは、人目を気にする日本のカザノヴァだ。もっともカザノヴァが悪いのではない。日本の方が悪いのだ）由里はジョリイの気の毒さなぞは忘れてしまい、気楽な顔をして、想った。冬なぞは黒いオーヴアの下からにょっきり足を出し、紅《あか》いソックスに下駄《げた》を履き、長《なが》箒《ぼうき》を鬼の金棒《かなぼう》よろしく突きながら、買物から帰ってくるジョリイは、米兵用の源氏名がよく似合っている日本人離れのした女なので、麻矢と梶との間を細く気にするようなこともなく、パサデナの心を邪推することもない。ただ自分の顔のことと、白髪が四五本を越えたので茶に染めようということ、金のこと。今度はハンサムな米兵を捉《つか》まえたいものだということ。それだけを交《かわ》る交るに頭に浮べていたから、その時もなんということもなく、擦れ違った。又梶がどれ程苦味走った男でもジョリイにとっては日本人の男というものは、始めから諦《あきら》めている、今では全く外国人のような存在で、あった。

麻矢は確かに、どんな点においてもサラブレッドである。香いのいい花のような存在の底で、梶との経験を自分の養分にして、真実《ほんとう》の、魅力のある幸福を捉《とら》えようと、希《ねが》っていた。絵美矢が声を潜めて、

「梶さんのお部屋へあなた行ったんでしょう?」

と言った時、

「行ったわ。わるい? だけどもう行かない、一月《ひとつき》も。これからもずっと」

と、男の子のように、答えた。絵美矢は呆《あき》れて、沈黙したが、欺《だま》されるのではあるまいか、という、この女が絶えず持っている触手のようなものを、その三色《みいろ》の髪のへばりついた額際《ひたいぎわ》に生やし、

「そうお」

と、麻矢の顔を窃《ぬす》み見た。

梶との情事が終ってから、麻矢はなんとなく物足らぬ日々を送っていたが、一月後《あと》

の十一月の始めに、第三の男が麻矢の前に、現れた。一目で心の臓を摑《つか》まれたように、麻矢は、思った。田宮亮太《りようた》は、沼二のじっと視詰《みつ》める眼を、熱のある眼差《まなざ》しで受け止めた、最初の男で、あった。彼は麻矢と、前に会ったことのある人間のように直《す》ぐに打ち解け、親しい話をした。麻矢は梶との経験で、田宮の中の、男というものにも、親しみと愛情とを持つところがある。二人は垣根なしに近寄ったようなもので、あった。

田宮は、麻矢の義兄の除村《よけむら》敬三の友達の田宮良吉が、電車で一緒になったと言って伴《つ》れて来たその弟で、あった。敬三の家に行っていた麻矢は、田宮の兄や、義兄たちと一緒に話している間に、何か、運命のようなものを、感じた。相手の亮太も、それを感じたのである。亮太は、談笑している合間に、ふっと黙って、自分の指先を見ていた。そうして指先に挟《はさ》んだ紙巻に溜《たま》った灰の棒を、少しの間視ていてから、灰皿の方へもっていって、はたいた。麻矢を嫌いな人のように、顔を向けずにいる時が多かった。そうして麻矢が彼が言ったことについて何か聞く時、亮太は熱のある人のような眼で、麻矢を視た。そうしてそれについて何か言って、白い歯を見せて微笑《わら》った。太い声だが大きな声ではない。それなのに可笑《おか》しいことがあると、ひどく愉快そうに大きく歯を見せて、笑うのである。麻矢が一目で好きになったのはその笑いである。

眼と眉の辺りは幾らか哀しげな、といってもいいような陰影を持っていて、それでいて白い歯を大きく見せて笑う、愉快げな笑いである。敬三と入って来た亮太が、敬三の後《うしろ》から顔を出して恵麻に向って微笑った時、麻矢は既に亮太を好いていたのである。父親信吉のように美貌《びぼう》ではないが、信吉の中にあったものが、亮太の中にある、と、麻矢は想《おも》った。その夜麻矢が帰ると言い出したのには、無意識な下心が萌《きざ》していたのである。田宮が道筋を聞いて、(送りましょう)と、言った。除村も、田宮の兄の良吉も、二人が一緒に帰るのを快く思っていることが解《わか》り、二人は俄《にわ》かに浮き浮きして、帰り仕度をした。

外は酷《ひど》い風だった。日本橋の通りは冷たい十一月の風が吹き廻り、紅や青、桃色の商店の飾り提灯《ぢょうちん》を、揺すぶっていた。並木の枯れ葉が飛びまわって、いる。亮太と麻矢とは外套の襟《えり》を立てて、歩いた。終電に近い、気忙《きぜわ》しげな都電の音と、風の響きの混り合う中で、麻矢と亮太とは互いの靴の音を、聴いた。何処かの書店の広告の紙が破れ、裂けそうに、はたはた鳴るのを見て、麻矢が肩をすくめた。

「悪魔の風みたい」

麻矢はふと、不安な気持がした。亮太の傍に、もっと寄っていなくては、不安なような、気が、したのである。

「寒いでしょう？」

亮太が、言った。

一寸《ちよつと》の間、男の声を聴いていたような麻矢は、男の顔を見上げた。背の高い、何処か野獣のような荒さのある中に、やさしい、柔かな神経が通っている男である。

「歯がカチカチ言いそう」

亮太は麻矢を見下ろすようにして、微笑った。親しい、体だけではなくて、心が直ぐ傍に居る人の微笑いである。

（この人にどうして今まで逢《あ》えなかったのだろう）

亮太は考えていた。手編みらしい首のある黒いスウェータアが、外套《オーヴァ》からはみ出ていて、針金のようなこわい顎髭《あごひげ》が、まばらに見える。朝剃《そ》っても夕方には伸びるという質《たち》らしい。それらの特長がすべて麻矢に、親しみのあるものに、見えた。

「手袋してないんでしょう？」

亮太が、言った。亮太はそれを表通りへ出た時から、気づいていたのである。麻矢は姉の家の廊下の本棚の上に、手袋を置いて来たのである。麻矢にそう言いながら亮太は、（してないんだろう？）と言う筈《はず》なような、気がした。（この女《ひと》には恋愛の経験がある）と、亮太は思った。（自分にもある）けれども亮太のは、なんとなくしっくりしなくなって来ている、酒場《バア》の女とのものだった。技巧が心持に、妙に飾りをつけてしまう、という質のだということが直ぐに、解ったのだ。小説の女が言うようなことを言う。執拗《しつよう》で五月蠅《うるさ》い。亮太は離れたくなっていた。亮太は両掌を隠しから出し、合せて揉《も》むようにしていたと思うと、黒っぽい紫紺色の毛糸の手袋を脱いで、黙って麻矢に出した。麻矢はそれを手に持った時から、亮太の傍《そば》にいる。そうしてその体温を手に感じたという、そのことが、潮《うしお》のようにおそい、子供の時に還《かえ》ったような、安心感を、覚えた。麻矢は亮太の胴に手袋を嵌《は》めた手を廻して、頭を、外套を着た、皺《しわ》のある太い腕に寄せかけて歩きたいように、思ったが、黙って下を向いて、歩いた。既に二人は一組の恋人である。十一月の風の、体の中まで吹きさらすような非情な感じと、外套の中まで滲《し》み徹《とお》るような冷たさとの中で、春の風のような思いがするのである。亮太は麻矢が手袋を、うれしげに嵌《は》めたことで、心がひどく安定したのを、感じた。

「もう少し早くお暇《いとま》していたら、あそこへ首を突っ込むんですけどね」

彼の掌を上げた方を見ると、おでんと酒の屋台店の灯が紅く、暈《ぼ》やけていた。

「やったことある？」

亮太はついそんな言葉で、言った。

「一度。除村の兄と、それから家《うち》の兄と。あたし猫舌だから笑われちゃった」

麻矢はどんな時にでも、そういう舌足らずのような言葉以外には、使わなかった。

「僕もそう」

亮太は思わず知らず子供のように急《せ》きこんで、言った。

「猫舌の人って、割にないのね」

麻矢が又微笑って見上げた。都電に乗った二人は、運よく並んで腰をかけたが、前から知っていて、何度もこうやって並んで掛けたことがあるような、気がするのを、互いに不思議に、思った。

「僕たち前から知ってたみたいね」

亮太が小声で言った。麻矢は黙って、一寸振り向くようにし、その広いが横幅の狭い、白い額を亮太の肩に寄せて、直ぐに離れた。その仕科《しぐさ》には幾らかの艶《なま》めかしさと、稚《おさな》さとが、あった。亮太はすぐに、何かあるのだな、と、思った。渋谷《しぶや》から乗ったタクシイを水道道路で止め、亮太は家の前まで、送って来た。風が幾らか弱くなっていて、凍ったような星が光っていた。

「じゃ。こんど」

亮太は言って、闇《やみ》の中で掌を出した。麻矢の掌は手袋を嵌めた亮太の、大きな温かな掌の中に、包みこまれるように、握られた。亮太は掌の中に捉えた小鳥をたしかめようとするように、一寸の間そうしていて、離した。

デイトが重なった。二人は自動車《くるま》で帰って来ると、門の外の辺りから大声で笑いながら入って来る。

「どうかしてるわね、あの人達」

絵美矢が老眼鏡の中から上眼使いに、丁度来ていた敬三を見た。敬三は聴えない顔で、ウイスキイの洋杯をとりあげた。

「大体二十八で結婚するなんて、どうかしてますよ」

恵麻も、黙っている。

或日《あるひ》絵美矢は、麻矢が出て行こうとするのを、引止めた。

「麻矢」

「なに?」

「あなた婚約したのだって? ママに相談もしないで」

「あの人はもう一人いない。それにママは反対するに定《き》まっているもの」

「それでいいんですか。苦労して育てて……」

絵美矢の三色《みいろ》の髪の額際が紅くなった。恵麻が入って来た。

「大体ママがどんなに家《うち》のことを心配しているか、知ってるの？　お父様はあんなだったし、家だってこんなになって。ママのお着物だってこんな、昔はこんなお着物着ていたことはありませんよ。ピアノを売るといったってきかないし……誰に似たんだろう。お父様は気嵩《きがさ》でいらしったけれど、そんな麻矢のような強引な態度はなさらなかったわよ、ほんとに。ママのことを構って呉《く》れる心持なんてこれっぽっちもないんだから……」

絵美矢の乾貝《ほしがい》のような眼に涙が、滲《にじ》み出た。恵麻が溜息《ためいき》をついて、言った。

「ママの気持はわかるけど、田宮さんならなんとかなる方じゃないの？」

（技術の方はまだだが、構想の面では天才的だ。少なくとも大才を持っていることは確かだ）というのが除村敬三の、亮太評なのである。

「何がどうなるもんですか。まだ二十八の子供で。お母様は直ぐ死んでしまうんですからね。除村の敬三さんだってそうですよ。建築家で腕がいいなんて言ったって、何か造《こし》らえればお礼も貰《もら》わない内から飲んでしまうのだから。あんな人の友人に碌《ろく》な人なぞいるものですか、ほんとうに」

絵美矢の頭の中には、今までの、麻矢の力で米兵から贈って来る物資で、幾らかは派手な生活の中で、麻矢の結婚に夢を繫《つな》いでいた、未来のあった境遇が、今更のように懐《なつ》かしく浮んでいた。麻矢はそれを充分に解っていたが、不快は依然として不快である。麻矢は烈《はげ》しい眼を母親と姉とに当て、黙って突立っていたが、大きな溜息を一つすると、縁側の籐椅子《とういす》に行ってどしんと、掛けた。大きな花が、夜の庭で、人の居ない秘密の刻《とき》に洩《も》らす、いい香《にお》いのする溜息のような、溜息である。そうして心の中で、(ママがなんと言おうと、湖太郎兄さんと、除村の兄さんとを味方にしてママと別になろう)と、考えていた。絵美矢は湖太郎夫婦にも、敬三からも体よく敬遠されていたので、麻矢の婿《むこ》と住むことを頑強に主張し続けていたのである。絵美矢は止めようのない苛立《いらだ》ちに灰色の髪を慄《ふる》わせ、なおも言い募ろうとしたが、麻矢の強い様子に今更のように絶望して、娘の健康な、美しい頰を、見詰めた。自分に最後の幸福を持って来て呉れる筈であった、この薔薇《ばら》の花のような頰と、そうして脣《くちびる》とが、既《も》うあの野蛮人のような男に踏みにじられてしまったのだ。絵美矢は口を利《き》く力もない虚脱感に襲われた。白眼の多い細い眼が据って、何を見ているともなく坐《すわ》っている。絵美矢が無言になると、麻矢の心に耐え難《にく》い哀しみが、寄せて来る。麻矢は外套《オーヴァ》の隠しに手を入れ、黙って庭を見ていた。

「麻矢ちゃん、お約束したんでしょう?　おくれない?」

恵麻が言った。

麻矢は部屋に入って、鏡台の蔽《おお》いを除《の》け、一寸覗《のぞ》いて髪に手を遣《や》ると、無言で出て行った。

麻矢が亮太と帰って来るようになった頃、パサデナの心持は抑え切れぬものに、なっていた。梶との交渉のあった後、蜜《みつ》を湛《たた》えた花のようになった麻矢は、その頃からパサデナの心を刺す存在で、あった。暗い家の中で、人々の歩く音が軋《きし》んでいる。その中に麻矢の足音を、パサデナは聴き分けていた。パサデナの心が、そんな時、抑え難くなる。濃い、巻き縮れた髪の下の、ココア色の額に、哀しみが彫りつけられている。パサデナは麻矢の哀れみを、敏感に受けとっていて、それが彼に、麻矢を諦《あきら》めることをさせないのである。或日の夕方、既う暗くなった台所でパサデナは麻矢に出会いざま、何か紙切れのようなものを、麻矢の手に渡そうとした。麻矢は体を固くしてそれをよけ、物も言わずに茶の間に入った。麻矢からそれを聞いた絵美矢は、ジョリイを呼びつけ、パサデナとは外で会うように、婉曲《えんきよく》に厳命した。その日からパサデナは姿を消したが、パサデナの、深い哀しみを湛えた姿は、麻矢の頭に、残っていた。麻矢は明るい未来の光の中で、人間の哀しみと、恐れとを、知った。麻矢の幸福な光の中に、パサデナは黒い影を、落していた。亮太といれば、厭《いや》なものは何処《どこ》かへ行ってしまう。麻矢の亮太と会う日は頻繁《ひんぱん》に、なった。

亮太の接吻《せっぷん》は、どこかで鷲《わし》の羽音がきこえ、鷲のような鳥が自分の体へ入ってくるような、そんな激しさがあり、麻矢をおし伏せ、現実のこと、小さなことを、どこかへ無いようにしてしまうのである。亮太は、むっとして黙っている人のような脣の辺りに、麻矢を想っている心を、いつも隠しているようで、あった。亮太の大きな掌《てのひら》は、暖炉《ストオヴ》を点《つ》ける為《ため》の燐寸《マッチ》を擦っている時でも、麻矢の靴を掴《つか》むようにして、持って来て呉れる時でも、麻矢の為に遠い所から何かを、たとえば麻矢が熱があって寝ていて、何かたべたいと言った時の果物の一個、そういうものを両掌で、確《しっか》りと持って歩いて来る少年の掌のように、見えた。どうかするとその掌は、外した腕時計や、胡桃《くるみ》の実なぞをその中に持って、弄《もてあそ》んでいたが、そんな時、その掌が麻矢を小鳥のように握り締めて、細い骨が折れる音がするまでにしてしまいたい、というような、荒々しい表情を出していることがある。肌目《きめ》の荒い、凸凹のある、彫刻の男のような顔と、がっしりした太い首、姉の民江が編んで呉れたのだという茶の中に黒い模様の入ったスウエータアの首が、暗い色の背広の襟から出ている。亮太の横顔を傍で見ていると、肉感的なものとはちがった、親しみの塊りのようなものが、胸の中に衝《つ》き上げてくる。厚ぼったいような、埃《ほこり》の匂《にお》いのするような、親しみである。麻矢が一つの贈物をした。幸運の何とかいう、希臘《ギリシャ》語の説明の附《つ》いた硝子玉《ガラスだま》である。亮太は麻矢が何か言ったり、したりする時、厚い、獣のように胸毛のある胸が、小さな少年のように、なるのである。硝子玉を掌にうけた時、小さな灯《ひ》が二つの眼に点《とも》ったような眼をして、亮太は麻矢を見た。

「亮太って、子供みたい」

麻矢が、言った。

「どっちも同じようなものさ」

亮太が、微笑った。亮太は屢々《しばしば》自分を、制していた。麻矢の体のことを知っている亮太は、麻矢が処女なのだと、思っていた時より、肉体《からだ》の衝動を感ずるように、なっていた。麻矢の方にもそれは幾らかは、あった。（梶さんのところへでも行く位のひとですからね。いけませんは利きませんよ）絵美矢が言って、公認の形になっているので、麻矢はデイトの帰りに亮太の家に寄ることもある。だが麻矢は度々行かぬ方がいいと、考えていた。梶のことがあって以来麻矢は、男と部屋の中にいて、危い瀬戸《せと》際《ぎわ》に行くまで傍へよるということと、ただ外で会ってキャバレの階段や暗い道なぞで接吻をする、というような間柄でいることとの間に、娘というものがなんとなくおいている厚い、眼にみえぬ壁のようなものを、感ずることが無くなっている。そうして亮太は、激しかった。ふと触れ合った時から、二人の掌はいつも組み合わされたり、麻矢の掌が亮太の両手の中に包まれたり、していた。二人の掌は、仲のいい生きもののように、見え、独立した二匹の生物のように、亮太と麻矢との心を、結び合ったり、触り合ったりしているように、みえた。亮太の部屋で、二人が黙っていて、ふと習慣で手を取り合うような時、麻矢は亮太の中に危いものを感じた、そうして手を離した。二人は不意に、離れたくない気がすることが、ある。どうかすると、タクシイの中なぞで、その儘《まま》遠くへ行ってしまいたいように、なることがある。それは肉感的なものより強い、烈しいもののようで、あった。麻矢は既に、何時《いつ》でも、自分が亮太の胸の中にいることを、感じていた。二人の住む家の構図について話す時、亮太の頬には紅《あか》みが差して、いた。麻矢は亮太の大きな掌が、鉛筆を不器用に握って、幻のような設計図を書く時、熱心な眼になり、一つ一つ質問をする。亮太は振り返って麻矢の顔を覗き、又顔を伏せて、図の説明を続けるのだ。二人の楽しみにしている降誕祭《クリスマス》が、近づいていた。二人の婚約発表をする日である。指環《ゆびわ》は亮太と麻矢とで誂《あつら》えに行った。亮太が麻矢に贈る分には、ユウレイカ（われ、見出《みいだ》せり）という字が彫られ、麻矢が贈るのにはアド・ヴィタム・エテルヌム（永遠に）という字が、彫られた。米兵の贈物について聞いている亮太は、

「少し気の毒だな」

と言って、微笑《わら》った。

「そんなこと、ない」

「あるさ」

「そんなことないわ。今頃もうガアル・フレンドが一杯ある」

「あったって麻矢のようなのがいるものか。麻矢はひとの心臓に火を点《つ》けるからな」

「意地悪」

そうして二人は微笑うのである。麻矢は、世間的なことを考え廻《まわ》すことが、あまりない女である。それでも、今自分と結婚することが亮太にとって、利益の面から何もないことは、知っていた。除村の兄は、亮太と親類関係にならなくても、亮太を引っぱって行く気でいた。地味な父親の地位があるだけである。そんなことは唯人《ただ》の好《よ》い亮太の母親に取っては勿論《もちろん》、亮太の姉の民江にとっても大したことではなかったが、民江は絵美矢夫人を見、そうしてその家を見た時、不安になり、夫の真木山に、内々では滾《こぼ》していた。その辺のことが麻矢にも解《わか》っているので、亮太に気の毒に思うのだが、そんなことを亮太に言うことが、亮太を傷つけるようなので、黙っていた。亮太は言葉に出しては言わない。だが明瞭《はっきり》、「僕は幸福だ」と、麻矢に言うのである。麻矢は自分の心と比べて、それが全く一つの、同じ想《おも》いなのを感ずる。麻矢はその度に妙な、世間的な考えを、消し去っていた。亮太と麻矢とは別々に、降誕祭《クリスマス》の贈り物を用意していた。亮太は銀座の八木本で、真珠を一つ買った。イミテエションだが最上の、大粒のものである。夏中飜訳《ほんやく》を遣って貰った金で、建築の本を買う積りでいたもので、買ったのである。麻矢はスウェータアに合せた焦茶《こげちゃ》の手袋を編んだ。そうしてその中へ、男が嵌《は》める鉄製らしいクロオヴアの指環と、紅い舌を出した木彫りの瑞典《スエーデン》製の熊《くま》とを一つ宛《ずつ》入れた。

降誕祭の晩は、前の晩の雪が歇《や》んで、幽《かすか》な陽が、差していた。長靴のようになった、洋袴《ズボン》の上から履く靴に雪を附け、雪に濡《ぬ》れた厚い外套の、灰色の毛皮の襟《カラ》を立てて、玄関に入って来た亮太は、乱れた額髪《ひたいがみ》の下で、溢《あふ》れ出る微笑を抑えた顔を、していた。

「遅かった？」

「みんな待ってる。団さんもいるのよ」

亮太は麻矢の足許《あしもと》にいるカメを抱き上げ、

「カメにもあるぞ」

と言って、外套の釦《ボタン》を外し、腰の隠しを探った。小さな紙の袋を麻矢が開けると、濃い樺色《かばいろ》のチェックでカメの金色の眼にそれが似合うと、麻矢が言っていた色のリボンである。

「早くお通ししたら」

絵美矢の声がして、出て来たが、構わずに麻矢は、カメの首にリボンをゆっくりと、結んだ。

「どう？　ママ」

「まあ、いいこと」

夫人は気のない声で言って、亮太に挨拶《あいさつ》をすると、直《す》ぐに応接間へ、先に立った。麻矢は亮太の厚い背広の肩に手を掛け、絵美矢に分らぬように、額をつけた。眼を上げると直ぐ上に、亮太の固く結んだ脣が見え、じっと見下している深い眼が、感ぜられた。その儘何処かへ行ってしまいたい。二人を時々襲う、切ないものが又襲って来て、二人は互いの胸の中に、鳥の搏《はば》きのような恋の心を、見取った。応接間の中は煙草《たばこ》の煙と、微《かす》かな洋酒の匂いが漂っている。白い花のあるレエスの中掛けが、古びた織物の厚地の窓掛けを絞った間から、外の闇《やみ》を透かせている。薪《まき》の暖炉が燃え、部屋は狭いので熱い程だった。女の子の襞《ひだ》のあるスカアトを被《かぶ》せたような、橄欖色《オリイヴいろ》のスタンドの笠《かさ》は、色が全く褪《さ》め、円い卓子を囲んだ浮出し模様の長椅子や椅子も、その橄欖色を、縁のところだけに残していて白っぽかったが、暖炉の火と人々の談笑が、焦茶の、模様のある壁に囲まれた部屋を、豊かに見せている。湖太郎と敬三の二夫婦と、二三の親類の男とが居て、男達は談笑の合間に太い腕を出して、サンドウイチやチイズを、摘《つま》んでいる。似内《にたない》が扉をノックして入って来て、五目鮨《ごもくずし》の大桶《おおおけ》を小卓に置き、次に恵麻が、紅紫の縁《ふち》模様の西洋皿の重ねたものと、取り箸《ばし》を二膳《ぜん》、割箸の束、とを載せた黒塗りの通い盆を、運んで来る。卓子の上にはスコッチの大壜《おおびん》が、三分の二程になっていて、男達の中には食べ物に出す手でない方の手に、酒の洋杯《グラス》を持った儘のもいた。

「節子さんもうお色が出ましたよ」

絵美矢夫人が湖太郎の細君に言い、既に顔の皺《しわ》の中に習性となって浸《し》みついている愛想笑いを、満遍なくふりまいている。麻矢と亮太とが入って行くと、男達の（やあ）、（やあ）と言う声が一緒になって起り、

「こっちへ来給《きたま》え」

と、真中にいる敬三が起とうとしたが、麻矢が、

「あら、どうぞ」

と言って、二人は隅のスタンドの光の下へ行って、掛けた。

「君達の今日は婚約発表の日なんだから、そんな隅っこへ行っちゃっちゃあ駄目よ。それともそこの方がしんねこでいいか」

敬三が言うと男達が笑った。

「そんな芸者さんの言葉は、今日は使用禁止よ」

恵麻が五目鮨を皿につけて、亮太の方へ行きながら、言った。

「しんねこ位この頃の若い方々はおどろきませんよ、ねえ。麻矢ちゃんのことじゃないけどさ」

「大体意味分るけど、始めて聞いたわ、あたし」

麻矢が、言った。絵美矢は田宮との婚約が、自分に無断で強行されたことに対して、不満を並べ尽くしていたが、それは親類や男達向けの言葉であって、この家の茶の間では儲《もう》け損った女将《おかみ》のような憤懣《ふんまん》が、毎日のようにさらけ出されていて、その為に田窪家の空気は、激したものを孕《はら》んでいて、腐敗の状態の中で平常《ふだん》にはない活気を呈していたのである。ひと渡り軽口が弾んだ後、絵美矢によって二人の婚約が、改めて発表された。其後《そのあと》絵美矢は、

「本当に今度は田窪が亡《な》くなりましたことが、誠に残念で。戦時中の不自由な時分には、居《お》りませんことが却《かえ》ってと、存じましたことも度々で御座いましたが。田窪が生きて居りましたら、今日《こんにち》なぞはさぞ……」

と、言い足したが、この家の空気を、下宿人の由里よりも知っていない、親類の代

表らしい男達が、疑わしそうな顔で肯《うなず》いただけである。絵美矢の憤懣を知り抜いている湖太郎や、敬三夫婦、麻矢、それに大体を知っている亮太達は、その造られ、飾られた演説を、頭の上を吹く風のように聞流して、いた。そうして、麻矢たちの別居という、次に来る問題を抱えて各々《おのおの》憂鬱《ゆううつ》をひそめて、いたのである。麻矢と亮太とは二十四日をどうやら遣り過ごすことにし、後に二人だけの降誕祭《クリスマス》を、予定していた。由里も妙な空気に巻き込まれた形である。二羽の小鳥のように、ツリイの傍《そば》に頭を寄せ合っている麻矢と亮太とは、何事か他愛《たわい》のないことを言っては、二人で笑っている。二人は手をとり合って、いた。ツリイの下の一隅に、婚約というのには激し過ぎる、なにかが燃え、永遠が、或《ある》期間だけは、間違いなく点《とも》る、恋人達の刻《とき》を、二人は過ごしていた。

「聖歌隊が来るのよ、おそく。電信柱にそのこと、張ってあったでしょう？　見て？」

「見た。何時頃なんだい？」

「たしか十一時」

「遅いんだね」

敬三が中心になって建築の話をしていたが、二人の耳に亮太に話しかける彼の声が、した。

「スマトラだって？　田宮君は」

「ええ」

亮太は何か考えて居た人のような顔を、向けた。

「この間新聞で見ましたら、里芋はスマトラとか、他にも御座いましたけど、彼方《あちら》の方が原産地で御座いますって？」

恵麻のこの会話は、あらかじめ用意されたもののように、誰の耳にも響いた。

「へえ、里芋がね……」

敬三がびっくりしたように、言った。

「田宮君、彼方《あっち》でやった？　里芋を」

「僕の隊のものじゃありませんが何《なん》か畑にあったのを生でやった奴《やつ》がいて、口の中に例のぬるぬるが出て来たんで、里芋の一種だと思ったって言うんですから、形は違うものだったんじゃないかと思います。僕はやりませんでした」

絵美矢は恵麻を見て、

「まあ、そうなの？」

と言い、

「わたくしなんぞは、あれは日本のお国のものだとばっかり……」

と感心したように、睡《ね》むたげな、面妖《めんよう》な色気のある、細い眼を見開いて、言った。

敬三の持って来た、外国産の葡萄酒《ぶどうしゅ》が出ると、麻矢が起って、恵麻から葡萄酒の洋杯の盆を受取り、琥珀色《こはくいろ》の酒を注いで、皆の手に渡した。ミルクを混ぜたような柔かい色の、濃い薔薇色《ばらいろ》のジャージイの襟《えり》の丸いスウェータアに、紺と緑との中に暗い薔薇色の入った、荒いタアタン・チェックのスカアトをつけ、焦茶のバンドをした麻矢を、亮太は洋杯に脣《くちびる》をつけながら、視《み》ていた。頬が燃えているようにほてっていて、薄紅く、熱心に酒を注ぐ時、珊瑚色《さんごいろ》の口紅をつけた脣が心もち開《あ》く。そんな時、稚《おさな》い口元になる。一週間程前の、キャバレで踊った夜の接吻《せっぷん》が、麻矢を見ていて蘇《よみがえ》って来る。あの日の濃い猩々緋《しょうじょうひ》のジョオゼットのアフタアヌンよりこの方が似合う。亮太は思った。亮太がツリイから外して掛けて遣《や》った銀色のモオルが、スウェータアの首に二筋になって弛《ゆる》く、かかっている。贈物は二人だけになった時に開けることに、約束がしてある。今夜は麻矢が、敬三のジイプで送ることになっていたからだ。麻矢が由里を見て微笑い、

「団さん、これ上《あが》るでしょう？　グラァヴ・セックというのですって」

敬三が、

「いやあ、大したものじゃあないんです。いいのが売切れちゃって……」

「売切れてほっとしたんじゃないの？　敬三さん」

湖太郎の細君の節子が言って、皆が笑った。由里は麻矢に注いで貰《もら》うのが、ひどくうれしい気がした。(男だけが好きになる女なんて本物じゃない)、と由里は想い、亮太を見遣った。

「この方は……」

と絵美矢が言いかけると、親類の男の一人が、

「やあ、ご尊父様のお名前は存じ上げて居ります。実業界に首を突っ込んで居るもので知らないものは居りませんからな。団精吉さんの、長女でいらっしゃいましたかね……」

「はい」

と由里は答え、人の中へ出ると言われるこの、定《きま》りきった科白《せりふ》を今夜もきいたと思い、曖昧《あいまい》に、微笑った。今では団精吉の家も単なる会社員の家である。まして後妻の子に生れた由里から下の半端《はんぱ》の連中は、団精吉の、といわれる度にそぐわない、変な気がするのである。麻矢を見ていた眼を伏せた亮太の顔は、熱情に満ちていて、例の、むっと膨《ふく》れた人のような結び方をした口元には、切ないようなものが、感ぜられる。

亮太は麻矢が自分の傍から離れる度に感ずる空虚感を、今も感じている。(麻矢は自分の胸の中だけにいる人間なのだ。少しの間だって、離れてはいけないのだ) そんな理窟《りくつ》のない、理不尽な想いが、麻矢を一度抱いて以来、亮太を襲っているのである。敬三達からのチョコレエトの大箱と、金鎖にカメオのペンダント。湖太郎夫婦からの、今はいているスカアトの為《ため》の濃紅のバンド。(これは白のブラウスを召した時に) と節子が言い添えたものである。麻矢はそれぞれの箱に接吻の真似《まね》をし、飛び上るようすをした。絵美矢夫人が、

「麻矢さん。いつまでねんねでいらっしゃるの?」

と、可哀《かわい》い娘をたしなめるように言ったが、その細い眼の中には幾らかの敵意が、ちらついているのを、由里は見た。

「ママのスウェータアも後でお見せするわ」

麻矢が言った。

「もう着ちゃってるのよ、このひと」

恵麻が、言った。

「この通りのお嬢さんだから、よろしくお願いしますよ、田宮君」

湖太郎が言うと、

亮太は焦茶の太編みのスウェータアの腕を上げて、髪を撫《な》で下ろすようにして、麻矢を見て、微笑った。

「亮太さんだって赤ちゃんよ」

麻矢は言いながら、亮太の傍に帰った。麻矢は昨日《きのう》の夕方、沼二が階段の下で渡して呉《く》れた、小さなチョコレエトらしい箱と、Rの字のブロオチをハンドバッグに隠していた。亮太だけが喜んで呉れるのを、知っていたからである。

「亮太君は確《しっか》りしてるから安心だ」

敬三が、母親に聞かせるように、言った。絵美矢の憤懣を隠した歓待は、いずれも背中が痒《かゆ》いような気になっているので、このパアティは五目鮨をお替りをしたものも余りなく、十時前にはぼつぼつ立ち始めて、麻矢と亮太が外套を着せ合って玄関に下りたのは、十時五十分で、あった。麻矢はシャンパン色の外套を着ると、手袋を隠しから出そうとしたのを一寸止《ちよつとや》めて、絵美矢を軽く抱く仕科《しぐさ》をして、直ぐ後を向き、手袋を嵌め、靴を履いた。恵麻が幾らか嫉妬《しっと》を含めた眼で見ているのを、敏感に知っている麻矢は、恵麻に手を振り、そうして二人は、出て行った。亮太は黙って絵美矢を見、誰にともなく、

「いやあ」

「ご馳走様《ちそうさま》。じゃ」

と言って、麻矢の靴を揃《そろ》えて遣った。伏目になった亮太が把手《とって》を締めてから、又目礼した。背の高い亮太の肩の蔭《かげ》に、麻矢の帽子が見えたのが、最後である。亮太と麻矢との二人はそれ切り、二人の前にも、湖太郎や敬三、の前にも、親しい誰の前にも、生きた姿を見せることは出来なかったからだ。二人はその帰り途《みち》に、水道道路から田圃道《たんぼみち》へ掛かったばかりで、事故で死んだ。恐ろしい、事故である。絵美矢と恵麻は、何故《なぜ》かわからぬが、二人が何処《どこ》かへ行ってしまうような気がするので、黙って立って二人が立去るのを、見ていたのである。二人が最後に見た麻矢は、亮太の肩越しに見た美しい帽子で、あった。米国兵のピータアが送って来た、スウェータアの色に合せた薄い、燻《くす》んだ薔薇色の、毛の長い毛皮のカノチエ型の帽子で、リボンは固い地の木目《もくめ》で、濃い薔薇色である。

「お菓子みたい」

箱から出した時、恵麻が言ったのだ。

「フランボワアズっていうフランスの、果物を潰《つぶ》して入れたアイスクリイムの色に、そっくりなんですって」

帽子が来てから四五日後《あと》で麻矢が、亮太の兄にきいた話を、得意気に受け売りして、言ったのを、恵麻は長いこと、想《おも》い出した。

亮太と麻矢とは玄関を離れて、暗い所へ来ると、直ぐに抱き合い、短いが烈《はげ》しい接吻をした。そうしてから、確りと腕を廻《まわ》して抱き合い、その日は開けてあった門を、出た。亮太が麻矢を離し、敬三が置いて行ったジイプの鍵《かぎ》を開け、二人は並んで運転台に、乗った。亮太がギアを入れる。麻矢は肩を亮太の肩にくっつけ、

「ちっとも寒くないわ……」

と、言った。

「酔ってるからだよ……帰りは又歯がガチガチになるんじゃないか？　帰りは僕んとこの毛布かけて行けよ」

二人のジイプが溶けた雪で滑りがちな、水道道路に向って坂になった道をようよう登り、水道道路へ出た。そこを横切って田圃道へ曲る。行く手に森のように、人家のかたまっている所が見える、昼でも荒涼とした道である。両側に田圃が開け、自動車《くるま》がようやく擦れ違うことの出来る細い道が一直線に走っている。道の両側の草叢《くさむら》には何の為か、国境の鉄条網のように、焼けた杭《くい》が疎《まば》らに曲って立っていて、それに針金が渡してある。雪は止んでいて、暗い藍鼠色《あいねずみいろ》の空が遠く、低くたなびくような濃藍色の刷《は》きつけたような雲が、空を蔽《おお》うように、流れている。ここから直《す》ぐに遠い旅に出

てしまいたい。又そんなそそられるような抑えにくい気持が、二人の胸に起っていた。二人の体温は互いの肩に、感じられている。だがどうしてだろう。何故か暗い気分がある。亮太は、麻矢の肩が外套を透《とお》して、温かく感じられているのを確かめていながら、麻矢を確《しっ》かり抱かなくては不安なような、気がした。少し前から遠くに見えていたジイプの黒い影が、徐々に近づき、妙にスピイドを出して来た。二つの車の距離が狭《せば》まった時、麻矢は不思議な胸さわぎを、覚えた。麻矢はその車に黒い意志を見た。黒い、兇《わる》い、意志である。何の関係もある筈《はず》のないその車に、麻矢はそれを明瞭《はっきり》と、感じた。亮太から却って離れ、麻矢は小さく唇を開けて息を引くようにした。車はスピイドを落さないばかりか、此方《こっち》へ向って来る。慌《あわ》てて避けようとして把手《ハンドル》を切った亮太が、向うの車には全く避ける意志がないのを知った時は既《も》う遅かったのである。どっちの車から出たのか闇《やみ》を裂くようなブレーキの音がして、二つの車は次の瞬間飴《あめ》のように曲って、止まった。麻矢も亮太も、即死である。反動で後に仰《の》け反《ぞ》った麻矢は薄く眼を開けて、いた。右の手が亮太の方に延びている。亮太が把手を離した瞬間抱きつこうとしたのである。亮太は顔と前頭部を柘榴《ざくろ》のように潰され、両掌を把手の向うに廻した形で俯伏《うつぶ》せになっていた。

通り掛かった近所の男が警察に報《し》らせ、麻矢の家を教えたが、直ぐに気分が悪いと言って、帰って行った。麻矢をよく見かけていた近所の会社員である。

警察からの電話を聞いた絵美矢は慄《ふる》えが来て、起ち上りざまよろよろと腰を突いてしまい、脣を慄わせる許《ばか》りである。恵麻が湖太郎と敬三に電話を掛けたが二人とも、まだ帰っていない。恵麻は冷蔵庫の上で、慄える手で二つの電話番号を書き、それを手に持って現場に馳《か》けつけた。恵麻は二つの車の残骸《ざんがい》を遠く認めるや、道路に坐《すわ》ってしまい、気がついた警官が二人走って来て、一人が恵麻の両脇《りようわき》に手を入れ一人が足を持つようにして傍に伴《つ》れて行った。恵麻は一眼見て、

「妹でございます」

とようやく言った。

「お連れは？」

「結婚することに定まっておりました田宮という方でございます」

「これだけの幅があって打つかるってのは。向うの車が酔っ払い運転だろう……」

気が遠くなりそうな恵麻の耳に、警官がそう言うのが、聴えた。続いて、

「黒人《ニグロ》だ……」

と、吐き出すように言う声が耳に入った。途端に恵麻の頭に電気のようなものが、伝わった。血塗《ちまみ》れな塊のようなその体を見る勇気がなくて、見ずにいたのだが、向う

の車の人間も惨死《ざんし》だという事は電話できいて、いたのである。

「パサ……」

パサデナ、と叫ぼうとして、恵麻は口を噤《つぐ》んだ。恵麻はまだ後《うしろ》から支えられた儘《まま》である。

「何か言いましたか？」

「いいえ」

恵麻は直ぐに言った。

「先ほど……主人と兄に電話しましたのですけれど、まだ、……宅から帰りましたばかりで、帰っておりませんで、これを」

恵麻は右の手の紙切れを警官に差し出して、電話は家にあることを、言った。

「私《わたくし》も又かけますけれど……」

恵麻がそう言った時、鋭いサイレンが響いて救急車の白い車体が遠く、見えた。

「私はもう……」

「ご尤《もっと》もです。ではここへ電話を掛けますから。ご苦労でした」

恵麻は黙って引返そうとして、よろめいた。警官の一人が眼配せした。恵麻の後に、今まで支えていた警官が恵麻の腕を高くとるようにして足を踏み出したが、恵麻の足は萎《な》えている。も一人の警官が傍《そば》へ寄り、先刻伴れて来たようにして、伴れ去った。麻矢と亮太の死体は、一緒に白い車の中に吸い込まれた。闇の中でも濡《ぬ》れて光ってい る道の上に、血の溜《たま》りが点々と、車の入口まで続いた。麻矢も内臓は裂けていたのである。亮太の体を担《かつ》ぎ出す時、何か丸い、光ったものが車の外の地面に転がった。警官の一人が一寸視て、(なんだ)と言うように、靴で蹴《け》った。麻矢の贈った硝子玉《ガラスだま》の玩具《がんぐ》は一寸地面を転がって、草叢の縁《へり》に、止まった。

パサデナはその夜、木谷ジョリイに駅から二度、電話を掛けた。降誕祭《クリスマス》の婚約発表のことをジョリイから聴いた。パサデナは、その日の朝ジョリイに、夜遅く忍んで行くことを、約束した。駅から電話で、客の帰ったことと、婚約者二人が出たこととを、確めたのである。パサデナは全身骨折で、あった。

＊

次の朝の八時、由里はいくらか慄えるような気のする足で階段を下りた。ごった返している応接間の前を気にしながら通り抜けたが、幸い半ば開いた応接間の扉から外套《オーヴァ》の男の背中が、二人重なり合って見えただけで、玄関にはカメの、哀れな形を見ただけで、あった。由里は下駄《げた》を持って台所口から外へ出た。道具なぞは弟の家から取りに来て貰う積りである。絵美矢にも恵麻にも、敬三にも、挨拶《あいさつ》は出来そうに、なかった。警官なぞが何か訊《き》くのではないかと思い、それも避けたかったが、何よりも由里は、麻矢の気の毒な死が、何を見ても感ぜられる、この家にいることが、厭《いや》であった。昨夜はもう電車が無かったので、我慢をしたのである。由里は裏を抜ける時、沼二の部屋を見た。沼二はいた。磨硝子《すりガラス》の向うに、硝子に額をつけて、此方《こっち》向きに立っているらしい、長い影が、映っている。由里は走って通り抜け、玄関の方に廻った。玄関を通る時、由里は思わず知らず振り返って、玄関の中を見た。鈍く透《すきとお》った硝子の向うに、いつもの沼二のボッチチェリの画《え》が、哀《かな》しみを出す物体のように、霞《かす》んでいる。

由里はその画からも目を外《そ》らし、走るようにして、田窪家の門を出た。

(「群像」昭和三十六年一月号)

恋人たちの森

恋人たちの火は　太陽《ひ》も月も無い、
鈍い黄金色《きんいろ》の果実《くだもの》と、
薄紅《うすあか》い、花から発する光の中に
映し出された
黒い華麗な森の中でもえ
その炎はいつの日が来ても、消えることが、
無かった。

義童《ギドウ》

渋谷《しぶや》から若林の奥へバスで大分入ったところに、北沢という町があり、バス通りの裏側に、寺院の境内や樹立《こだ》ちが右側に長く続いた小道がある。渋谷、若林間のバス通りと、新宿、三軒茶屋間のバス通りとを繋《つな》ぐ上水を、挟《はさ》んだ、何本かの小道の一つである。その小道の一角に、小さな砂利置場があり、その砂利置場の隣に、時々薔薇色《ばらいろ》の車の止まっている何か分らない建物が、あった。よくみるとロオゼンシュタインという銀座の菓子屋の配達所兼菓子焼場である。そう思ってみれば屋根の後部には、さびた薄緑色に塗った煙突がある。仮普請《ぶしん》のような建物だが全体が灰色で、雨除《よ》けに張り出した入口の天幕も、さびた緑と薄灰色との太縞《ふとじま》で、それらしい瀟洒《しょうしゃ》な感じは、あった。

或日《あるひ》の午後、その建物の中から出て来て、薔薇色の車に飛び乗った若者がある。肉の引締った細い体で、魚のように身ごなしが素早く、首を一寸竦《ちょっとすく》めると細い腰から先に運転台に、閃《ひらめ》くようにして乗ったと思うと、チラリと車の前を見てから首を捻《ねじ》るように車から出して後《うしろ》を見、首を引込めるとギアを入れ、ガタガタという音響と一緒に、忽《たちま》ち走り去ったのである。十七か十八か、まだ十九にはなっていない。素早く車の前後を見定めた若者の眼はひどく美しくて、夢みるようだが、中に冷たい、光がある。その眼は嫩《わか》い、磨《と》ぎ澄ましたような美貌《びぼう》の、幾らか反り気味の小ぢんまりした鼻の、鼻梁《びりょう》の蔭《かげ》に嵌《は》めこまれていて、鋭い面を持った工芸品に象眼した宝石のようである。柔順で冷淡で、だが充分に抜け目のない、捷《はしこ》い眼である。意志は弱そうだが、自分の欲望や快楽のためになら、幾らかの意志を持たないわけではない。そんなように、みえる。どことなく釣合った年相当の相手ではなくて、気懶《けだる》い体を横たえている年上の女の傍《そば》か、又は彼を愛撫《あいぶ》する男の傍にいることが似合っている、そんなところがある。

＊

若者はやはりそういう若者で、あった。

ロオゼンシュタインの菓子焼場からあまり遠くないところにある或一つの部屋の中で、今若者は睡《ねむ》っていた。年上の情人《じょうにん》と会った後《あと》の深い睡りである。若林の奥の邸《やしき》町《まち》に入って行く、バス通りに沿った横道に、木造の洋館のアパルトマンがある。その一室である。

夜明けの部屋はまだ暗い。夜からの重い空気が、あたりに立ち迷っているように、見える。鳥と木の葉が描かれた窓掛の垂れた、壁も床も茶色の部屋の中に、木製の寝台《ベッド》が部屋の大部分を占めている。これも茶色の、光る糸で縁取りをした毛布と、白い大きな枕蒲団との谷間に、壁に向いた若者の頭が埋《うず》まっている。艶《つや》のある茶っぽい髪が、犬が臥《ね》た跡の草むらのように、なっている。若者の名は巴羅《パウロ》である。本名は神谷敬里《けいいり》だが、情人の義童《ギドウ》がそう呼んでいるのである。昨日義童と外で摂《と》った夕食が早かったので、寝台の中に入ってから冷蔵庫から出して喰った塩漬肉《ハム》の残り、珈琲《コオヒイ》の滓《おり》の残った白いモオニング・カップ、茶色の牛乳入れ、麵麭《パン》の塊なぞが載ったステンレスの盆が、置き去られたように、寝台《ベッド》に寄せて置いてある卓子の上に載っていて、陶器の灰皿の中にはフィリップ・モオリスの吸殻が、樋《とい》の下の穴に詰まった落葉のように粘り着いている。指先に力を入れて消す癖が、巴羅にあるからだ。(巴羅というのは読み難《にく》いので、以下はパウロと書こう)それはパウロに元からある癖ではなくて、義童(この方も以下はギドウと書くことにしよう)の癖を真似《まね》る内に、意識しないでもそうするようになったのである。紙巻は皆半分より稍々《やや》先までで揉《も》み消してある。これもギドウとの愛情生活の中で出来た、習慣である。

巴里《パリ》の郊外に大きな邸を持っている、故アントワン・ド・ギッシュを父に持ち、日本の外交官の娘であった珠里《ジュリア》を母に持つギドウは、すべての行動に贅沢《ぜいたく》と浪費とを匂《にお》わせている男である。ギドウはパウロに金を呉《く》れる。街の食事も、酒場の勘定も、ギドウが払ってくれる。靴も、背広も、誂《あつら》える。レエンコオト、バンド、ジレ、スウェータア、すべて充分に買い与えられて、いる。ロジェ・ギャレの石鹼《せっけん》、巴里製のブリヤンチン、薄紫の透明な固形の荒れ止め、4711番のロオ・ド・コロオニュ。それらのものがパウロの鏡を置いた台の上に並ぶようになって、パウロの生来の緻量《きりよう》はいよいよ磨きがかかって、水際《みずぎわ》立って来ていた。

二三度寝返りを打っていたパウロは、薄く眼を開《あ》いた。眩《まぶ》しそうに長い睫《まつげ》を瞬《まばた》くと、延ばした腕を折り曲げ、手を眼の上にかざす。手の影の中で、美しい二つの眼が今度は明瞭《はっきり》と、開いた。唇《くちびる》の上を、ほんの影のような喜悦の色が横切る。思い切り伸びをした両腕を頭の後にかい、下眼になった眼を空《くう》の一点に止《と》めて、少しの間凝《じっ》としている。幸福な場所に位置を占めて恬《てん》としている若者の眼だが、炎のようなものが内にあって、感情の薄い男の眼のようには、見えない。腕と一緒に伸ばした脚が毛布を蹴《け》って、薄い水色《ブルウ》のパジャマの、胸の釦《ボタン》が外れて、胸があらわになっている。固く締った浅黒い胸の上で銀色の鎖が揺れ、丸形の写真入れが裏を出して、首の下に止まっている。昔の土耳古《トルコ》の旗のような、半月と星の形とを並べて彫ってあり、その溝《みぞ》に小粒のダイアモンドを嵌めたものである。ギドウが弟の路易《ルイ》のをくすねてパウロに与えたもので、時代のついた、美しいペンダントである。眼を窓の方へ向けると、ひどく無邪気な眼になり、口笛を吹き、吹き終った脣を微笑にゆがめると、懶《ものう》そうに半身を起して紙巻の袋を探り、腹葡《はらば》いになって火を点《つ》けた。一寸ふかすと直《す》ぐに捻り消し、慌《あわ》てたように起き上って瓦斯《ガス》に火を点け、薬罐《やかん》をかけて珈琲を淹《い》れにかかった。時計は八時を示している。再び寝台に腹匍いになって、昨夜の残りの麵麭と塩漬肉《ハム》とを齧《かじ》り、熱い珈琲を飲むと、パジャマを脱いで二三度腕を振り廻《まわ》した。

パジャマを脱ぐと袖《そで》のない丸首襯衣《シャツ》に、膝《ひざ》の下までの洋袴下《ズボンした》だけになり、三面鏡の表面を掌《てのひら》で乱暴に擦《こす》り、顔を突出すようにする。眉墨《まゆずみ》を補ったような美しい眉の下の、大きく瞠《みは》った眼が、半面に光を受けた翳《かげ》の濃い顔の中に、洞《うろ》のようである。酒場の年上の女、同じアパルトマンの女、なぞとの間にいつの間にか絡《から》みつくものを生じている事がある、そんなことが何度か重なる内に、瞳《ひとみ》が眼一杯に動かず、挑むようになる、こんな時、嫩《わか》い、稚《おさな》い不安と、どこかに潜めた勁《つよ》い自信が満ち、優美な鼻梁を挟んで暗い罪の炎を、出すのだ。悩みありげな眼差《まなざ》しは、稚い不安が潜んでいることで一層魅する光を、勁めている。稚い不安、それはパウロの弱々しい善意で、ある。そうしてそれはパウロが想《おも》ったこともない、見たこともない神というものに繋がっているもので、あった。

ギドウの愛情に、甘えと自信とを抱いた表情になり、脣を微笑《わら》うともなく引き吊《つ》らせたパウロは、ブラシを取って髪を梳《と》かし、顔を洗うと、薄紫の水晶のような荒れどめを取り上げた。ギドウのを貰《もら》った巴里製のものである。一寸明るい方に透かして見てから、頰から顎《あご》へ擦りつけた。後を二三度撫《な》で廻し、もう一度輝く眼を鏡に据えると、寝台《ベッド》に掛けてある洋袴をはき、薄いブルウの襟《えり》のあるスウェータアを着た。洋袴は濃灰色のジインパンツである。巴里の青年のようだとギドウに言われてからは、そのつもりになっているのである。

「敬ちゃん、いかすじゃないの」

「凄《すご》いわね、この頃」

口々に配達所の上っ張りを着た娘達が、言い囃《はや》した。パウロはじろりと彼女達に眼を流し、黙ってジュラルミンの薄く平たい菓子の箱を次々に、運び出す。

「どうせ」

「ねえ」

二人の娘は脣を曲げ、互に睨《にら》むように顔を見合い、ポケットを突っ込んだ手でぱくぱくさせ、嘲《あざけ》るような微笑いを、浮べる。

「女はうるさいなあ」

賢いパウロは、一寸は相手になるのである。

「何処《どこ》で買ったの？」

「誰かさんのプレゼントよ、無論」

「女の友達なんか一人もあるもんか」

吐き捨てるようなパウロの言い方に、ひどく実感があるので、感の鈍い坂井ちさ子も、金丸豊子も一瞬ぽかんとした顔になって、パウロに手を貸し、菓子の箱を運び始めたのである。

やがてパウロは例の素早い動作で、薔薇色の車に、飛び乗った。車は忽ち寺と邸の間を抜け、バス通りに出る。淡水魚の水槽《すいそう》のように青く透《すきとお》った自家用車や、不恰好《ぶかっこう》なタクシイ、スクータアの群が追い抜かれて次々と後に行く。ギドウと入ったことのある小さな支那蕎麦屋《しなそばや》の、紅い枠《あかわく》と毒々しい牡丹《ぼたん》の花のある硝子戸《ガラスど》の側面が、眼に入ったかと思った次の瞬間には、バスの一丁場と半ばを過ぎた地点に来ている。車の操作がひどく達者なパウロは、ギドウとのドライヴの約束を待ち切れぬような心持で、待っている。その事を考えると、胸の動悸《どうき》が高くなる。ギドウの車はロオルス・ロイスで、ある。その日尾張町《おわりちょう》の交叉点《こうさてん》で停止信号に引っ掛ったパウロは、美しい眉の根にたて皺《じわ》を寄せ、横眼に隣に止まっている車を見た。ものすごい新車である。（独逸《ドイツ》のシュミットだ。……）

パウロの額のたて皺が消えて、眼が女のように耀《かがや》いた。黒いジャアジイらしいスウエータアの逞《たくま》しい肩越しに、運転台の男の顔がこっちを見た。一瞬ギドウと同じの、ギドウの持っているあるものが、底深い黒ずんだような眼から発していて、それがパウロの顔にあてられ、パウロはどきりとして顔を正面に向けた。磨《と》ぎ澄ましたような横顔がたじろぎと羞恥《しゅうち》とをおびて、ふと少年のようになった稚い眼が、とまどったように瞬いた。ギドウよりは大分年を取っている。四十を三つは越しているだろう。だがパウロの困惑は信号の切り替りによって、救われた。パウロは猛烈なスピイドを出してその車を遥《はる》か追い抜いた瞬間、失敗《しま》った、と思った。（遅らせりゃあよかったんだ）パウロは心の中で舌打ちをした。黒い眼に後《あと》を追われているような気のするパウロは、後《うしろ》を見ずに、走った。ギドウのようではあるがギドウの上を越す強烈な光、残忍さのようなものを、パウロはその黒い眼に感じたのである。ギドウの勁さと、叡智《えいち》と、達識のようなものがあるのだろうが、何もかもが鈍い光を出す眼の底にある、黒い執念のようなものの中に、塗り隠されている。（凄い奴《やつ》だ）パウロは呟《つぶや》いた。ロオゼンシュタインに近づくと、パウロは慌てて腰の辺りを探った。店で着せている白い上着を丸めて傍においていて、店に近づくと車を止めて、急いで被《かぶ》るのである。水色《ブルウ》の襯衣《シャツ》と、濃灰色のジインパンツを隠してしまう白い上着を、パウロは嫌っていた。

黒い男はパウロの車の後部に、ロオゼンシュタインの字を認め、交叉点を渡ると築地《つきじ》の方面に、走り去った。男はパウロが既に相当の金と、技倆《ぎりよう》のある男の情人を持っていることを一瞥《いちべつ》の内に、見抜いていた。そうしてロオゼンシュタインの店員はカモフラアジュだろうと、察しをつけた。今でこそゲイ酒場《バア》なぞが出来て、この種の男は相手に事欠くことはなかったが、素人《しろうと》の逸品となると、稀少《きしよう》価値は紅玉《ルビイ》のピジョン・ブラン（白鳩）以上だったので、大体どんな若者がいて、それがどんな人間のものであるかということは、何処からとなく聴えて来る風評のようなものがあって、同類の間では、と言ってもここでは金のある連中のことなのだが、知れていたのである。それだからパウロに一眼で魂を奪われたものの、うかつに手を出すことはしないで、遠巻きに情勢を見まもるよりないのである。こういう仲間の間の少年の情人に対《むか》っての嫉妬《しっと》というものは、酷《ひど》いものである。それは稀少価値から来るものも、そこに加わるもののようで、あった。

＊

下北沢駅の近くの「茉莉《マリ》」という酒場で、パウロはギドウを最初に、見た。いつも坐《すわ》る入口から右へ入った奥の止り木に、パウロは掛けて居た。その日の夕刻店で受取った金が大分隠《かく》しに入っている。パウロは尖端《さき》の細い指先でハイボオルの洋杯《コップ》を支え、それを軽く揺すっては、暗い燈火《ひ》の方に透かしてみたり、肱《ひじ》をつき、尖《とが》り気味の顎を突き出した横顔の脣を尖らせたり、女が見ているのを意識した若者のように、その美しい光る眼を洋杯越しに凝《じっ》と据えて睨《にら》むような表情をしたり、そうかと思うと左手で腰の隠しをもぞもぞやって、鍵《かぎ》の音をさせたり、その返す手で洗ったばかりのように艶のある、バサバサとした髪を掻《か》きまわすようにしたり、少しも凝としていないのである。洋杯をカチリと置いて、今度は左手で頬杖《ほおづえ》をつき、少し尖らせたような口つきをする。そうして薄眼になって、チイズなぞの皿を見本に入れてある硝子の筐《はこ》を意味ありげに見たり、急に卓子に突伏して、しゃくうような眼差しで辺りを見たりするのである。

そのパウロの様子を、先刻から凝と見ていた男が、あった。それがギドウである。パウロと向き合う位置になる正面奥の止り木に、ギドウはいた。勁い首を持った三十七八の美丈夫で、仏蘭西人《フランス》の特徴が顕著である。だが皮膚の色は浅黒く、日本人の日本語を話している。知識を潜めていることがすぐに解る《わか》額だが、広くはなく、黒い髪が濃い。仏蘭西人によくある大きな、丸みのある眼には何処か剽軽《ひょうきん》な味と一緒に、南洋の島なぞにいる毒のある蛇のような感じがある。その若者を見ていると、二重写しのようになって、千七百七八十年代の仏蘭西の書物にある、アルファベットに林檎《りんご》の枝なぞの絡《から》んだカットが見えてくる。鵞鳥《がちょう》の羽のペン、羊皮紙の巻物、首を幾重か巻いて花形に結んだ白絹の襟飾り《えりかざ》、或《あるい》は又バスチィユの牢獄《ろうごく》内の寝台、マラアの半裸身が乗り出している陶器の風呂桶《ふろおけ》、短い洋袴に徽章《きしょう》のあるベレを被りEgarité・Liberté・Fraternitéのプラカアドを持ったサンキュロット、そんなものが出て来る。智慧《ちえ》と達識のありそうなこの若者は、たしかに仏蘭西の名誉と、仏蘭西の淫蕩《いんとう》とを、内側に潜めて、いた。太い頸《くび》をめぐる襟《カラ》は薄く汚れているが、その日の午後に替えたものらしく、清潔である。灰色の羅紗《ラシャ》のジレと襟との間に覗《のぞ》いているネクタイは濃い藍《あい》の濃淡の斜め縞《じま》の堺目《さかいめ》に、血のような紅の線が入っている。黒い上着に、濃灰色に黒の細縞の細身の洋袴を穿《は》いている。後首から被るように幅の広いチェックのマフラアを胸の両側に垂らし、肱を突いた手で顎を支え、右手は先刻から隠しに突込んだ儘《まま》である。大分飲んでいるらしいが少しも酔っているようには見えない。顔色が蒼《あお》んで、黒い眼が据わっているのが、平常《ふだん》と違っているだけである。二人の間にいた客の一人が立上って勘定を払った時、そっちへ眼を遣《や》ったパウロの眼が、ギドウのそれと合った。ギドウの眼には思わず知らずのような微笑が浮んだ。同時にパウロははっとして、軽い胸騒ぎを、覚えた。この為体《えたい》の知れない惹《ひ》きつける力を持った大きな男が、随分前から自分の一挙一動を見ていたのを、パウロは咄嗟《とっさ》にさとったのである。パウロの挙動がどことなくぎごちなくなり、照れた様子をし始めるのを見て、ギドウは再び微《かす》かに、微笑《わら》った。少間《しばらく》してパウロは、偸《ぬす》みみるような眼をギドウに走らせたが、忽《たちま》ちその眼を外した。何処か恐しいようだった黒い眼が、柔かく崩れていた。既《も》うその女の体を知っていて、その体が甘美だということを知っている男が、或妄想《もうそう》を頭に浮べて女を見る時の眼である。肉感的なものが微笑に綻《ほころ》びた脣の辺りに濃い影を塗っている。

「ジンフィイズ」

という声がした。パウロの眼が再びそっちへ行く。今度は男はボオイの方を見ている。パウロの、瞳を斜め上にひきつけた、眉越しに見る美しい眼が、少しの不安と、小さな恐れとを潜めて一瞬ギドウの横顔に当てられた。上脣にうねりがあり、下脣が綺麗《きれい》なカアヴを描いているパウロの脣が、冷たい美しさで両端が窪《くぼ》む程、引き締められている。パウロはその眼を素早く、外した。なんとなく面映《おもはゆ》くて、席を立ってしまいたいのだが、そうすることがどこかで残り惜しくも、思われる。パウロは前よりも髪を掻き上げたり、よそ見をしたり、鍵の音をさせたりを、頻繁《ひんぱん》に繰返している。そうしてあの男はジンフィイズなんか飲むのだろうかと不思議に、思った。不意にボオイの手が伸びて自分の前にジンフィイズの洋杯が、置かれた。パウロの眼が再びギドウに走る。

「遣り給え、御馳走《ごちそう》するよ。嫌いじゃないんだろう？」

男が言った。射すくめるような力があるのだがそれでいて剽軽な、おどけたような瞳がきっかりと眼の端に据わって、パウロを見ている。自分でも知らぬ内に、パウロは微笑していた。可愛《かわい》らしいのだということを自分でよく知っている、無邪気な微笑いの中で、二つの美しい眼は憧《あこが》れを、おびていた。何か言おうとして黙ったパウロの脣は羞《は》ずかしそうに、両端に窪みを拵《こしら》えて、引き締った。ジンフィイズの洋杯を大切なもののように持ち上げ、燈《ひ》に透しては脣に持って行くパウロは、照れたような微笑いを男に見せるように、なった。ネクタイ、ジレ、マフラア、一つ一つが高価なものだということが解る服装である。それを男は惜しげないようにしている。何処からくるのかパウロには解らないが、一種の高級さがあって、「茉莉」という名のこのちゃちな酒場の片隅が、男のいる為《ため》にどことなくいわくありげに、見える。パウロは酔ったために潤《うる》んだ眼に、ふと真面目《まじめ》なものを浮べ、子供臭い唇の結び方をし、凝と男を見た。パウロは男の持っているなにものかに、深いところで魅せられると同時に、自分の大学を中退したことや、本も読まないようになっている生活に感ずる羞ずかしさのようなものが、頭に登っていた。

「何時《いつ》も来るの?」

「ええ」

パウロは艶《つや》のいい茶がかった髪の、揉上《もみあ》げの辺りに手を遣り、その手で鬢《びん》を掻き上げた。男の蒼んだ顔は引き締っていた。恋をしている人間の顔が時としてそうなる、悪寒《おかん》を堪《こら》えているような、渋いような感覚で引き締った頬、唇の辺り。下眼に自分の鼻の先を見ているようにしていた眼が、ふと壁の辺りに走ってそこに、止まる。雀《すずめ》を追う隼《はやぶさ》のような眼が、熱のあるようになっていて、白い部分《ところ》まで瞳の暗さが拡《ひろ》がってみえる。パウロは自分でも解り得ない憧れに押され、その横顔に陶然《うっとり》とした眼をあてている。そこには嵐《あらし》の暗い空があり、敏捷《びんしょう》に空を突切る雀を追って鋭い嘴《くちばし》で空を切る、隼の羽音が、あった。ダブルのハイボオルを最後に誂《あつら》え、飲み終ると後の柱時計と腕の時計とを見比べ、ギドウは上着を撥《は》ねて後隠しを探った。肱の下に敷かれている伝票を忘れていて、そうしながら眼で卓子の上や、足もとを探している。ボオイが、

「そちらでございます」

と、手を後首に遣って、眼で肱の下を指した。

「ああ」

男は立上り様《ざま》に斜めにパウロを、見下ろした。

「じゃ……」

掌《て》を一寸《ちょっと》上げた。尖端《さき》の細い、白い掌である。パウロは先刻から伝票のありかを知っていて、ボオイが首を手で巻くようにして注意したのを見ていたが、顔を上げ、瞬《まばた》きをして、眼を伏せた。男が出て行くと、パウロは俄《にわ》かにそこにいることが下らなくなったように、思った。

「前から来てる人？」

ボオイの須山が、片眼を瞑《つぶ》った。

「この頃ちょいちょいね。変った奴だよ、凄いや」

「変ったって？」

「見りゃ分るだろう？　それに金は凄いらしいや。うまく遣ったじゃないか、どんどん来いよ。こっちはどいつが払ったっていいんだ。度々来いよ」

黙ってパウロは立上り、後隠しに手を遣ると、

「お勘定は戴《いただ》きました」

と、もう一人のボオイがふざけて、言った。(訊《き》いてたようじゃなかったが、僕が何杯飲んだか見ていたんだ)パウロは俄かに狙《ねら》われた者の羞恥に襲われ、

「じゃあ又来らあ」

と、口の中で言うと、後の椅子《いす》席に掛けてあった上着を取り、見る間に袖《そで》を通し、襟を細い両手で掻き合わせながら敏捷な足で、早くも扉の外に見えなくなった。

パウロが、ネオンだけが暈《ぼや》けて光っている横町へ出ると、十間程向うに先刻の男がゆっくりと歩いていたが、振り返って立止まった。頷《うなず》くように顎《あご》を動かすと、一緒に来いというように又後向きになって歩き出した。パウロの足は一瞬躊《ため》らったが、走った。何故《なぜ》か兄弟のような懐《なつか》しさが先に立ったのである。パウロが追いつくとギドウは下眼遣いにパウロを見下ろして、微笑った。親しい、だが秘密な、微笑いである。パウロはひどく安心な気がしたが、同時に一方で、どこかで何かが呼び醒《さ》まされるような想《おも》いが、ある。パウロは後隠しに手を入れた腰を一つ捻《ひね》るようにして、チラリと男に眼を走らせ、俯《うつむ》いて、歩いた。

「家《うち》は近いの?」

「ずっと遠く。……松延寺の方」

俯いた儘パウロは、言った。

足元が明るくなったので顔を上げると、街燈《がいとう》の下である。ギドウは立止まった。パウロの見上げた眼が、ギドウのそれと含羞をおびて絡み合った。二重瞼《ふたえまぶた》のパウロの眼は鋭い刀《とう》で彫ったように彫りが深く、薄紫色の炎を出すかとも、思われる。ギドウの手がパウロの肩にかかった。きようだいか、高級な仕立屋《クウチユリエ》のような、自然な手である。

「明日僕の部屋へ来ないか。マルティニとチイズを御馳走しよう。それから君に着るものを誂えて上げよう」

男の手が肩先から腰の方へ、一寸離れてはいるが体の線に沿って、撫《な》でるように、動いた。

パウロはマルティニを知らなかった。唯暈《ただぼんや》りと、夢のようなことが振りかかって来たのを、感じた。

「来るね」

「ええ」

パウロの声は少女のそれのように、小さかった。

＊

北沢の酒場での出来事があってから、パウロの生活は忽ちギドウのそれと密接したものに、なった。パウロはそれが自分に気分のいいことなら、意志のない人のような感じで、成り行きに任せる男である。ギドウ自身にも、ギドウの生活にも、大きな魅力が、あった。それだからいつもの、流れに自分を乗せて行く流儀で動いただけである。だがパウロは次第にギドウに魅せられ、無意識のようにして持っている功利的な考えの外《そと》でも、ギドウを慕うようになって、行った。

パウロは両親の生きている頃、大学に一年程行ったのだが、生来の怠け者で、何をする気もない。本能的なものでやることより出来ない。車の運転は出来るので、ギドウの口利《き》きでロオゼンシュタインの運転手に入ったのである。それまではクリーニング店の配達をやっていたが、親方の細君が妙な目つきをするようになって、お払い箱になった。クリーニングの店は妙な匂《にお》いがするし忙しかったが、アパルトマンの多い北沢の界隈《かいわい》では、そこに住んでいる中年の細君や酒場の若い女なぞが、扉の蔭《かげ》で手を握るようにして握らせてくれる百円硬貨や、どうかすると五百円札なぞの秘密な収入があるので、癪《しゃく》に障《さわ》ったパウロは、店を罷《や》める日の午過《ひるす》ぎ、仕切りのカアテンの蔭で太った細君の胸を抱いて、接吻《せっぷん》を盗んだ。パウロは細君が肥《ふと》った胸を波打たせ、飛び出した眼を虚空《こくう》に、荒い息をしているのを離し、ちらりと見てから走るようにそこを逃げ、釘《くぎ》に掛けた手拭《てぬぐ》いを取り、隠しておいたチップの金を素早く隠しに突込んで、店を出た。それからは函館《はこだて》で結婚している姉の住子《すみこ》からせびり出す金で北沢界隈をぶらつき、不良の仲間に足を踏み入れかけていたのである。姉の住子には、ギドウの所で飜訳《ほんやく》の手伝いをしていることにしてある。暁星《ぎょうせい》を出て仏文科に一年いたのだが、殆《ほとん》ど勉強をしないのでギドウの手伝いが出来るわけはないのだが、東大の講師というとも利いて、住子は半信半疑ながら、死んだものが生き返ったように、思った。

暈《かさ》をきた月と、温い風との四月が過ぎ、樹々《きぎ》が緑の吐息を吐く五月もすぎて、六月になった或日《あるひ》の午後、パウロは寝室に腰を下ろしているギドウの傍《そば》に、体をくの字にして足を揃《そろ》えて投げ出すように坐り、優しく寄り添うように、していた。珈琲《コオヒイ》を滴《した》らせた牛乳《ミルク》のような色の、薄いスウェータアを着たパウロの顔の中で、瞳《ひとみ》が暗く、耀いている。ギドウの手が優しく、栗色《くりいろ》をおびたパウロの髪を掻きまわすようにしている。

ギドウの仕事場を兼ねた居間である。田園調布に本宅があって、未亡人の珠里《ジュリア》が住んでいるが、ギドウは広い一間《ひとま》とホオル、寝室に、テラスに台所が附《つ》いただけの、贅《ぜい》沢《たく》な家を建てて、稀《まれ》に家の法事や雑用なぞでそっちに帰る他は、自分一人の生活をしているのである。その家はバス通りを一つ入った横道を四五町奥へ入った所にあった。パウロはギドウの家の近くに部屋を借りたのである。

「モナ・リザの顔って、気持悪いね」

パウロはギドウの掌《てのひら》を軽く振り払うようにして、横からギドウを見上げた。

「階段のか？」

ギドウの手が下に下りて、小ぶりなパウロの顔をかこうように、した。

田園調布の本宅の、ギドウの書斎に上る裏階段の突当りの壁に、モナ・リザの複製画が掛っていて、使いに行ったパウロはそれを見ていた。

「魅力があるの？　あれ、永遠の謎《なぞ》だって？」

「あれは古い顔だからな。あれはあれで面白いんだよ」

「ふうん。……ギドは魅力を感じる？」

パウロはギドウの掌を乱暴にふり離すと、ギドウから離れ、窓際《まどぎわ》の長椅子に行って、撓《しな》やかな体でその上に腹葡《はらば》い、鋭く形のいい鼻の両脇《りょうわき》に嵌《は》めこまれた、宝石の瞳を、光らせた。パウロの髪の触感を残して浮いた掌を下につき、ギドウは右手をパウロの方に振った。パウロの手は間髪を容《い》れず卓子の上のネイヴィ・カットの箱と燐寸《マッチ》とを取って放る。パウロから眼を離さずにギドウはそれを受止め、紙巻《シガレット》を抜き出して火を点《つ》け、天井に眼を向けて一服深く吸いこんだ。

「おととい、凄《すご》い奴《やつ》に会っちゃった。二度目よ」

ギドウはパウロの顔の上に視線をゆっくりと戻して、言った。

「そいつは俺の知っている奴かも知れない」

「まさか。まだなんにも言わないじゃないか。どうして解《わか》るの？」

「凄い奴は幾人もいないさ。どんな奴だい」

「まあ黒いライオンみたいね。頭の毛はもくもくしていてね、顔も額も頬も、だぶだぶしてて、色は印度《インド》人みたい。唇《くちびる》も黒いんだ。油っ気の多いみたいな顔、首も。そうして眼がね……」

「そいつなら見たよ」

ギドウは苦みのある顔で、微笑った。

パウロは素ばしこい猫のようにギドウの顔色を見て、言った。

「嫌いな奴さ。俺を見ていやがったっけ」

パウロは新車のシュミットのことは、言わずにいた。

次の瞬間、もうそれを忘れた顔でパウロは頬杖《ほおづえ》をついた上に顎をのせ、その顔を捻って天井の辺りに懶《ものう》い眼を上げたが、唇を尖《とが》らせるようにして口笛で、ギドウに習った歌をやり始めた。

＊

ギドウと会うことになっている水曜日を翌日に控えた、火曜日である。パウロはロオゼンシュタインに車を置いた儘《まま》、有楽町のホオムに、立っていた。ギドウの使いで神田の本屋に行くのである。向う側のホオムに眼を遣《や》ったパウロは、そこに黒い男を見た。現実に見ぬ前から一種の予感があったようである。パウロは素早く眼を斜下へ外《そ》らし、そしらぬ顔で澄まし返った。これはパウロが、厭《いや》な中年女なぞが前にいる時なぞによくやる、ギドウが、（綺麗《きれい》な芸者の顔だね）と評する顔である。（今の芸者にゃあ殆どないがね。巴里の高級の商売女《クルチザンヌ》がよくやるね）ギドウが言った。（僕そんなに凄いの？）パウロはその時、大して嬉《うれ》しそうにもせずに、言った。パウロの自信は深くなって来ていて、大抵のことでは甘い顔にはならないのである。男は少し、前とは変っていた。真昼の太陽がバックミラアに反射する運転台で、猛獣のように黒い肩越しに眼を光らせた最初の印象とは違っていて、幾らか肉が落ち、広い額の下の異様に据わった眼で、パウロを視《み》た。獰猛《どうもう》な囚人が反逆心をなくして、穏《おとな》しくなったと、いうような、そんな眼である。（偉い奴ってのはすごいな。やくざの野郎なんか問題じゃないな。だけど奴は魅力がないや。ギドウの方が百倍も素晴しいや）パウロは心の中に、呟《つぶや》いた。パウロが黒い男の視線の焦点になっている搔痒感《そうよう》のようなものは、長くは続かなかった。男とパウロとの間に電車が黒く塞《ふさ》がり、それが再び動き去った跡には、男の姿は拭い去ったようになくなっていたからだ。いつ、何処《どこ》から来たのだろう。気がつくと、黒い男のいた丁度後《うしろ》の柱にギドウが寄り掛って立っている。亡霊を見たような顔をしたパウロの唇が、忽《たちま》ち喜悦に弛《ゆる》んだ。薄茶《ベエジュ》のバアバリのコオトの立てた襟から、橄欖《オリイヴ》地《じ》に伊太利《イタリア》模様のマフラアを覗《のぞ》かせ、隠しに手を突込んでいるギドウの顔は、離れて見てもくっきりと、目鼻立ちが彫り上げられている。ギドウはホオムに上って来て、黒い男の立っているのを後から見て、すぐにパウロに気づき、柱の蔭に入っていたのである。黒い眼ががっちりとパウロに止められているが、何処かに、陶然《うっとり》としたようなところが、ある。それでいて烈《はげ》しい、灼《や》くようなものが、中にある。唇の辺りにも放心した表情が、あった。ギドウは顎でパウロに合図をした。パウロは細く長い足でホオムの階段を駈《か》け下り、次の階段を一段飛ばしに上って、ギドウと一緒になった。

「神田かい？」

「うん、ギドは？」

苦みのある微笑《わら》いがギドウの脣を、掠《かす》めた。

「黒い奴を見たよ、……澄ましてたね」

ギドウの最初の一句でパウロは、子供が陰険なことを思い巡らす時のような顔を、一瞬露《あら》わに見せていたが、次の言葉で明らかにほっとして、微笑った。

「直《す》ぐ行っちゃったけど。だけど変な奴ね」

「今日は時間がないんだが一寸《ちょっと》出よう。腹は？　何か喰うか？」

「モナのサンドウイチ喰っただけだけど、なんでもいいや」

「いやに今日は穏《おとな》しいね」

そう言いながらギドウは先に立って、歩き出した。

「マカロニはどうだ」

「うん」

やがて二人は新橋寄りのマカロニ料理の「イタリアン」の階段を上った。白絹のシャツに濃灰色のジインパンツの上から、焦茶《こげちゃ》のレエンコオトを首へ詰めて、被《かぶ》るように着ていたパウロは、コオトを脱いで椅子の背中に掛けて坐《すわ》った。生々とした茶がかった髪、固く締った胸、襯衣《シャツ》の襟に滲《にじ》んでいる雨の染《し》み、七月の微風の中でパウロは若い木のように、爽《さわ》やかである。つい今しがた雨がぱらついていたことを、ギドウは思い出した。茶がかったパウロの髪にも滴《しずく》が光っていたからだ。

「首のは？」

「ここらは路易《ルイ》さんがいるかも知れないでしょう？」

「平気だよ。大体分っているさ」

「そう？」

パウロは一寸《ちょっと》伏せた眼をすくい上げるように、白眼勝ちにして、見上げた。

「悪いんでしょう？　植田さんに」

植田というのは植田邦子という、人の奥さんで、ギドウがパウロに出会わぬ前の、ギドウの情人である。ギドウがこの日その植田夫人と会う時間を割《さ》いて、パウロと駅を出たのだということは、二人の間で充分通じ合っていることで、あった。ギドウは既にこの女をもて扱って、いた。

「殊勝なことを言うなよ。何を喰う？」

「いつものよ」

ギドウの顔はよほど穏かに、なっていた。料理とキャンティが運ばれて来ると、ギドウは酒の栓を抜いてパウロの洋杯《コップ》に注いで遣り、自分のにも注いだ。ギドウはパウロの、洋杯に重なる脣に眼をあてて、いた。昼間は幾らか乾いている。ほんのわずかの襞《ひだ》の間は薄紅色が濃く、合わせめから奥も紅《あか》い色が濃い。上唇の中ほどが小さく突き出て膨《ふくら》んでいて、合わせると下唇はそれだけ譲歩して窪《くぼ》むのである。肉の厚い何かの花片《はなびら》のようなパウロの唇を、ギドウは肉慾《にくよく》的な感覚以外にも観賞していた。清潔で、汚れていたことがない。ギドウは埃《ほこり》なぞがついていると、直ぐにハンカチを水に浸して取ってやるのである。(ミネルヴァの唇だ）と、ギドウはよく、言った。

「これキャンティね」

「こいつを飲むと羅馬《ロオマ》の城址《しろあと》でやった、煮たようなのを想い出すね。……パウロを伴《つ》れて一度行くよ」

「うん」

パウロは烈しい瞬《まばた》きをして眼を伏せ、紅い酒の洋杯に唇をつけた。

「羅馬もいいが、ヴェネチアもいい。キャルナヴァルはヴェネチアになるようにするんだね。大きなゴンドラを買い切って、船縁《ふなべり》でギタアを弾かせるんだ。そうすると街の騒ぎが聴えて来る。街中が湧《わ》き立っているんだ」

パウロは頬を薄紅くして陶然《うっとり》とした眼を据えていたが、眼を伏せて、きいた。

「何時《いつ》？」

……………………………………

ギドウは紙巻《シガレット》の灰をはたき、黙っている。

「今日『茉莉』で待っていないか？　十時」

「いいけど」

「けど、なんだ」

「ギド、どうしたの？　随分時間が遅いと思っただけなんだ」

「じゃあ九時半、いいね」

ギドウの調子からひどく烈しいものを受けとり、パウロは俄《にわ》かに羞恥《しゅうち》の胸騒ぎを、覚えた。

ギドウは五六年前に、巴里から帰る飛行機の中で、黒い男を見たのである。沼田礼《レイ》門《モン》という名の、姦通《かんつう》問題で同僚の指弾に会い、学校を止《や》めて浪人している心理学の男だということも、最近になって知った。二人の男は互の眼を見た時、互の出生と性行との秘密を読みとって、いた。礼門も仏蘭西《フランス》人を、これは母に持っている。ギドウはパウロの話をきくより先に、礼門が東京近辺にいることを知っていた。ギドウは彼を帝国ホテルのロビイで見たことがあり、横浜の支那《しな》人街で、遠く姿を見かけたこともある。パウロが礼門を見たらしい話をした時以来ギドウの胸の底に、礼門を警戒すると言っては言い過ぎだが、そんな気持が時折動いて、いた。偶然というものが、ギドウのこれまでの生涯の中で、何度か彼の運命を変えて来て、いるからだ。ギドウはホオムに立ってパウロを見ていた礼門の、黒い、仏蘭西の漁夫が着るようなガバガバした雨外套《レエンコオト》と、白のリンネルの洋袴《ズボン》の姿を見た瞬間、パウロへの熱情が、軽い嫉妬《しっと》の色を纏《まと》いつけて、熱帯のカリイを舌に置いたように、どうにもならぬ燃え上りをするのを、おぼえたので、あった。

＊

ギドウのパウロへの熱情の高まりは、三日を置いた次の機会にも衰えずに、いた。午後の六時、「茉莉」の扉を開けて入って来たギドウは、ストレエトを一つ飲むとすぐにパウロを連れて、北沢の自分の家に行った。夜、暴風雨《あらし》の中で若い樹々が打ち合い、絡《から》みあって、樹々の枝は雨に洗われて耀《かがや》いた。若い木は水の中を逃走する蛇のように美しい反《そ》りを打ち、倒れ伏す樹々たちは打ち伏したまま、永遠に起き上る時はないようにも、みえるのだ。そんな恋の時刻の後、夜になった部屋は静かで物音も、なかった。

白い絹の襯衣《シャツ》の胸をはだけたギドウは、書物卓《かきものづくえ》に肱《ひじ》をつき、精悍《せいかん》な眼をパウロに向けた。

「いい話があるんだ」

ギドウはパウロにその日、パウロの仕事についての話を持って来ていたのである。ギドウと附合《つきあ》っている以上は贅沢《ぜいたく》にも事欠かぬパウロである。だがギドウは、パウロに幾らかの生活の力をつけてやろうとしていた。ギドウは銀座の画廊、ブリヂストン、デパアトなぞの展覧会に足を運んで画《え》を買う、一部の金持連中と、家同士の附合いがある。その連中の中には画商を間に入れることを嫌い、直接画を持っている人間同士で譲り合う場合、顔を知らない相手もあるので、適当な素人《しろうと》、それも気軽な若い人間に、適当な礼金で橋渡しを頼みたいと思っているのがいた。よくある半玄人《くろうと》のような連中にみすみすぼろい商売をされるのも不愉快である。その仲介人に、ギドウはパウロを推してやろうと言うのである。その連中の中には手に入れた画を、二三年も持っていて、飽きると又他のものと買い換えるような人もある。限られた顧客であるから大きなことはないが、いいものを扱うので、一度動かせばかなりの小遣いにはなるのである。パウロはその話をギドウからきかされると、眼を輝かせたが、幾らか不安をも、感じた。

「それなら出来るね？　僕に」

窓際の長椅子《ながいす》にパウロは寝転んで、ライフを見ていたが、猫のように起き上って、窓と直角に置かれた壁一杯の書棚に嵌《は》め込みになった書物卓を前に、回転椅子に肱をついてより掛っているギドウの傍《そば》に、立った。

「適役だろう、パウロには」

ギドウが、言った。厚地の織出し模様の窓掛《カアテン》の中は静かな夜である。パウロの額には珍しく沈んだ、真面目《まじめ》に何かを考えている人間の表情があり、夜の部屋の中で、パウロはひどく感動したように、見えた。瞳《ひとみ》の色が深くなって、唇が薬を飲んだ子供のように、堅く結ばれている。

「僕じゃ貫禄《かんろく》がないからな。ギドなら素晴しいけど、ルオオだって、ルッソオだって、もっと昔のだって、皆《みんな》知っているし」

「僕じゃ少し役不足だね。みんなパウロを素人としてみているんだから、幾らか解っていて、感じがよけりゃあいいんだ」

ギドウはパウロの顔を微笑《わら》って見ていて、言った。

「そう」

パウロはギドウの傍から離れて、長椅子の上に上靴の儘《まま》両足を抱えて、坐りこんだ。

「みんな金持の家《うち》だろう？　凄《すご》いな」

「まあ遣ってみるさ。パウロは素ばしこいから気に入るよ。金持の連中は大体気が短いからな。几帳面《きちょうめん》に遣るんだ。引き締める位で丁度いいんだ。愛嬌《あいきょう》は充分だからな」

パウロの顔の中に珍しくおとなしい、真面目な少年の心を見たギドウは、少し微笑った。若い処女《きむすめ》の顔を覗《のぞ》きこんで微笑う中年男のような、そうかと思うと赤ん坊をあやす人のような、微笑いである。パウロが微笑った。ギドウの微笑を意識した微笑いである。ふとギドウの顔が苦みを帯び、唇の辺りに或《ある》感情が、塗られた。眼は依然として微笑っている。

「お婿《むこ》さんの口が掛るかも知れないぜ。浮気をしなけりゃあうまく行くさ」

涙が溜《たま》っているのではないかと思うような、力んだ二つの眼がギドウを見詰め、可《か》愛《わい》らしい唇がぎゅっと結ばれた。額にかかった髪を振り上げるようにしながら、黙ってギドウを見ている。

「どうしたんだ、冗談だよ」

ギドウは鋭い眼を柔かに崩し、溶けるように、微笑った。ギドウを愛するようになり、ひどく慕っている心持が、一種の、女のヒステリイのように昂《こう》じたのである。

「女のような奴《やつ》だな」

ギドウは立上って書棚から厚い書物《しょもつ》を抜き出し、椅子にかえって、厚い紙の綴《と》じたものを取り出して、膝《ひざ》にのせた。

「冷蔵庫にマルティニがあるだろう。みてごらん」

ギドウの心がすでに仕事の方に入りかけている。それがパウロを又、刺戟《しげき》した。

「ギドウこそ怪しいんだ」

ギドウはパウロを見た。

「植田さんのことだろう？　まあ何とでも思うさ。パウロだっているじゃないか。何処のお嬢さんだい？　バスの中に俺の眼があったのを知らないんだな」

パウロはしんから驚いた顔になった。

「知ってたの？……ひどいや」

「可愛いじゃないか」

ギドウが微笑った。パウロは不貞《ふて》たように仰向《あおむ》けに寝転び、下眼遣いにギドウを見ている。

「変な顔じゃあないけど」

「悪いところのない顔だね。どっちから見てもおかしくない顔だ」

「そう。それがいい点。……だけど僕の方はちんぴらだもの。何でもないや。ギドウの女《ひと》は凄い奥さんでしょう？　それに僕の方は向うから来たんだぜ」

「俺だってそうさ」

ギドウが、言った。三十八になったばかりの、顎《あご》から頰にかけて髭《ひげ》の剃《そ》りあとの青い、ギドウの額が、ふとうるさそうに、眉根《まゆね》を寄せた。

パウロは今度は腹匍《はらば》いになり、肱の下になった切り抜き用の鋏《はさみ》を引っ張り出して、それを見ながら、言った。

「だけど、凄い奥さんなんでしょう？」

「見たいか」

「うん」

パウロはギドウの方に振り向いて、言った。ギドウの眉根の縦皺《たてじわ》を見逃してはいないパウロは、もう機嫌が直っている。

「明日フウド・センタアへ来てごらん」

「あそこで食べるもの買うの？　何時頃？」

「五時十五分位にしよう」

「よし」

パウロは鋏を一寸《ちよつと》上に投げて、巧《うま》く受けとった。

「もう、少し黙っていてくれよ」

そう言ってギドウは調べものに、かかった。煙草色《たばこいろ》のパイルの上履きの足を卓子にのせて組み合わせ、膝の上の原稿の束を、読み始めた。パウロは又ライフを見ていたが、ふらりと立上って、書物卓の奥にあるサイドボオドから、橄欖色《オリイヴいろ》に黄金《きん》で縁をとったヴェニス硝子《ガラス》の洋杯《コップ》を出して、冷蔵庫からマルティニを出して来て長椅子に戻りながら一口飲むと、ギドウの唇《くちびる》に持って行った。ギドウが洋杯を手ごと抑えて飲んで離すと、再び長椅子に肱をついて長くなり、洋杯に唇をつけた。

「上の電気消す？」

「うん、いい」

「ジュ　トゥ　オルドンヌ、アッソワ　イッシ」（此処《ここ》へ来て坐るの）

ギドウは眼を鋭くしてパウロを見、書物卓《かきものづくえ》に仰向くように寄りかかり、パウロの撓《しな》やかな形に凝《じっ》と眼を据えたが、一寸右手を上げる。パウロは一寸ギドウを見たが、卓子の上にあった鉛筆を見つけて、放った。

＊

パウロの仕事もうまく適《はま》って、パウロの方からも小さな贈物をすることもあるようになり、パウロとギドウとの間に少間《しばらく》平和な、楽しい日々が、続いた。

八月に入るとギドウは、北奥白の別荘にパウロを連れて行くことにした。夏季大学もそこで開かれることになっていた。

九時四十五分発の奥白行きの準急、スワンが、鋼鉄の長い胴体をホオムに横づけにしている東京駅は、山登りの若者達や、避暑客を混えた旅客の群で、ごった返していた。その一つの窓に、ギドウらしい男の顔が、見えた。シイトに仰向けになった顔に、黒のハンティングを載せているが、睡《ねむ》ってはいないらしい。ホオムの騒々しさをハンティングで防いでいるように見える。傍若無人な形で両足を、向う側の座席の下まで踏みのばしている。膝の上にはカアキ色のレエンコオトが、暗い緑の大柄なチェックの裏をみせて、載っている。下着位が入っているらしい書類用のポオトフォリオと、明治屋の買物包みが座席に転がっている。八月の三日の、ものがみな煮えるような暑熱が、襯衣だけになったギドウの背中から胸に汗を滲《にじ》ませている。上質の黒のサアジュの洋袴、結んだというよりは、一遍潜《くぐ》らせて折り畳んだような、結び目の広い灰色のネクタイが、肩の下までぶら下がっている。敏捷《びんしょう》に飛び込んで来る筈《はず》のパウロの気配はまだない。

ギドウは今度の旅行に車で行くと、パウロに約束していたのである。だがいよいよ出発の時になって、車は目につき易《やす》いことに気づいたのである。湘南《しょうなん》方面に行く人間にはギドウを識《し》っているものが多く、彼等は皆車であり、ギドウの黒のロオルス・ロイスを知らぬ人間はないのだ。九州の佐山という友達を用件で訪ねるというのが、この旅行の表面の目的になっていて、それは植田邦子へのきかせである。佐山は中学からの無二の友達で、何も隠す必要がなく、旅先から局留めで出す夫人への手紙も、二重封筒にして送れば投函《とうかん》してくれるのである。

ギドウは、別れて来たばかりの植田夫人の、肥満した醜い体の妄執《もうしゅう》が、頭に重くのしかかっているのを、感じていた。俯伏《うつぶ》せになると、寝台の上に張りをもって圧《お》しつけられ、熱のあるように熱くなった二つの乳房、紅紫のラズベリイのようだった乳頭と乳暈《にゅううん》、鳩尾《みぞおち》から腹にかけての撓やかな丘は、子供を生まない為《ため》に弛《ゆる》みがなく、その上に濃い影をつけて重なる下肢の重みの下に、ギドウとの、もう二年余りになる秘密を隠していた弾力のある下腹。それらは最近になって急激に太り出し、線が崩れて来ていたのだが、パウロを知るに及んで全く魅力を失ったものに、なった。そんな肢体が、倦怠《けんたい》の潜んだギドウの眼の下でうねる、すでに飽き果てた燈の下の場面が、十九に二カ月足りないパウロの、青くて若い木のような、爽《さわ》やかな体の後《うしろ》に、次第に腐敗した果実の匂《にお》いを漂わせはじめてからもう四カ月になる。腐敗の匂いのする果実の皮膚の裏側には、絶えず燃え上ろうとしている猜疑《さいぎ》と嫉妬《しっと》との狂乱がある。それに対抗する為には、ギドウの持つ魔のような魅力を出して、それを抑えつけるよりない。東上原の奥の、終戦の頃には米将校の車が毎晩のように止まっていた、或斜陽族の別宅を改造した旅館の一室で三晩宿っていたギドウは、平常自分の倦怠を覚《さと》らせまいとして、既《も》う夫婦のようなものだと、暗に倦怠のあるのが当然なことを報《し》らせてはいたが、大体が演技に充《み》ちた逢《あ》いびきに、疲れていた。

ココア色のアロハ風の襯衣の、鳩尾の見える程開けた襟《えり》の下に、細い黄金《きん》の鎖を見せているパウロの、白に近い灰色のジインパンツの足が、敵に追われる雌鹿《めすじか》の敏捷さで、その時八番ホオムの煤《すす》けた階段を上っていた。動作は捷《はしこ》いが、パウロの様子にはどこかに抵抗のようなものがある。パウロは今日、早く来るのが厭《いや》だったのだ。ギドウの目印のハンカチで、パウロは忽《たちま》ち車内に飛びこんだ。同時に発車のベルが鳴り渡った。

「危いぞ」

深い想《おも》いの底から醒《さ》めたようなギドウの眼が、立っているパウロを射た。パウロはその眼を外して自分の胸の辺りを見ている。洗ったらしい艶《つや》のある髪が、額にそよいでいる。急いだので耳から頰にかけて紅《あか》みが差した淡黄の顔は、柔かなココアの色に映えて綺麗《きれい》だが、不平を隠しているのが、伏眼にした眼と、反り気味の鼻とに顕《あらわ》れ、薄紅い唇も尖《とが》り加減に結ばれている。後髪に手を遣《や》り、次にその手が鼻の下を横に擦《こす》る。(模様のある蛇の眼ね)とパウロがギドウの眼について言ったことがある。その眼が自分に悪いところがある場合、こわくてならない。だがそうかといって、車を止《や》めたことの不平は抑えられないのだ。それで早く来たくなかった。それが見抜かれていることは承知している。下眼遣いの、しょげたような眼に演技がある。それを知っていて、ギドウは柔いだ。

「雨外套《レエンコオト》は?」

「忘れちゃった」

パウロはギドウの前に掛けると、もう一度後髪に手を遣り、窓の方に眼を遣った。温《あたたか》みの余りないパウロの心臓に、ギドウの胸の熱いものが、流れている。

「だって僕」

そう言うと、思いがけなく涙が滾《こぼ》れた。ギドウは微笑っている。パウロはそれに気づいていた。涙で燦々《きらきら》したパウロの眼が微笑った。どこかに灰色のある黒い眼が微笑い、白い歯が薔薇色《ばらいろ》の唇から覗《のぞ》くと、ギドウの胸に歓《よろこ》びが湧《わ》いてくる。車は音もなく走っている。風が出たらしい。

「これ、あれでしょう?」

「うん」

パウロは明治屋の紙包みを解き、アルモンドの実をチョコレエトで包《くる》んだ菓子の箱を出した。後《うしろ》に寄り掛ってチョコレエトを口に入れる。次の一つを持って、眼で訊《き》く。ギドウは首を振った。

「酒場《バア》は開いてるんだろう？　まだ」

「行《い》く？　咽喉《のど》乾いてるんでしょう？」

「まだいいよ」

「ウィスキイ？」

「諾《うん》」

窓から身をひいて紙巻に火を点《つ》け、その儘後に寄り掛り、倦《だる》さからギドウはすっかり脱出した顔で、パウロを見た。パウロは車の動揺を楽しむように、黒い中にまだちらちらと見える街の燈火《ひ》に眼を遣っていたが、靴を脱いで黒の薄い靴下の足で座席に上り、膝を揃《そろ》えて抱えこんだかと思うと、その足を伸ばして窓の下へ突っかうようにし、又折り曲げてシイトの背にしなだれるように、寄りかかる。（まるで猿《さる》を連れているようだ）ギドウは心の中で、微笑った。ひと通り動き廻《まわ》るとパウロは普通に腰をかけてギドウと向き合った。ギドウの差出す紙巻を咥《くわ》えると、一寸窓の方に流れたパウロの眼が含羞《がんしゅう》をおびてギドウの眼にかえる。パウロは紙巻をギドウの脣に咥えさせた。

「フィリップ・モオリス、東京駅にあったの？」

ギドウは洋袴《ズボン》の隠しを探り、一箱の封のままのフィリップ・モオリスをパウロの膝に投げた。

「植田の家さ。……見たろう」

「うん、凄いヴォリウムね。だけど一寸気の毒みたい。……ギドウがとても凄かった。奥さん背中丸くしてケースの中覗いてたね」

「中々役者だね、パウロは」

「分らなかったでしょう？　傍で見て遣った。ギドが後のケース見に行ったでしょう？　それで此方《こっち》みたのでよく見えた。あれ故意《わざ》とでしょう？……とてもギドを愛してるのね」

そう言ったパウロの眼が、幾らか意地悪な光を帯びる。ギドウは面白そうに微笑っている。パウロは眼を白くしてギドウの口から紙巻を挘《むし》り取るようにして奪い、窓の外に投げ捨てた。闇《やみ》を走る車輛《しゃりょう》の響きの中で、パウロとギドウとの幸福感は静かに高まって、いた。

やがて車は奥白駅の構内に入った。奥白駅は暗く、漆喰《しっくい》のような匂いがし、十一時五十分の所に針が止まっている白い大時計の盤が、鮮かに見えた。パウロは見る間に闇の中に飛び出して行ったが、大型のタクシイに向って駅を指し示すのが見え、素捷《すばし》こく乗り込んでいる。雨外套《レエンコオト》を抱え、灰色の幅広のネクタイを風に飜《ひるがえ》して立っているギドウを見ると、運転手は旧知の人を見る眼をして、首を竦《すく》めるようにして、運転台の中で挨拶《あいさつ》をした。風の中を車が走ったのはかなり長かった。闇の中に海の音がし始めて少間《しばらく》すると、車は砂丘を登り難《にく》そうに徐行し始めた。大きな鳥の翼を拡げたような建物が見える。パウロは落ちつかなくなって、腰を浮かすようにし、眼を光らせて建物を見詰めた。

「あそこ？」

「ああ。……ここでいい」

ギドウは三四枚の銀貨を掴《つか》み出して、運転手に渡すと、飛び下りたパウロの後《あと》から砂の上に下りた。パウロはギドウが器用に廻す、滑らかな鍵《かぎ》の音にも胸をときめかせながら、隠しに両手を突込み、海の匂いを一杯に吸いこみ、低く口笛を吹いた。広いホオルを横切り、螺旋《らせん》になった階段を上って奥の部屋の扉を又鍵で開けて入ると、ギドウはルウム・クウラアのスイッチを入れ、椅子《いす》や足台、卓子などのある間を打《ぶ》つかりもせずに横切って、奥の一隅に壁に沿って造りつけになっている革のディヴアンに腰を下ろして足を投げ出し、腕を伸ばして傍《かたわら》の壁を探った。その一隅だけが橙色《オレンジいろ》に明るくなる。パウロは暗い壁の画《え》を見上げ、撓やかな腰つきで卓子を廻り、熱帯魚の泳いでいる巨大な水槽《すいそう》を覗いた。

「砂の上をごらん」

「ア。山椒魚《さんしょううお》……」

「其処《そこ》の隅に冷蔵庫があるだろう。スコッチを出して来いよ。パウロはマルティニがいいだろう」

「汽車で飲まなかったのね」

「洋杯はそこに食器棚がある」

パウロが洋杯と、氷の容《い》れ物、白く曇ったスコッチの壜《びん》とを銀盆に載せて持って来る。

「マルティニは？」

「僕もスコッチ」

ギドウとパウロとは各々《おのおの》酒を注ぎ、洋杯を取り替えたりしながら、飲み始めた。

「そこの扉の向うヴェランダでしょう？　見たいな」

「落ちついていろよ」

ギドウは底深く光る眼をパウロの首筋に据え、振り向いたパウロの肩を、摑むようにして胸の上に引き寄せた。氷の塊が自然に溶けて動き、打つかり合う音が、沈黙の中に、鳴った。

＊

翌朝寝台《ベッド》を下りたパウロは、昨夜の広間を抜け、持ち出して来た鍵束を熱心に選び出して扉をあけ、ヴェランダに飛び出した。昨夜の風で出来た襞《ひだ》が、細かな波の模様をつけている砂丘が見渡すかぎり、拡《ひろ》がっていて、その果てに、白い波頭のゆるやかなルフランが、動いている。不定形の石と石との間の土に雑草の生えている雨晒《あまざら》しのヴェランダは、簡素な鋼鉄製の仏蘭西《フランス》風の椅子と卓子とを、置いてあるだけである。鎧戸《よろいど》を開けた直《す》ぐ際《きわ》の隅に、竜舌蘭《りゅうぜつらん》が肉の厚い葉を尖らせている。手摺《てす》りに上体を持たせかけて、パウロは幾らかの間、海を見ていた。昨夜寝室に移ってから、（山椒魚で何か思い出さないか？）とギドウが言った時、パウロは不意を突かれて、黙ったのだ。揶揄《からか》うような微笑《わら》いを浮べているが、ギドウの眼には、或《ある》光が、あったのだ。たしかに山椒魚を見た時、パウロはあの黒い男を思い出したのだ。そうしてそれを黙っていた。ギドウの揶揄い半分な言い方にはどこかに執拗《しつよう》なものがあって、それを魚のように身をかわすのに疲れたのだ。本当になんとも思っていないのなら、何でも平気で言えばいいんだ。ギドウはそう言って、パウロを追い詰めた。ギドウの言葉が、その針のようなものをどこかへ蔵《しま》いかけた時パウロは、言ったのだ。（ギドは僕のことなら本当には怒らないんでしょう？）この、実感の上に立った、無心で作為のない殺し文句は、ギドウを完全に敗北させ、ギドウの心臓に新たな火を点けたのだが、ギドウによって、この種の男に嗅覚《きゆうかく》を持つようになったパウロが、黒い男に興味を持たぬまでも、そこばくの尊敬の念を抱いていることが、ギドウにはこの頃解《わか》っていて、それがギドウを刺戟《しげき》するのである。仲直りをしたあとの甘い回想と、疲れとに浸っているパウロは、大きな掌《てのひら》の中に摑まれているような、そんな幸福感に、包まれていた。

やがてギドウが出て来て、

「海へ行こう」

と言い、シャワアにかかるパウロを待って、黒のパンツだけになったギドウとパウロとは、階下の広間にある、砂丘に向って開け放たれた扉から、砂の上に、走り出た。二人は一間程離れては腕を伸ばして、手を結ぼうとするようにして触れあい、触れたか触れぬかのうちに又離れたりしながら、顔を空に仰向《あおむ》け、高々と笑い、海に向って、走った。首にかけたタオルは、パウロのは臙脂《えんじ》の部分《ところ》と黒の縞《しま》とが端にある白地のもの、ギドウのは強い黄色である。

ギドウの別荘で三日を過ごすと、ギドウはパウロの言うなりに海岸のホテルに移った。ギドウはホテルを危く思ったが、パウロの甘えに負けたのである。ホテルの階下全体に続いている長いヴェランダの下は半町足らずで海に続いていて、ビイチ・パラソルの茸《きのこ》の群が強烈な陽の下に光を反射し、入江になっている海は鈍く光り、プウルのように静かである。ギドウが仕事を始めたので、一人出て来たパウロは、ひと泳ぎすると、デッキ・チェアに似た布を張った寝椅子の一つに、体を投げかけ、眉《まゆ》を眩《まぶ》しげに顰《ひそ》め、小生意気に、情事の名残りの堆積《たいせき》のみえる脣《くちびる》を結び、海を見ていた。焦茶《こげちゃ》の絹のアロハ風の襯衣を釦《ボタン》を嵌《は》めずに胸を出し、懶《ものう》い足は八の字なりに投げ出されている。例の白金《プラチナ》のペンダントの鎖が、浅黒い艶《つや》のある胸の上に鈍い光を放っている。

誰かが自分を見ているような気がして気になるので、二階の部屋の方を見返り、ついでに素早く見当の辺りを見たが、何者をも発見出来ずに終《しま》った。ヴェランダにいた筈《はず》のギドウの姿はなく、ヴェランダは空洞に、白く光っていた。それきりパウロは海の方に眼をやり、ぶら下がった右の手で砂を掬《すく》っては滾している。ギドウとの想いに浸り、夜の記憶に青白み、眼を白くし、脣《くち》じりを頬に窪《くぼ》みこむほど引き締め、何処《どこ》を見るともなく睨《にら》んでいる。何時《いつ》の間に来たのか、ギドウがチェアの足元に寝転び、黒い、厚い髪と、後首とを見せて向うむきに肱《ひじ》をついている。パウロの女のような繊い手が、ギドウの首を取り巻くように触るのを軽く払って、ギドウは仰向けに倒れた。倦怠と好色との漲《みなぎ》った大きな眼が、胸の底まで徹《とお》るような力を、パウロに注ぎ入れている。羞《は》ずかしげに眼を伏せ、パウロは砂を掬ってはギドウの胸にかける。

突然起き上ったギドウが勢よく立上った。

「あんまり進まないんだ。何か飲もう、暑いよ」

「うん」

パウロは蝗《いなご》のように飛び立ち、細い足に砂を蹴《け》って、走り出した。顔を洗って、何か上へ着る為《ため》である。ギドウがゆっくりと片手を腰に当てて、後《あと》から行く。人混みのごちゃついた中に、ひどく黒い一つの顔が、首を廻してその二人を、見送った。例の男である。黒人の血が混っているのではないかと思われるような皮膚の色である。十《とお》近く自分より若いらしいギドウの、濡《ぬ》れたような胸の窪みにある胸毛と、初めて見たパウロの、少しの贅肉《ぜいにく》もなく引き締った、魚のように敏捷《びんしょう》な体とに向って、黒い男のシャドウで隈《くま》どったような眼が、憎悪《ぞうお》に似た光を出して一瞬纏《まと》いついたが、ギドウの、優越を意識している不敵な顔をも、苦い微笑いの中に、呑《の》みこんでいたのである。

夜の食堂でパウロはようよう、黒い男を発見した。

「知ってたの？　ギド。こっちを見てる」

黒い男から素早く眼を外らしたパウロが、言った。

「見たがっているのだから見せてやるさ。明日《あした》は丘の家へ帰ろう」

「明日から講習ね。午後だけだけど……」

壜ごと持って来させたキャヴィアをフォオクで口に運びながら、パウロは不平そうに言ったが、一方胸の中で、ギドウを誇る気持が膨《ふく》らんで、いた。（ギドウの方がエロティックだし、ボオ（美貌《びぼう》）だ。あの黒い奴《やつ》にはギドウのような程のいいところはないに違いない）

「ボオ（美貌）じゃないのね」

そう言ってギドウを見たが、フォオクを置いてギドウは白葡萄酒《しろぶどうしゅ》の洋杯を右の手で触りながら、黒い男の方へ眼を遣《や》っている。自信の据わった流し眼が、無限の色気を含んでいて、肉慾《にくよく》的なものの塗られた脣の辺りが、相手に向って無言の決闘のように、構えられている。美しい眼の片方の眉を心持釣り上げ、問題にしていないのだという ことを誇張した、パウロの切り削《そ》いだような嫩《わか》い顔が、そこへ重なった。権高な、美しい芸者のよくやる顔つきである。黒い男に充分に示威をやったと見極めると、二人は顔を見合い、親しげに食事を始めた。ギドウがキャヴィアをパウロの麵麭《パン》に塗ってやる。パウロは氷の上に載ったメロンをギドウにやる。パウロは凍らせたグレエプに替えたのだ。果実を半ば平らげた時、階段を下りて来る、水色のブラウスを濃藍色のキュロットの上に出して着た娘がある。爽《さわ》やかな顔の、賢そうな娘である。パウロの眼につれてギドウも、振り返った。

「奇遇だね」

「……悪いけど」

「いいさ」

パウロとロオゼンシュタインの隣の「モナ」で知り合った梨枝《なしえ》である。梨枝は階段の中途でパウロに気づき、小さな顔の中に白い歯が、光った。階段の上の方へ手を振って何か言い、ギドウを見て幾らか躊《ため》ったが、駈《か》けるようにしてパウロ達の卓子に、近づいた。二三人の少女が下りて来て、ギドウ達の方をちらと見ながら、階段の向う側の席へ行くのが、見えた。パウロが二人の間の椅子を引き、ギドウを見て、(ギッシュ先生)。(梨枝さんです)と、引き合わせた。梨枝はギドウを見て顔を紅《あか》くしたが、パウロの手を卓子の下で探し、手の甲を抓《つね》った。

「親類の家へ来たの、お友達と。葉書上げたのよ。……」

「ふうん、僕は急に飜訳《ほんやく》のお手伝いの仕事が定《き》まったんだ。ごめんんね。葉書出したんだぜ」

ギドウがボオイを呼び、梨枝に好きなものを訊《き》いて、言い附《つ》けた。

梨枝とパウロとはもう二三度ホテルで会っているが、それはパウロが結婚の条件に外れている為にそうなったので、梨枝は所謂《いわゆる》素堅気の娘である。パウロはもともとませていて、それを巧妙に隠して小出しにしているので、梨枝の愛情は深まり、心の中では一生離れたくないと、思っている。パウロも根はまだ子供なので、幾らか気が咎《とが》めながらも、梨枝の優しい、小さな母親のような愛情は、胸のどこかに滲《し》みこんではいるのである。料理が来ると梨枝は、パウロの好きなものがあると小さく切ってフォオクに刺して、口に入れてやったりしながら、食事を始めた。ギドウは持って来させたウィスキイをちびりちびりやりながら、パウロの様子に眼を当てている。時折いつもの、あやすような微笑いが浮ぶ。梨枝がふと、ギドウを見た。

「夏期大学でしょう？　今」

「ああ、明日《あした》からね」

ギドウが、答えた。

「ご親類って、近いの？」

「ええ、延覚寺のそば」

梨枝の眼がパウロに還《かえ》った時、パウロはナフキンで唇を拭《ふ》いていたが、その眼は不良っぽい、気の無いものを浮べて、傍見《わきみ》をしていた。

扇風機の音が懶げに鳴り、パウロの洋杯の氷が溶けて、滑らかな面を浮かせている。ふと梨枝は眼に見えぬものに、襲われた。何処から来たのだろう。妙な、索寞《さくばく》としたものが、楽しいパウロとの食事の間にさえ、入り込んで来ている。冷たい風のようなものが、何処からか遣って来て、自分をこの食卓ごと包んでいるようだ。ギドウがその時立上ってパウロに、言った。

「じゃ部屋は取るからね。門限は九時だよ」

そう言うとギドウは食堂を出て行った。パウロが梨枝を見た。

「僕の部屋別に取ってくれるんだって。来る？　いいでしょう？」

いつものパウロの優しい眼だ。自分は夢を見たのだろうか。梨枝は何か解らぬものに包まれた中で、パウロの澄んだ、魅するような眼に見入っていて、そうして、頷《うなず》いた。嫩い、産毛《うぶげ》のある顎《あご》である。朧《ぼんや》りナイフを持っている、梨枝の小さな手に、パウロの手が、重なった。梨枝にはこの空漠が、パウロの正面に今まで坐《すわ》っていたギッシュの存在に、関聯《かんれん》があるような気がどこかで、している。一眼で崇拝したいものを受けとった立派な男の、自分を見た眼の中にあった、謎《なぞ》のようなものが、どこかで気に掛っている。殆《ほとん》どそっちは見ずにいたのだが、いつか眼に入っていたギッシュの、シイザアの首のような強い顔と、逞《たくま》しい体から生えたような太い頸《くび》、そうして黒い髪。それらのものが、パウロとの楽しさの中に、何ものかを注ぎ入れていて、それが扇風機の鈍いうなりと一緒に梨枝をどこかで、怯《おび》やかしていたのだ。パウロはこれまで梨枝といた時には思いもしなかった、自分の残酷な位置が、明るい食卓の上で否応《いやおう》なしに照らし出されたのを覚える、と同時に、梨枝をこの儘《まま》で帰しては気の毒だというのか、何かを気づかれては困るというのか、たしかに利己的な、わけの解らない想《おも》いがしていて、それがギドウと一致したのを、感じている。無垢《むく》な心を傷つけることを疚《やま》しくも、思っている。睫《まつげ》の長い、夢みるような眼の中に、混乱するものを圧《お》し隠して、パウロは梨枝の手を軽く抑えるように、握った。

部屋に入ると、後を向いたパウロの手の中で、鍵《かぎ》の廻《まわ》る音が小さく、鳴った。

「敬里《けいり》、いや」

「どうして？　何か怒ってるの？」

「ううん」

「じゃ、どうして？」

パウロは梨枝の手を引いて長椅子《ながいす》に倒れ、梨枝はパウロの上に倒れたが、柔かな抵抗をしながら起き直って、椅子の端に、パウロに寄り添うようにして、腰を下ろした。

パウロが手をとった。

パウロは梨枝の眼を凝《じっ》と見ている。

「ね、敬里。ギッシュさんて、何か知っていらっしゃるのね」

「知ってるって、何？」

「敬里のことで。ほかの女のひととの、……すぐお部屋を取って下さるなんて」

「ギッシュさんは何も関係ないよ。僕たちのことに。……そりゃあ僕のことは大抵知ってるさ。僕はお手伝いやってるけど、大学一年しか行かないから、いろいろ教わってるんだ。部屋を取ったのは、ギッシュさんの仕事で僕たちが会えないからだよ。面倒くさいこと言うの止《よ》せよ。どうかしてるね、リエは」

「でも」

梨枝はパウロの手を離したがっていたのを止《や》め、深い眼をしてパウロを、見た。

「僕が何か悪いの？」

罪の意識が底にあって、一層魅するような耀《かがや》きを増しているパウロの眼の中に、ふと麻痺《まひ》したような心を埋めた梨枝は、いつも繋《つな》ぎ合って歩いているパウロの、優しい手に、強い力が入って来て、引きよせられる儘に、パウロの胸に頽《くずお》れた。いつもの灰色をおびて黒い、宝石のようなパウロの眼が、底に青みを湛《たた》えて梨枝の胸を、分別のない、哀《かな》しみもなく、楽しささえもない、空《くう》なものに、したのである。壁画の天使のような顔をしたパウロの手で、白いロンの下着の釦が外される。二十歳の春を湛えた体が、パウロの戯《たわむ》れの下で、嵐《あらし》の中の薔薇《ばら》のように吐息を吐き、羞恥《しゅうち》をおびて悶《もだ》える一刻が過ぎると、梨枝は顔を長椅子に伏せた。濡れた髪の纏《まつわ》っている細い首を、雫《しずく》をのせた丸い肩の間に埋めている梨枝の上にパウロの、慾情の一刻が嘘《うそ》のように見える少年めいた顔が、伏眼になった眼を注いでいる。唇の端の微《かす》かな反《そ》りが、幾らかの慾情の跡を、見せているだけで、ある。不意に半身を起した梨枝の眼が、鋭いものを見せて、パウロの眼を探したが、幾らかの演技を隠したパウロの無邪気な眼と、優しい抱擁に再び頽れ、二人のポオルとヴィルジニイとは、譫言《うわごと》のような永遠の誓いを繰り返して、一つの恋の塑像《そぞう》のように、少間《しばらく》の間離れずに、いた。

*

部屋で独り下調べをしていたギドウは、丁度この時立上って呼鈴を押し、ウィスキイと氷とを持って来させた。ホテル・バカラと白く、何かの塗料で字を入れた洋杯に氷を入れ、酒を注ぎ、唇に持って行ったギドウの眼が、ふと暗く、光ったが、その暗い光は、パウロと梨枝との恋の一刻が原因ではない。それは直《す》ぐに察せられる。地下室の酒場《バア》に行かずに酒を運ばせたのも、黒い男との出会いを避けたのだ。濃い黄色をおびた薄茶に、焦茶の斑点《はんてん》のある豹《ひょう》と、黒く光った豹とはホテル・バカラの一室と、薄暗い酒場の片隅とで、重い、暗黙の内の闘いを交えていたので、あった。嫩《わか》い少女の、水蜜桃《すいみっとう》のような肩と、細い首との谷間に半ば顔を埋めているパウロの眼が、天使《エンゼル》のような罪のない憧《あこが》れを、一階上にいる自分に向けて点《とも》しているのを、ギドウは見ないでも知っている。ギドウの心は、パウロの汗に濡れた撓《しな》う体と、黒い男の眼の奥に燻《くすぶ》っているあるもの、との二つに岐《わか》れて、牽《ひ》きいれられて、いたのだ。

その夜寝台《ベッド》の上で、優しい腕でギドウの首を巻き、ギドウの顔を優しい手で囲うようにして、その片頬に自分の頬を擦《す》りつけたパウロの愛らしさは、可憐《かれん》で、やさしく、パウロの撓いのある背中に廻したギドウの手に、永遠の愛の誓いの力が籠《こ》められたことは、言うまでもも、なかった。深い夏の、濃く厚い、無花果《いちじく》の葉の蔭《かげ》に、優しい小蛇はその黄金色《きんいろ》の薄い光を、ひそめたのだ。

＊

パウロはギドウの丘の家で、ギドウの講習に出て行く留守の間一人でいたが、退屈の為に幾らか不機嫌になり、梨枝を呼びたい誘惑に駆られた瞬間もあった程だが、黒い男のために、海へ行くことも、出来ない。パウロは舌打ちをし、ギドウの大切にしている独逸《ドイツ》製の切り抜き鋏《ばさみ》を、ヴェランダの横手の石垣の窪《くぼ》みに隠したり、ギドウの書き始めていて、ひどく気の乗っているエッセイの原稿の一部を、寝台の蒲団《ふとん》の間に隠したり、した。ギドウは結婚した助教授のように、丘の家と、奥白駅に近い高校との間を三日間往復したが、九州の旅の終る筈《はず》の時期が来て、ギドウとパウロとは再び夜行で東京に、帰った。パウロは美しい顔を買われて、今ではロオゼンシュタインの喫茶部のボオイをしていたし、ギドウの所の手伝いということもあるので、幾らか休暇を貰《もら》う位の自由は利《き》いていたのである。

ギドウの愛情の中で、深い、安らかな呼吸をしているパウロの日々は、ほんの僅《わず》かの不満を除《の》けては、幸福の鐘の音の中に、あった。パウロの北沢町の部屋の、曇った鏡の中に、再びパウロの瞳《ひとみ》が写り、朝も昼も、夕刻も、旅の前より、冷たい炎を出すようになった二つの眼は、菫色《すみれいろ》をおびて、鏡の中に、光った。旅の間に勢をなくしていた、ギドウが買った熱帯植物の群に、薄い襯衣《シャツ》と下ばきだけになって、朝晩水を遣《や》って歩くパウロの姿は、哀れな程愛らしいのだ。ギドウとの逢《あ》いびきは午後の光や、夜の燈火《ひ》の下で、二日置き、三日を置いて、続いた。パウロの、ギドウの心に絡《から》みついて行くような気持の深まりは、樹《き》の幹に絡む蔓草《つるくさ》のような夜の愛情の形態を伴って、秋の冷えのある日々の中で、いよいよギドウの心を深みへ引きいれて、行った。

＊

植田夫人の、既に女の黄昏刻《たそがれどき》に来ている、四十八歳の体の中に巣喰い、日々にその重苦しさを増して行く、絶え間なく後から追い立てられるような苛立《いらだ》たしい想いは、いつの間にか冷めて来た萌《きざ》しの見えるギドウへの恨みなのか、或《あるい》は女としての水気のある姿態の喪失への憎しみなのか、その境界線を、危《あぶな》くして行くのである。その喪失感は一つの正確な格調をもって、着実に、日々に、刻々に、夫人を襲っていた。夫人が愛したコルトオのピアノの弾奏のように、それは正確で、美しくさえある。林檎《りんご》の枝を彫刻した、錆《さ》びた黄金色《きんいろ》の大きな鏡の前で、夫人の残映のような若さの名残りは時を刻み、秒を刻み、夜という黒い湖を越えては、耀《かがや》く明るさを現す一つ一つの日々を刻んで、夫人の体の隅々から脱落して行くのである。細い、鞭《むち》のような体を誇っていた夫人の体は、あらゆる隅々に贅肉《ぜいにく》が附いて、醜い腐肉の感じを呈して来た。今では夫人は、入浴の後で鏡の前に立つことがないように、なっていた。

ギドウは夫人の最後の男である。若さを保とうとして夫人が昼も夜も繰り返す美容の手段にも係らず、醜い肥満が始まった夫人の体は、若いギドウの軽い嫌悪《けんお》を呼び醒《さま》している。それが夫人に鋭い苦痛を与え、技巧を多く必要とするようになった夜の、又は午後の狂乱の中で、夫人の神経は尖《とが》り、磨ぎ澄まされて、いた。ギドウの眼が自分の胸を見て燃えたのは、まだたった一年前のことである。すべての過去の情事が、絵に描いたもののようなものに過ぎなかったことを夫人に教えた、ギドウの烈《はげ》しい愛《あい》撫《ぶ》が、生々しい近い記憶の中にある。現在のギドウの眼の中には、夫人が見出《みいだ》すまいとしながら、見出さぬわけには行かない、濃い倦怠《けんたい》がある。近い過去の中で、激しい慾情《よくじょう》と歓喜とを誘発したギドウの後首《うしろくび》が、又は艶《つや》のある厚い胸が、夫人の憎しみをひき出し、それが棘《とげ》のある言葉の一つ一つになって、夫人の脣《くちびる》から発せられる。だがギドウの勁《つよ》い横顔と、太い首は、それらの言葉を全く、受けつけない。受けつけないどころか跳ねかえすように、みえるのだ。冷却を巧みに隠しているギドウの眼差《まなざ》しが、この頃では何者かの存在を、その奥に潜めている。それを夫人は読みとっている。ギドウは新しい相手を全く否定している。そこには強い自信がある。夫人がギドウの新しい相手について絡んで行く臆測《おくそく》を出ない言葉の矢は、すべて外《そ》れ矢《や》に、終った。内攻した夫人の嫉妬《しっと》は、夫人の中に架空の相手の顔を浮び上らせていて、ふとした時夫人の頭に、フウド・センタアで見た美しい青年の顔が浮ぶことがある。夢のように、ちらと見たパウロの顔が、どうして夫人の頭に浮んで来るのだろう。夫人の顔は若い頃繊くて、どこかパウロに似ていた。細く締った顔が、弛《ゆる》んで柔かくなり、現在は生来夫人の最も憎んでいる膨《ふくら》んだ中年女の顔になっている。そのことが、夫人の昔の顔への郷愁が、ふと見たパウロの顔に、仮想の女の顔を、結びつけるのだ。

だが既に夫人にとってギドウの新しい相手のことはどうでもいい、鈍い倦怠のようなものに過ぎない。自分の若さの喪失と、ギドウとの恋の中に吹き入れられた、棘のある柔かな布で撫《な》でられるようなものとが、夫人の頭を占領していて、ギドウを憎む心だけが、夫人の全霊を支配しているといっても、いい。すでに習慣に過ぎない狂乱の中で、ギドウの指を嚙《か》む夫人の老い猫のような歯は、もう愛情の歯ではない。鋭い憎しみの牙《きば》で、あった。ギドウの肉体を離すまいという執念の出た夫人の眼は、太った為《ため》に一重に延びた瞼《まぶた》の下で、陰惨なものを出していて、その眼の中の執念は、最初から幾らかは感ぜぬではなかった、病犬の前に生肉《なまにく》を振り廻すような残酷さをギドウ自身に覚えさせ、恋の残虐《ざんぎゃく》に馴《な》れたギドウを、怯《おび》やかした。

性根のないような、綺麗《きれい》な年下の男達が、或時《あるとき》期々にギドウの傍《そば》にいたが、パウロは最も嫩《わか》く、繊く、敏捷《びんしょう》である。英国人と仏蘭西《フランス》女との混血児のような美貌《びぼう》は、片時も傍を離したくない執着を、ギドウに持たせると同時に、無心な悪徳、狡猾《こうかつ》さ、のようなものが、薔薇の棘のように柔かな、撓《しな》う痛みで、ギドウを刺すのである。薔薇の茎に出た最初の、薄紅い棘のようなものを持っていやあがる。ギドウは、想った。悪い奴《やつ》だ。知らないで持っている毒がある。毒のある小さなけしの花だ。それで俺はこんなになったのだ。マリフェナだな。系図を調べたことはないが、どこかに欧羅巴《ヨオロッパ》人の血があるのじゃあないか。あの甲虫《かぶとむし》のような黒い眼の中にある灰色が、日本人のものではない。ギドウは独り部屋にいて、夫人との間を断ち切るきっかけにしようとしている巴里行きが、大学の都合で一寸《ちょっと》延ばしになっている状態に苛々しているような時、稚《おさな》く美しいパウロを、想い浮べていた。ギドウは夫人の執念に危険を感じて、いた。パウロに溺《おぼ》れているギドウの精神が、植田夫人にどこかで伝わり、夫人を諦《あきら》めの悪い、執拗《しつよう》な炎で灼《や》き、異常な憎悪でのたうたせていることは疑いが、なかった。

＊

同じ刻《とき》、パウロはロオゼンシュタインの工場の附近を、歩いていた。ギドウとの贅《ぜい》沢《たく》な夏の生活、ギドウに愛せられているために受ける、あらゆる華麗な場所、もの、たべもの、との関聯《かんれん》が、もともと怠惰なパウロを蝕《むしば》み、ギドウも甘やかす一方に傾いて来ているので、パウロは今日も店をさぼり、「茉莉」へ行ったり、パチンコをしたりしてぶらぶらしていたが、怠け疲れの体をもて余して、今銭湯に飛びこんで来たのである。白絹のアロハを、濃灰色のジインパンツの上から被《かぶ》り、湯上りタオルと対の薄青の濡《ぬ》れタオルで首筋を拭《ふ》きながら、ブリヤンチンを振っただけの髪をパラパラさせ、素足にサンダルを突っかけている。今日はギドウから電話が掛かる筈だ。そう考えただけで、少女のように浮き浮きして来るのである。パウロは濡れた髪と光を競っている黒灰色の眼をパチパチさせ、ロオゼンシュタインの前を過ぎながら、塀《へい》の中の見馴れた樫《かし》の梢《こずえ》を、見上げた。ギドウに貰った、栓を開けたばかりのロオ・ド・コロオニュが、鏡の前に檸檬《レモン》色《いろ》の液体を耀かせているのを想い浮べ、アパルトマンの部屋に向って足早になった時、何かの気配を感じて、パウロは後《うしろ》に、振り返った。

地面から忽然《こつぜん》として湧《わ》き出たように、梨枝が立っていた。不意を突かれてパウロは、梨枝には決して見せてはならない狼狽《ろうばい》を現し、失敗《しま》ったと思った途端に胆が据わったのか、ひどく澄ました顔になって、梨枝の顔を正面から見た。梨枝は固い顔をしていて、妙に老《ふ》けてみえる。

「びっくりするじゃないか。……どうしたの？」

初めて見るパウロの湯上りの美貌が、風のように青葉の樹の中で匂《にお》い、ふと酔ったようになった梨枝は、再び白い顔に、返った。何ごとかを言おうと、決心して来たようにみえる、怯えたような顔である。

「僕の家《うち》この近くなんだ。来ない？　ちらかってるけど」

梨枝は何かに牽《ひ》かれるように頷《うなず》き、パウロに近づいた。

「どうかしたの？　先週はごめんね。仏蘭西のアルバイトが急に日が変ったんだ。明後日《あさって》も行くよ……」

「いいのよ」

弱い声で梨枝は言って、並んで歩き出した。ギドウのことを出すのが結果が悪いのは承知の上である。パウロは梨枝と、少しずつ離れようと、思っている。ギドウに完全に惹《ひ》かれているパウロは、梨枝と居ることがひどく退屈で、あった。だが部屋につれて行くことはあんまりだろう、と、パウロは、思った。部屋にはギドウに貰ったもの、ギドウのもの、ギドウと共通のものが多くあって、ギドウの生活援助がどういう種類のものかということを、如実《にょじつ》に示しているからだ。梨枝がその点については鈍い筈だとしても。不意に驚かせた梨枝に腹を立てていたパウロも、それは少し酷《ひど》いと、思った。

「何処《どこ》かへ行こうよ」

パウロは優しい声に、なっていた。

「何処？」

二人はバス通りに出る、寺と邸町《やしきまち》に挟《はさ》まれた小道を、歩いた。木洩《こも》れ陽が今日の終りの紅《あか》さを石磈道《いしころみち》の上にあて、細かな斑点を描いている。

「ギッシュさんの家へ寄らない。車出して来て乗ろう」

梨枝はギドウをパウロの相手とは思っていない。だがギドウとパウロとの親しみの周辺に、ギドウというものの後《うしろ》に、パウロの何かが隠されていると、思っていた。その何かを、梨枝はきのう、突きとめたように、思うのだ。

「ギッシュさんのところ？」

「車出すだけよ。じゃカメオで待っていてよ。車持って行くから」

「じゃ行くわ」

肩に廻《まわ》ったパウロの腕は一度手先を垂れたが、柔かく梨枝の顎《あご》にかかった。眼を伏せたパウロの顔が、透《すきとお》る青葉の梢を被って下りて来る。敏《さと》い、小蛇のような梨枝の眼が、鋭くパウロの眼を窺《うかが》ったが、眠っているかと思われるような、長い睫《まつげ》を伏せた眼の奥には、陶酔を誘うものがあるばかりである。車の来る気配に脣が離れると、パウロが言った。

「全く東京の町の接吻《せっぷん》って、ギッシュさんの言う通りだ。巡査の歩き廻っている所で掏摸《すり》をやるみたいだ」

不快が再び梨枝の胸に、拡《ひろ》がった。ギッシュという人間の話をパウロがするのが、梨枝に不快を持って来る。奥白で出会って以来数回の逢いびきは、パウロの殆《ほとん》ど奉仕のような態度で隙間《すきま》なく満ち足りていて、それが梨枝を却《かえ》って不安に、していた。その理由が、解《わか》ったのだ。前は通ったことのあるパウロのアパルトマンを通り過ぎて、二町程行った所にギャレエジ附《つ》きの贅沢な木造の家が、あった。裏は庭かテラスかが、あるらしい。パウロはギャレエジの鍵《かぎ》を外して車を出し、運転台に飛び乗ると、梨枝を横に乗せ、車は音もなく邸町の石塊道を抜け、バス通りに出ると、他の車の群を睥《へい》睨《げい》するようにして、黒く甲虫のように光る胴体で、行く街々を圧して、行った。(この車ギドみたいだ)パウロは想《おも》った。パウロは、梨枝の様子を見て、何かの不安を感じとっていたので、対《むか》い合って話すことをおそれ、それで車へ乗ったのだが、梨枝がカメオに寄ると言い出したので仕方なく、ゴオモンバラスの通りの横町へ曲る角で車を止め、伊太利《イタリア》のカメオを模した大きな看板の下の潜《くぐ》り門を、扉を押して入った。ギドウがこの時間にいる筈はない。だがギドウが万一いた場合、梨枝の状態が、なにかの不安を潜めていることを、ギドウに合図しなくては、ならないのだ。

パウロは片隅の卓子を選び、並んで掛けようとして端へ寄ったが、梨枝は向い側に坐《すわ》り、パウロの顔に、眼をあてた。パウロの顔には隠された緊張が、ある。悪いことをしていて、母親の前に出た少年のような暗いものが、ある。梨枝の眼の中に、母親の乳の味と、女の憎しみとが鬩《せめ》ぎ合っていて、パウロをたじろがせるのだ。突然梨枝が、言った。

「あたしね、変な奥さんに会ったの」

(植田夫人がいつ、ギドと一緒の俺を見たんだ。俺と梨枝がいるところを、何処で？)パウロは忙しく瞬《まばた》きをし、暗い眼を、梨枝に向けた。

「敬里。ほんとうに、言って頂戴《ちょうだい》。……あの凄《すご》い奥さんと知っているのね」

(奥さんが僕たちや、梨枝といる僕を見たとすると、……あのぎらぎらする眼で、もう解ってしまったんだ、……)ギドウの身辺を不安に思う黒い雲が、パウロの胸に、拡がった。

「奥さんて？　何？」

「よして。知っている癖に」

「だって解らないよ、そんなこと言ったたって……」

「奥さんは敬里を知っているわ。ギッシュさんの所へ来る人ね、って」

パウロの頭が忙しく、廻転《かいてん》した。

「うん、もしかしたら、ギッシュさんのママの所へ来る人かも知れない。……僕を追っかけたことはあるんだ。ギッシュさんの所へ来て僕に会おうとしたんだ。だけど僕はあんな年寄りを好きにならないよ。……そうだろう？」

「嘘《うそ》だわ」

「どうしてさ。僕嘘なんか言わないよ。ギッシュさんに来させないように頼んだんだ。だから変なこと言うんだ」

「嘘。奥さんの顔を見れば、敬里と奥さんがどんなによく知ってるかってことが解るわ。敬里はあたしがそんなに馬鹿《ばか》だと思ってるの？……」

（植田夫人の奴）パウロの眼が白くなり、顔が青み走った。一秒でも早くギドウに会わなくてはならない。その時酒場《バア》の円く囲んだ卓子の端にある受話器が、けたたましく鳴った。パウロの胸は音のする程動悸《どうき》が打っている。ボオイが眼で報《し》らせた。梨枝の哀《かな》しみの眼が、背中に貼《は》りつけられているのを感じながら、パウロは走った。

「ギッシュさん？……ご用？　ええ、車持って来ちゃって、ええ、じゃ」

「何処へ行くの？」

「ギッシュさんが出版社の人に会うんだって、車が要るんだ。すぐ帰って来る。待っててて。本当に直《す》ぐ帰るよ」

落ちつかない様子でパウロは梨枝を、見た。梨枝は黙って立上った。

「駄目よ、帰っちゃ」

梨枝は出口へ走る。パウロはボオイに「後で」というなり、後を追った。

車に乗りこんで、ハンドルに両手をかけたパウロは、その儘《まま》じっと首をハンドルの上に、伏せた。怒りと、哀しみに閉ざされた梨枝が、見守っている。パウロの足がアクセルにかかり、その儘拝むように、ハンドルに揃《そろ》えてかけた腕の上に顔を伏せた儘、ハンドルを大きく、ゆっくり廻した。梨枝の低い、小さな叫び声を後に、甲虫のように光る車体は青葉の街を見る間に、遠ざかった。

＊

幾らか錯乱状態に陥った植田夫人は、車のブラインドを下ろして、ギドウの通る駒場の附近から、北沢町のギドウの家の辺り、銀座なぞを廻ることを、始めていた。ギドウとパウロとの二尾の魚は、夫人の網を避けているように、一度として姿を見せなかったが、梨枝がパウロに会った日から十日前、夫人の車が駒場の附近から銀座へ出ようとして、渋谷の葵坂《あおいざか》を通った時、夫人の鋭い眼は、ゴオモンバラスに曲る広い通りを向うから来る二人を捉《とら》えた。その時夫人はギドウと歩いてくるのが、フウド・センタアの青年だと瞬間悟り、何かの罠《わな》にかかったのを、知った。その時は瞬間であったし、青年の様子に特別変ったものを見なかったが、それから三日後、夫人が贈物をととのえる為の、止《や》むを得ない用事で銀座の和光に行き、買物を済ませてそこを出た時、一間程離れた鋪道《ほどう》の際《きわ》に立っている、パウロと梨枝との後姿を、見たのである。

　植田夫人の眼は、初めて明瞭《はっきり》とパウロを、見た。夫人の眼はパウロの、女の分子を充分に持っている、ある情緒と、躍る魚のような敏捷《びんしょう》な動きをしそうにみえる肢体とを見逃さなかったが、それと同時に、梨枝と一緒にいるパウロの、どこかに気の乗らない、額縁の中の恋人とでもいうような様子と、硝子《ガラス》のような執着の欠如とを、明確に見とっていた。女といるこの青年に、エロティックなものが殆ど、感ぜられない。梨枝の肩に腕を廻し、車を止めようとしてふと夫人の立っている方に無意識に眼を流したパウロの眼の、紫色に光るかと思われる、宝石のような美しさを眼に入れると、夫人は眩暈《めまい》がし、全身の血が頭に登り、耳から後に火が点《つ》いたようになり、又忽《たちま》ち冷めて、水を浴びたように寒くなるのを、おぼえた。パウロと梨枝とが車を止めて乗りこむのが、どこかで夫人の視野に、入っていた。額際の皺《しわ》と、艶《つや》のない染毛の、繊い音を立てる楽器の糸のように美しく撫《な》で上げた鬢《びん》の辺りとに老いを見せ、夫人は病人のような足を一歩、一歩、駐車場に置いてある車の方へ行く為に、鋪道の際に、運んだ。

「心配したってどうなるんだ。大丈夫だよ。俺が巧《うま》く遣《や》るから、パウロは気にしないでいいんだ。分ったか？」

「うん」

＊

ギドウの泊りつけのホテルの寝台の上に、パウロは情事の後《あと》の体を、横たえている。パウロの若い葡萄《ぶどう》のような眼は、ギドウの狂乱と、厚い胸の奥に蔵《しま》われているように思われる自分への愛情の、湯のような温かみとに、満ち足りて見開かれてはいるが、底にある不安が、どこか苦しげなものを宿していて、眼の下にも、若い頰にも、光線の具合で幾らか腫《は》れたようにみえる、稚《おさな》い口もとの辺りにも、悩みの跡が、あった。少間《しばらく》の間、不安をひそめた甘えのある眼で、ギドウを見詰めていたその眼を伏せ、長い睫の蔭《かげ》で何か考えていたパウロは、ふとその眼を大きく開けて、ギドウを見た。酒に酔ったような薄紅い色が、眼の辺りに発している。

「僕年とるの厭《いや》だ。僕が殺されちゃうのがいいや、……」

「馬鹿言え」

ギドウは半身を起してスタンドの蓋をかしげた。

「眩《まぶ》しい、……消してよ」

パウロは裸の腕で眼を蔽《おお》い、寝返りを打った。ギドウの手が細い首に纏《まつ》わるようにかかる。

「ギドが僕を殺してしまうといいんだ。……ギドが危い」

「又ヒステリだな。何だって殺すの、殺されるのって言うんだ。誰が誰を残すものか。俺達の社会はそこだけが取得だ……。もう止《よ》せ。明後日《あさって》は来るね」

「ええ、きっと」

パウロは身を捻《ひね》って向きを変えながら、ギドウの手を両手にとり、その手の上に脣《くちびる》を、触れた。

＊

ギドウの「葡萄祭り」というエッセイ集の出版記念会が、椿山荘《ちんざんそう》で開かれた夜。彎《わん》曲《きょく》した橋も、築山《つきやま》の塊も、既に夕闇《ゆうやみ》に閉ざされているが、宴会場の中は蛍光燈《けいこうとう》の光に澄み透《とお》って、明るかった。定刻より既に十分が過ぎ、控え室は煙草《たばこ》の煙と、談笑の潮《しお》騒《さい》で満ちていた。片隅の長椅子《ながいす》にぽつんと腰を下ろしたパウロの美貌《びぼう》は、人々の眼を充分に、そばだてさせていた。

パウロはひそかに腕時計を覗《のぞ》いては、天井を見ている。

その朝パウロはギドウの家に、行っていた。一緒に会に出る約束が出来ていたのである。雨の上った裏のテラスに、九月の陽光が黄金色《きんいろ》に降り注ぎ、石畳の窪《くぼ》みの湿った色や、生垣《いけがき》の際の灌木《かんぼく》の群がりの蔭の、濡《ぬ》れた色を早くも拭《ぬぐ》い去ろうとしていた。半ば幾らかの風が渡り、爽《さわ》やかな色がギドウの居間にも、テラスにも、漲《みなぎ》っていた。半ば濡れたしゃくなげや、沈丁花《じんちょうげ》、クロオヴァーなぞの葉の群が、微《かす》かに動く時がある。鋼鉄の白く塗った骨組みばかりの椅子が三脚、それと同じの細い脚をつけた硝子の厚い卓子が、痛い程光っている。珈琲《コオヒイ》を飲んだあとのモオニング・カップが二つと、生クリイムの壺《つぼ》が、出ている。ギドウのは愛用の巴里製の藍《ブルウ》の茶碗《ちゃわん》である。裏木戸からテラスに飛びこんだパウロは、白いハンティングを両手で前に持ち、直立してギドウに微笑《わら》いかけた。美しい眼に甘えが滲《にじ》んでいて、薄い肉色の脣が、頰に幾らかの笑み皺を刻んで反《そ》り返っている。うねりのある上脣と、薄い下脣との間に白い歯を覗かせたパウロの脣の辺りには、蝶《ちょう》の接吻の下で何度か蜜《みつ》をふり溢《こぼ》した花のように、甘い色を湛《たた》えている。一瞬パウロの脣に目を奪《と》られたギドウの眼が、仏蘭西《フランス》人特有の甘い微笑いに崩れたが、ふと意味ありげに睨《にら》むようにパウロを見た。

「もう直ったか？　ヒステリは」

パウロの眼が羞《は》ずかしげに、ギドウを見た。昨夜のギドウの電話で、ギドウが植田夫人と、平常通りの時間を過したことを、パウロは知っているのである。だがギドウの楽しげな微笑いの中には、何か隠れているものが、あった。

ギドウの髭《ひげ》を剃《そ》るのを見ていたパウロは、ロオ・ド・コロオニュをタオルにふりかけて、手を拭《ふ》いたりしながら、言った。

「少し暑い位よ。今日は」

「うん」

ギドウは、アルサス人のような逞《たくま》しい横顔を三面鏡にくっつけ、眼を大きく開いて鼻の脇《わき》を強く擦《こす》っている。

「紅？」

「うん」

「どら？　もう大丈夫……」

部屋着を脱いで、黒の長めの上着と灰色のヴェストに、濃灰色に黒の細かい縞《しま》の洋袴《ズボン》、銀灰色に、ぎざぎざの多い木目《もくめ》の入ったタフタのネクタイに着替えたギドウは、大きな鳩《はと》時計を見遣り、眉根《まゆね》にたて皺をよせてパウロが渡す腕時計を、見ながら嵌《は》めた。ギドウの幾らか野暮な、きまった服装《なり》をした様子には、学識を持つ男の重みのようなものが出ていて、パウロを夢中にさせ、憧《あこが》れの色がパウロの瞳《ひとみ》を、満たした。

「まだ大丈夫でしょう？」

「うん」

「ア……」

ばさばさという羽音がして、尾の白い何かの鳥が、明るい後庭の緑が、長い矩形《くけい》の窓のように光っている、出入口の上の方を掠《かす》めて、突っ切ったのだ。これもまるで鳥のようなパウロの体が足を蹴《け》上《あ》げて飛び出したが、上部に多すぎない肉附きのある脚の動きは、水面を飛ぶ若い蛙《かえる》のように跳ね踊るようで、ギドウの眼を楽しませるのだ。後隠しに両手を突っこんだギドウが出口に現れると、パウロはがっかりしたように後向きに立って、空を見ていた。

「さあ、そろそろ行くか」

ギドウはパウロの（幸福が逃げ去った）なぞと言い出すのを未然に防ごうとして、言った。その時夫人からの電話が鳴り、ギドウは「巧く遣るよ」という眼をパウロにして見せて、車に乗った。それでパウロはギドウの遅いのをひどく不安に思って、気にかけているのである。

「何者だい、あれは」

窓際の一団の間でこんな評定が起きていた。先刻からパウロの横顔に紅《あか》らんだ太った顔を向けていた八津という文学者の一人が、顔をもとに戻して、言った。

「お稚児《ちご》さんだよ。ギッシュ氏の」

「へえ、そういうことは聞いてましたがね、へえそうですか」

出版社の男の巻田が言って、八津を見た。

「そういう八津先生はどうなんです、その方は」

「いくらか素質があるかな」

「危い、危い、菊井君なんか余り傍《そば》へ寄るなよ」

「だが逸物《いつぶつ》だねえ。馬ならルビイクインだ。ジャン・コクトオに見せたいようなもんだ」

「あっちじゃあお歴々にそういうのがいるって話ですね、文壇の」

「文壇にも、劇壇にも、あるらしいね。大体マルキィ・ド・サドゥとドクトゥウル・マゾッホの連中らしいね、あれは」

パウロは人々の視線が自分の上に集まっているのを知っていたが、そしらぬ顔で隠しを探り、フィリップ・モオリスに、火を点けた。ボオイが誰かを探しているのに気

づいたパウロは立上って、又坐《すわ》った。ボオイがパウロの横へ来て、

「神谷敬里様と仰言《おつしや》る方、お電話でございます」

と言うのを聴くと、ボオイの方へ手ぶりをして、大股《おおまた》に歩き出した。白絹の、角の丸い襟《カラ》のワイシャツに濃紺《ネイヴイブルウ》のチョオク・ストライプの背広、幾らか明るい同じ色の蝶ネクタイのパウロの姿は、若い鮎《あゆ》のように人々の間を抜けて、消えた。

「雀《ジヤツク》っていうのとはもう切れたのか？」

「大分前から見えませんね」

「その上何処かの令夫人も手玉にとっているっていう話ですね」

「何処かのね」

「いやあ、御存じだったんですか」

「俺を知らんな」

「お見外《みそ》れしました」

「いや、達者なものだよ。仏蘭西文学の助教授の名に恥じないね。もっとも先生は仏蘭西人との混血児《あいのこ》だがね。全く発禁ものだよ、あの先生の生活たるやね」

「背徳の匂いは文章にもありますね」

嫉妬《やきもち》半分の囁《ささや》きは、他のグルウプの間にも、草叢《くさむら》を渡る風のように、鳴っていた。

ギドウの電話はパウロの顔を明るくした。植田夫人と今まで遊んでいたと、いうのである。電話は駒込《こまごめ》の駅からである。夫人のそれが、油断をさせる手段だろうという事に気づくような頭は、パウロには働かない。やがてギドウが現れ、人々の間に満遍なく愛嬌《あいきょう》を振りまきながら、控え室の中央へ、進んだ。パウロを見て微笑った。そうして手を上げた。パウロが臆《おく》する色もなく傍へ行くと、人々は一種の表情をして、パウロを見た。

「これは神谷敬里君といって、僕の飜訳《ほんやく》の手伝いをしてくれている人で、来月の明後日《あさって》で十九になります」

パウロは耳の辺りに血の色を燃えさせ、一歩片足を後《うしろ》へ退《ひ》くような様子を挨拶《あいさつ》の代りにして、あとは横を向いて、隠しに手を入れたりしている。水際立った顔と様子が、辺りを冷やかな風で払うようである。八津は、

「何カ月かかった？　軽井沢で大分やったんだろう？」

と言いながら、パウロの服装から黒いエナメルの、誂《あつら》えらしい靴の先まで、好奇と臆測との眼を光らせている。

「今年は山へは行かなかった。冷房したんでね」

「じゃあ奥白か」

「ああ」

ギドウの眉の辺りに微かな影が、差した。山田曾根彦、滝達郎、山木信雄《やまぎ》、野方己四雄なぞの、ギドウと緊密な仲間も寄って来て、ギドウのいる一団は仏蘭西の小説の題名なぞを交えた批評や、冗談が、爆笑を伴って辺りを圧した。パウロは椅子にかえり、人々の眼を意識した美しさを辺りに光らせ、時折ギドウの笑う顔が、人々の黒い集団の中から見えるのに、もどかしげな眼を注いでいた。

やがてギドウが長椅子へ行って掛けると、主な人々はその周りに掛け、又は取り囲んで立った。ギドウは脚を開いて掛け、立てた膝《ひざ》に置いた紙巻《シガレット》を挟《はさ》んだ掌《てのひら》の親指と人差指との間を開き、片方の手で身振《ジエスト》りをしながら、上向き加減の顎《あご》を突き上げて、何か諧謔《かいぎやく》でも弄《ろう》しているらしい。右の薬指にはAのイニシャルが白く、濃藍色の硝子の表面に出ている伊太利《イタリア》製の純金の指環《ゆびわ》が嵌《はま》っている。父親のアントワンの遺品《かたみ》である。友達と談論しているギドウの姿を初めて見たパウロは少女のような憧れの瞳《ひとみ》を、凝《おも》らすのだ。（仏蘭西人の形が日本に育っても出ちゃうんだな）パウロは心の中に、想った。

（ギド、死んじゃ駄目）

パウロは胸の中で、叫んだ。尾の白い鳥が、パウロの手の届かぬ高みを飛び、羽撃《はばた》

き の音も直《す》ぐさま微かに、あっという間に空高く上り、灰色の点となって消え去った、朝のテラスが、目に浮んだ。（ギドと僕だけなんだ。本当に愛してるのは……）額際《ひたいぎわ》から立ったような黒い髪に、自然のウェエヴのあるギドウの、惚《ほ》れ惚れするような品のある好色の色を塗った眼と脣の辺りが、水際立っている。（本場だからな。みんなギドウを嫉《や》いているんだ。偉くったってみんな野暮なんだ。ギドみたいな奴《やつ》はギドしかいないんだ）パウロは再び心の中で、想った。ギドウの注文で、中央の花入れに温室の菫《すみれ》白い卓子掛けが清潔に光る匂《にお》いを立て、ギドウの注文で、中央の花入れに温室の菫の花束が飾られ、食器の周辺にも小さな花茎が撒《ま》かれた卓子が、縦横に人々の間に埋まり、透明な洋杯が林のように立ち並び、銀色のフォオク、ナイフなぞが沈んだ光を放っている宴会場の華やかさは、パウロを魅了した。パウロは胸を躍らせ、メエン・テエブルの丁度前になる卓子の隅の席から、正面にいるギドウを見て微笑ったり、例の白眼の多い鋭い眼をして、脣の端を引き締める表情をしたりしている。隣に坐った出版社の顔見知りの三谷幸子や、向い側の甍《いらか》書房の鮎沢二郎なぞと、白い歯を見せて少年のように微笑うパウロの様子を、ギドウの眼が時折追っている。ギドウの短い挨拶に続いて、来客の冗談を交えた祝辞が次々に、中にはギドウの苦笑と倦怠《けんたい》をひき出すようなのも交って、続いた。

デザアトの氷菓《アイスクリイム》が切られ始めた頃である。白い、耀《かがや》いた布にある織り出し模様の艶《つや》や、そうして、あちこちで鳴る、静かな食器などの触れ合う音、それらの中にパウロはふと、思いがけない、待ち伏せていたような、不思議な冷たさと、寂寥《せきりよう》とを、感じた。寂寥はふと生れ、それはパウロの胸の中に滲《し》み徹《とお》るようにして入って来る。パウロは救いを求めるようにギドウを、見た。同じ刻《とき》、ギドウも不安な予感を、覚えた。白い卓子や菫色の花、耀く食器もろとも、自分の体が何処《どこ》かへ連れて行かれるような気がする。体が軽々となっていて、何処かへ連れて行かれる。何処か？　それは静かなところだ。何も見えない、何も聴えない、場所だ。ギドウは、何かの悪い夢を見ているのだと、そう強いて思い、現実の世界をはっきりと、見詰めようと、した。パウロと眼が合った。胸がなんだか掻《か》きむしられるようになって、パウロの眼に凝《じっ》と、眼を据えた。パウロの半ば開いた薔薇色《ばらいろ》の脣が、何かを言おうとしている。

(パウロ!!!)

ギドウの眼はパウロを見詰めて、瞬《またた》きをするのも惜しいように、見えた。絶え間なく湧《わ》き上る人々の談笑の響きが、二人の寂寥をとり囲み、食器やナイフの触れ合う音の中に、死の声がする。誰かの声が二人の耳に入った。

「ギドウ・ド・ギッシュ君の為《ため》に乾杯しようと思います」

二人は起ち上った。ギドウはパウロの眼を凝と見ていて、洋杯を眼のところに持って行った。パウロは不安に瞬く眼をギドウに向けたが、白い手の洋杯が小さく揺れている。

遅くなって駆けつけた、ギドウの飜訳で芝居を演《や》った新劇の連中から贈られた花束を、パウロが捧《ささ》げる時、方々でフラッシュが焚《た》かれた。花束を受取るギドウと、伏眼になって片手のカフスを引っ張っているパウロを見る人々の中には、反ギドウ派の人間もいたが、彼等は厭《いや》でも希臘《ギリシャ》の昔の男色の貴族の美青年と、ナルシスのような少年の影を、そこに見ない訳には行かない。遠い雷のような、親愛と、嫉妬《しっと》との入り混った拍手の中で、走るように席にかえるパウロの頬は羞恥《しゅうち》で薄紅く、匂っていた。

＊

その夜ギドウは門を入り、車を入れてから横手に廻《まわ》って、硝子扉《ガラスど》の鍵《かぎ》を外して入ったが、正面の扉に、朦朧《もうろう》とした黒いものの影を見たように思った瞬間、下腹部に重い響きと、灼《や》くような疼痛《いたみ》を覚え、そこへ手を遣《や》ろうとするように見えたがその儘《まま》膝を泳がせ、肩と額とを打ちつけるようにチイク材の床の上に俯伏《うつぶ》せに、倒れた。中途で幾らか右に旋回するようにしてかしいだので頭は右を下に横向きに伏せられた。弱い、呻《うめ》き声の中で、拳銃《けんじゆう》の床に落ちる固い音が、した。居間へ行く扉に背をもたせて、植田夫人は立っていた。差し込む月の光の中で、その黒い影は立っているというより、何かで上から釣られているように、見えた。やがて糸が断たれたように、がっくりと膝を折って踞《うずくま》った夫人の手が、床を匍《は》うようにしたが、夫人にはもう何をする力も無いように、みえた。

ギドウの傍で自分も咽喉《のど》を撃つ積りが、それの出来なかった哀れな夫人が、待つ間に吸った煙草《たばこ》の吸殻も、酒を飲んだ洋杯もその儘、蹌踉《そうろう》として去ったのは夜中の二時で、あった。夫人は横手の硝子扉の鍵を開けて一度中に入り、玄関から表に廻って硝子扉の鍵を締め、硝子扉と向き合った扉に寄りかかってギドウを待っていたのである。ギドウは平常玄関を使わずに、横手の硝子扉から出入りしていた。針金の入った、耐火硝子の四枚戸である。車は家の前の横通りを二町程奥へ行った所に、止めてあった。車を置いてある所まで、夫人は長いことかかって、歩いた。ホテルや旅館を転々と換えながら、外だけでギドウと会っていた夫人だが、ことが植田氏に知れた場合などの、非常な時にだけ使うということをギドウに誓った上で、夫人は合鍵を造らせて持っていたのである。梨枝を連れたパウロを夫人が見たという事を聴いた瞬間から、ギドウの頭にあったのは、この鍵のことで、あった。自分とパウロとが見られているだろうことはパウロの言を俟《ま》つまでもない。ギドウが懶《ものう》さに耐えなくて逢引《あいびき》を先へ延ばした或日《あるひ》、駒場を出て「茉莉」へ行く自分を夫人が蹤《つ》けた事のあるのを、ギドウは知っていたのである。自分たちや、パウロと娘とを見た夫人がすべてを悟る事も、解《わか》っていた。ギドウは夫人が梨枝を捕まえたのだけは不幸な偶然だろうと思っていたが、それも偶然ではなかったのである。夫人はパウロと梨枝とを見た日、自分の車が和光の向う側に渡って尾張町の四つ角を右回しようとした時、先刻《せんこく》眼の端に入れていた二人の乗った臙脂色《えんじいろ》の車が停止信号に引掛って、和光と対角線の角に止まっているのを見た。夫人は懸命に追跡して、梨枝の家が、渋谷の裏手にある深見町のタクシイ会社の横町にあることを確かめた。そうしてタクシイ会社の前に立っていた、好奇心の強そうな、ぐれかけているような若い男を摑《つか》まえ、金を遣って、梨枝が葵坂の通りの洋裁店に勤めている事から、始終来る青年がロオゼンシュタインのボオイである事まで聴き出したので、あった。ギドウが玄関を使わずに、硝子扉から出入りする事は、一度ギドウの部屋を見に十分程訪ねた時、扉を開けて遣りながら、ギドウが夫人に話したのである。

翌朝パウロが来て、平常《いつも》のように門の脇《わき》の柵《さく》を飛び越えたが、森とした気配に胸騒ぎを覚えて横手へ走った。そこでパウロは俯伏せに倒れて固くなり、もう息のないギドウを、見たのである。パウロは竦《すく》んだ足を懸命に動かそうとして硝子扉に摑まり、それがひどく大きな音に聴えたので息を呑《の》み、短い呼吸《いき》を、吐《つ》いた。硝子扉の、朝の光を反射する透明と、爽《さわ》やかな秋の微風の中に、それらとは余りに違う暗い、寂しいものを、パウロは見たのだ。黒い帽子を被《かぶ》った儘、逞《たくま》しい横顔が蒼白《あおじろ》く褪《さ》め、右腕は下敷になり、捻《ねじ》れたようになって、掌を裏返している左の手首には瑞西《スイス》製の時計の硝子が朝の陽に光っている。死体になったギドウは恐しい。パウロは逃げようと、顫《わなな》く脣《くちびる》を嚙《か》みしめ、力の無い膝に力を入れて一歩、一歩、五六歩を玄関の方へ向いて歩いた時、パウロの胸を搔《か》き捥《むし》るものがギドウの体からも、ギドウの家からも発していて、パウロの足を地面に縛りつけた。既《も》うこの家には僕は来られないんだ。パウロはあるだけの力をふり絞って引返し、家の中に入った。そうしてギドウの部屋を、台所を、歩いた。今は主人のない書物達が、ぎっしり並んで詰まっている、壁に造りつけの桃花心木《マホガニィ》の本筐《ほんばこ》、その上に並んだミュンヘンの洋杯、パウロの贈った硝子の猫。本筐の隣の、何処か知れない孤島と海を描いた額。居間の隅に置かれた、暗い緑色の巨大な硝子の壺《つぼ》。居間と寝室との間の小さな四角い廊下に掛かっているギドウの母親の珠里《ジュリア》と、叔母のクリスチイヌの肖像、パウロの、ギドウが下から撮った伏眼の、脣を尖《とが》らせた写真。それらのもろもろの物共が、瞳の定まらないパウロの眼の前をぐるぐると、廻った。パウロの胸を最も苦しくしたものは居間の書物卓《かきものづくえ》の上にあったギドウの書きかけた仏蘭西《フランス》語の紙切れで、あった。修道女の学校で習字を習ったのだと言うギドウの、修道女式の分り易《やす》い書体でいて、方々が巻いたような癖のある字である。所々朱色の鉛筆でラインが引いてあり、ひと処《ところ》丸で囲ってある。台所の抽出《ひきだ》し台に、ギドウが毎朝使っていた、そうしてひどく好いていた明るい藍《ブルウ》の厚い珈琲茶碗《コオヒイぢゃわん》と、分厚い牛乳《ミルク》の洋杯、丸く厚い大匙《おおさじ》が出ている。パウロは呼吸《いき》が止まったようになって、大匙に手を触れたが、直ぐに離した。

(ギド!!!)

ギドウの声が高々と笑ったような錯覚と一緒にパウロはよろけて抽出しの角に手を打《ぶ》つけ、大きな音がしたので飛上り、逃げるようにして居間を抜け、ギドウの死体の脇を、死体は見ずに、ギドウの真似《まね》の十字を切って擦《す》り抜け、硝子扉から転ぶようにして駈《か》け出した。パウロの手にはギドウの書いた紙切れと、剝《は》がした自分の写真とが確《しっか》りと、握られていた。生垣の手前で通る人の無いのを確かめ、再び顫《ふる》え始めた足で早く、早くと気ばかり向うへ急《せ》きながらパウロは横道を奥へ、奥へと、歩いた。ギドウのことが気になって、出ていた古い上着を着て来たパウロは、俄《にわか》にまだギドウと会わぬ前の、どこか哀れな美少年の姿に還《かえ》ったように、みえる。手が顫えるので、立てた上着の襟《えり》を確りと摑むようにして、パウロは後から人が追って来る錯覚に怯《おび》えながら、歩いた。横道を大分奥へ行った処でバス通りに出たパウロは、そこへ来たバスに飛び乗った。帰って部屋にいることなぞは出来ないのだ。渋谷で都電に乗り、日比谷《ひびや》で下りた。雨晒《あまざら》しの椅子《いす》が取巻いている音楽堂は、ギドウが最初背広を誂え、襯衣《シャツ》やダスタアコオトなぞを買って呉《く》れた日に歩いた処である。パウロは停留所から踏み出そうとして反対側から来た都電に気づき、愕《おどろ》いて足を引っ込めた。その時、帝国ホテルの方から来る人混みの中の二人連れが、目をそばだてて、囁《ささや》き合った。

「おい、昨夜《ゆうべ》のだぜ。しけた恰好《かっこう》をしているじゃないか。何かあったんだな」

「顔色も怪《おか》しいぜ」

二人は妙な笑いを浮べ合った。パウロは辺りのものは何も見えないので、二人の男にも気づかなかったが、その一間程後に、黒い男が自分に眼を当てていることにも、気づかずにいた。パウロは黒い男の眼と、二人連れが振り返る視線の中を道路を横切り、公園に入った。ペンキの剝げ落ちた椅子の群を、パウロは見た。そうしてギドウと腰を下ろした覚えのある椅子の中の一つに小さく腰を下ろし、無意識のように煙草を探すと、ギドウの紙切れが手に触れ、慌《あわ》てて手を引っ込め、今度は上着の内隠しに手を入れた。光が一本ひしゃげて入っていたのを取り出し、出る時入れて来たライタアを出して火を点《つ》けようとしたが、咽喉がひどく乾いているのに、気づいた。ギドウと会わぬ前に吸っていた光の撓《しな》ったのと、仏蘭西製のライタアとを手にした時、パウロの頭に初めてギドウの死と、自分の現在の境遇との不幸な関聯《かんれん》が、登った。唇だけは微《かす》かに薄紅《うすあか》い色をとり戻しているが、顔はまだ白い。光が底に沈んでいる美しい眼ががっくりしたように、足元に、落ちた。パウロは紙巻を捨て、ライタアを隠しに蔵《しま》い、そうして力無く立上って、歩き出した。凝としていることが耐えられないのだ。(今ギドが向うから来たら、僕は飛んで行って飛びつくんだ。そうしてどんな時だって、どんなことがあったって、獅嚙《しが》みついているんだ)パウロの眼に初めて涙が、溢《あふ》れ出た。慌ててハンカチを引張り出したが、それは昨夜別れる時、ギドウと取りかえたものだった。昨夜ギドウが、一緒に帰るというのを無理遣りのように自分を一人で帰した時のことが、想い出された。(僕を安心させていたんだ)ハンカチをもとに戻し、胸をひき締めるようにして嗚咽《おえつ》を堪《こら》え、手の甲で眼を擦《こす》り、パウロは音楽堂を後に、公園の裏門の方に向って、歩いた。ふと靴の音に気づいて顔を上げると、一瞬ギドウだと思ったのは黒い男で、あった。男はパウロを見ていたのだろうが、知らぬ顔でゆっくりと擦れ違った。男は行き過ぎると後《うしろ》に振り返った。奈翁《ナポレオン》のような髪の、広い、厚みのある額の下で眼が微笑《わら》った。思いがけぬような、柔かな微笑いである。沼田礼門《レイモン》はパウロを交叉点《こうさてん》で見た時から、パウロの身の上の激しい変化に、気づいていた。ギドウに色恋沙汰《ざた》で変事があったことも察しられる。パウロの様子には、独りになった子供の陰影《かげ》が、明瞭《はっきり》と出ていた。もう一羽の隼《はやぶさ》は、この翼を垂れて飛んで行く雀《すずめ》を、自分のものにする機会が来たのを、知ったのだ。礼門はパウロが公園の椅子にいる間、裏門に近い腰かけにいて、遠くから見ていたが、万一パウロが犯人の場合は救いの手を延べて遣る積りで、いた。全く女のようなパウロの、取り乱した様子を見ていて、礼門の愛情の火は胸の底から、抑えることが出来難いほど、燃え上っていた。ギドウの寵愛《ちょうあい》を受けた後で、単なるボオイの収入で生きて行くことが、どれ程パウロにとって酷いことかということも、礼門には解っている。又礼門は度々の出会いで、パウロが自分を怖《おそ》れてはいても、どうにもならぬ程嫌っているのでないことも、承知している。礼門の微笑は礼門の、愛着と、新しい餌《えさ》への興味とのそれで、あったのだ。

パウロは腹が空《す》いていることに気づいて居なかったが、朝牛乳《ミルク》を一本飲んだ切りである。力の無い足つきで、パウロはやたらに人道を抜け、車道を横切り、人混みを抜けて、歩いた。気がついて見ると新橋に近い河岸《かわぎし》に出ている。パウロは橋の欄干に寄り掛かり、鈍く光っている灰色の水や、舫《もや》っている穢《きたな》い船の内部《なか》なぞを見ていたが、胸の底に、つい先刻まではなかったものがあるのに、気づいて、いた。一つの小さな明りが、胸の奥に点《とも》っている。それが何だか、思うのも怖しいものである。道徳などというものを余り頭に想《おも》い浮べたことのないパウロにも、それがギドウに悪いのだということは分るのである。まだパウロはギドウが怕《こわ》いのだ。ギドウは既《も》う死体になっている。だが死体が起き上って来るように、思うのだ。だが一方、怖れる心とは別なものが、そこへ向って牽《ひ》かれているのを感ずる。パウロはつい今のさきまで、哀《かな》しみも、何もない、麻痺《まひ》したような胸が、微かに遠い処で、哀しみの大きさを感じていた。その哀しみが小さな一つの現実に繫《つな》がって、破れて出た。その途端に別なものが入って来て、そうしてそこから甘い、あやされるようなものが感ぜられて来たのである。そこで、パウロがパウロに、還ったのだ。ギドウとの愛情の中で、感傷的になり、それがヒステリックに昂《こう》じていたパウロの心が、生来の本性に還ったのである。パウロは今から直《す》ぐに其処《そこ》へ入れるかどうか、解らない。ギドウに貰《もら》った小遣いがまだあるからである。ギドウはパウロに大きなものを遺《のこ》そうと、思っていた。だが絶望はもう去った。甘い哀しみが、パウロを浸し始めた。甘い疼痛《いたみ》をもつ悔いのようなものである。ふと顔を上げたパウロの唇は、美しい薄紅い色をとり戻し、顔全体が、茎の尖端《さき》を水に浸された花のように、幾らかの生気をつけていた。ギドウに蹤《つ》いていた昨夜までの、寵妓《ちょうぎ》のような、一種の矜持《きょうじ》のようなもののある美しさが出来て来るのに、もう時間はかからぬだろう。

パウロは後隠しに両手を突込むと、欄干を離れた。幾らか力のある足どりで、橋を渡り、新橋の方へ行くパウロの脣から、ふと低い、だが軽やかな口笛が洩《も》れた。ギドウに習った歌である。口笛は晴れた黄金色《きんいろ》の空気の中に美しい尾をひいて流れた。パウロの眼は、どこかの遠い処から生きて還って来た人のように、四辺《あたり》を見、空を見上げなぞしている。まだ幾らか昏《くら》い、罰せられた子供の眼で、あった。

（「新潮」昭和三十六年八月号）

枯葉の寝床

――いざうたえ、葬《ほうむ》りの歌を――

ポオ

厚木街道の外れ、藪内郡《やぶないぐん》の、一塊りの家の集団から一軒遠く離れた家がある。街道から下へ二度大きくうねる細い道が、荒れた畑地を通り、その畑地もすぐになくなって、その大きな竈《かまど》のような建物にぶつかる。

家を遮《さえぎ》っている櫟《くぬぎ》の林は右端《はし》のカア・ウェイを残して、建物を囲んでいるが、向って右手の庭は夏も枯葉に埋《うず》まった森につづいている。黄色い煉瓦《れんが》を敷きつめたカア・ウェイの片端には一列に白い石が嵌《は》められ、深夜の判別にそなえている。大きな農家のあった跡のようで、左手裏には鶏か兎《うさぎ》でもいたらしい、短い梯子《はしご》で登るようになった小屋があり、そこに煖炉《だんろ》用の薪《まき》が突っ込まれている。

処々《ところどころ》欠け落ちた外郭に比して内部は豪奢《ごうしゃ》なものをひそめていて、窓なぞは西班牙《イスパニア》の城に模した鉄の格子《こうし》が、分厚い硝子《ガラス》を嚙《か》んで、丸い鱗《うろこ》の形にがっしりと組まれている。建物は森に向いて手前の寝室と浴室、後の書斎と書庫、次の間との二棟に分れ、円蓋《えんがい》の屋根でつながり、間の空地は暗く、裏から見ると右手の庭の何もない花壇の床と鉄製の椅子《いす》、葡萄酒《ぶどうしゅ》の樽《たる》に植えた月桂樹《ロオリエ》が陽を浴び、その向うに森の塊が黒く、沈まっている。夜は百米《メエトル》はある円蓋の上部を蒲鉾《かまぼこ》型に残して左右に鉄の扉が締まる。鉄の扉には人の背より少し高い所に網目格子の窓が開いている。昼の間は扉はそこらの石塊《いし》をおいて内側に、止めてあり、円蓋の天井には太く荒い鉄棒で囲まれた裸電燈《でんとう》が多くの日消し忘れられて、点《とも》っている。

今しがた街道に大型の車の滑る音がしたようだったが、窓の中の石に囲まれた部屋の真中に、どっしりとおかれた樫《かし》の寝台《ベッド》に枕《まくら》の上に乗り出して肱《ひじ》をつき、たて籠《こ》めたパル・マルの煙に眉間《みけん》にたて皺《じわ》をよせ、眼と眉《まゆ》をくしゃくしゃに、頬から脣《くちびる》を微笑《わら》ったのかと思うように歪《ゆが》めた男は、

——男はGuylan de Rochefoucauld《ギランドロシュフコオ》という、南フランスのトゥルヌヴェルの貴族を父に、日本人の頭のいい、健康な給仕女を母に持って生れた、三十八歳と三カ月になる美丈夫である。父も母も既《も》うない。父の本国に莫大《ばくだい》な遺産を管理しているフィリップをおいて、送金をさせている。仏文の助教授で同時に中堅作家として名を成しているが、金と暇のある寝台《ベッド》小説の書き手として一部では反感を持たれている。大きな二皮目は豪毅《アルダン》な気質をひそめているが、生来の耽美《たんび》主義者である、ものに飽きたような暈《くも》りがその光を蔽《おお》っている。——

街道のある方向に遣《や》った眼を元に戻し、再び枕を深く窪《くぼ》ませて、掛布の下に半裸の体

を沈めた。

どこからか降ったように、一人の青年の後姿が細い道の上に現れ、家全体を朧《ぼんや》りと透かしている櫟林にかかった。腰の辺りが心持もたつく、少女のような歩きようだが、身は細く締まり、敏捷《びんしょう》な体つきである。

枯葉を踏む黒い尖端《さき》の尖《とが》った伊太利《イタリア》製の靴は林の中を器用に分け入って行く。ギランと青年
——青年の名は通称を山川京次と言い、成城学園に籍をおいているが講義は出たり出なかったりで、専《もっぱ》らギランの相方として寝台《ベッド》と、ドライヴと、ナイトクラブ、キャバレ、狩猟に日を暮している。ギランによって茘於《レオ》と名づけられている。——とがつけた、あるかないかの道である。レオが気紛《きまぐ》れに下枝を折って歩くので、レオの背の高さから下は枝がまばらに空《す》いている。脚音を聴きつけたギランは寝台の背に向いて上眼遣いに大きな眼を白く、瞳《ひとみ》を上瞼《うわまぶた》にひきつけた。刺戟《しげき》物が眼に入った人のような、血走ったもののある眼が瞬間裂ける程、見開かれた。熱い眼である。

夜が明けたか明けぬかの薄暗い林の、梢《こずえ》の暈《ぼや》けた網が、忽《たちま》ち青年の皮ジャンパアの後姿を隠した。

古い板を横にして打《ぶっ》つけた、竈の焚《た》き口のような入口の前に来た時、遥《はる》かな森の方で小鳥の声がした。

顎《あご》をすくって仰向《あおむ》いた、小さな牛乳色の横顔が、薄明の中に鮮かに浮び上った。十七か、八か、青年というよりは少年のような顔である。薄皮の白い皮膚、灰色が沈んだ黒い瞳が瞬き、小さな反《そ》り気味の鼻、剝《む》いたばかりの果実のような、湿り気のある頬、強く嚙まれていたような、小さく膨《ふく》んだ脣は、接吻《せっぷん》で熟した果実である。その脣にかすかな微笑いの影がさした。

ふと身を飜《ひるがえ》して、レオは足音を忍び、焚木の置場に立てかけてある三段程ある低い梯子をとり、右側の窓に廻《まわ》った。窓の枠《わく》に梯子を立てると、消炭色のジインパンツの足が猿《ましら》のように段を登る。

半身を起した男の眼に、硝子を透して中腰に腰を立て、窓硝子に掌《てのひら》をあてたレオの姿が映り、直《す》ぐにずりおちたように、微笑った顔だけになった。小さな鼻を中心に皺をよせたような、微笑いである。

ギランの眼が窓へ一杯に開かれ、微笑いが眼の底で光る。栈の外れていることを知ったレオは窓を上げて、飛び込んだ。石の床を靴の音が摺《す》り、片手を高く壁に突っかい、靴を脱ぐ。

ギランは半身を起し、再び枕に肱をついた。

「早いね」

「だって車返すって言ったでしょう？」

朝の森の空気と一緒に少年の、青い木のような嫩《わか》さが、木綿《デニム》の匂《にお》いに包まれて、流れ入った。

レオはギランの腹の辺りに撓《しな》やかに凭《もた》れかかり、ギランの腕に頰を優しくすりつけ、首を起して微笑い、又別の側の頰をすりつけながら、冷たい小指をギランの小指にかけて、締めつけている。

「車は鍵《かぎ》かけて来たか？」

「大丈夫よ」

薄藍色のジャンパアとデニムの洋袴《ズボン》に包まれたレオの体が男の上に乗りかかる、男の手がその上体を抱き上げ、レオの顔が男の顔の真上にくる。下眼にしたギランの熱い眼が、レオの唇に集中し、突き上げた顎の上の軽く尖らせた唇が接吻を催促する。

レオの手が男の頰から顎にかかり、薄紅《うすあか》い唇が稚《おさな》い技巧《テクニック》を見せて、吸い寄せられるようにギランのそれに合わさる。唇を離す小さな音がし、レオは紅みのさした頰を男の頰にくっつけ、陶酔《うっとり》とした眼を上げ、その眼を落すと、細い人差指がギランの鼻の線を辿《たど》り、唇の合せ目に落ちる。男の唇が素早く指を銜《くわ》えこみ、軽く当てた歯が強くなる。

「駄目、駄目ったら……接吻《キッス》して上げるから放してよ」

ギランは撓やかな指を太い指に支え、二度、三度歯をあてたが、今度は青年の顎に手をかけて、言った。

「アロン、アンブラッス」(さあもう一度)

再び頭と頭とが楔《くさび》のように嚙みあう、レオの体から次第に力が抜け、背中の窪みに廻ったギランの腕が器用にレオの体を下に抱きこんだ。

斑《まだら》の羽の禿鷹《はげたか》は、窓から飛びこんだ小鳥を、肉慾《ヴォリュプテ》の爪《つめ》の下に、抑えつけたのだ。

長い時刻が経《た》ち、半身を起した男の下に、レオは瞳を上にひきつけて、ぐったりとなっていた。ギランが腕をレオの背中にかい、持ち上げる。弓なりに仰《の》け反《ぞ》り、半ば唇を明けたレオの下眼遣いの凝視が男の顔にまじろぎもせずに止められる。短い間《ま》があり、男の全身が火になった。唇がひきよせられ、逃げるレオの唇の方向へ弛《ゆる》い楕円《だえん》を描いて追い廻す。ギランの手がゆっくりと、レオの衣《きもの》を脱がせはじめた。

部屋の外は次第に明るくなり、森も街道も眼醒《めざ》め、太陽の薄い黄金色《きんいろ》が竈の家を囲んだ頃、二人の男は寝台の背に背をもたせて、並んでいた。

羞《は》じらいをおびたレオの片腕が裸の胸に当てられ、上眼遣いに男を窺《うかが》っている。ギランは逞《たくま》しい片腕を後首にあて、男神のような横顔をみせ、充血した眼はレオの胸にあてられている。

レオの眼が伏せられ、再び男を上眼に見た。

「駄目よ、もう、ねえ、駄目……」

レオは翼のように交叉《こうさ》させた腕で胸を抱き締めてギランを見たが、腕を解くと首の後に組み、腋窩《えきか》を露《あら》わに、意地の悪い眼がギランを見て微笑った。

やにわに男の手が延び、レオは捲《ま》きこまれ、二人の体は蛇の縄になって絡《から》み合い、再び寝台に、倒れた。

二つの生きている塑像《そぞう》は上になり下になり、絡みつき、左に右に転がる。ギランの愛撫《あいぶ》の下で、稚いミケランジェロの「奴隷《どれい》」は、のたうち、かすかに呻《うめ》き、荒い翼の音の下で小鳥の翼は折れ、戦《おのの》き、鋭い嘴《くちばし》の音の間々に、レオの短い、呼吸《いき》づかいが、混った。

*

浴室に通ずる扉の傍《わき》にある、煖炉の上の時計の針が十二時を廻った頃、二人は浴室に入り、浴室の奥のカアテンの中で、二つ並んで取りつけられたシャワアにかかっていた。

「今日早く車でどこか行こうと思ったのよ」

天井に嵌めこまれた鏡に眼を上げながら泡《あわ》を立てた髪の毛をかき廻していたレオが、隣のギランを光る眼で見た。

「まだ早いよ。それに原因は貴様だ」

「そんなことを言うならどこかの爺《じじい》とねるさ」

「いやなこった」

レオは胸を洗いはじめた。

肩から腕を擦《こす》っているギランの眼が、レオの腰に落ちる。コティのムゲの泡にまみれた固い、嫩《わか》い果実がそこにある。ギランの眼が、終ったばかりの情事の中を摸索して、動いた。

(「まだ秘密はないね」)

背中を洗うレオの眼が、腋窩の蔭《かげ》から怪訝《けげん》に、チラリとギランを偸《ぬす》みみた。

「どうしてよ。……僕お湯に入ってから飯くうよ」

レオは檸檬《レモン》色《いろ》のタオルを被《かぶ》って飛び出して行った。湯の迸《ほとばし》る音に混ってレオの口笛が聴え、続いて歌う声がした。

Il était un petit navire
Qui n'avait ja ja jamais navigué
Qui n'avait ja ja jamais navigué

（それは小さな船だった、それは小さな船だった……）

一ども、一ども水に浮んだことのない、

ギランが入って来て、これは藍色《ダアクブルウ》のを肩から垂らし、少年の細い首に指を捲きつけるようにしたが、

「早く上れ、飯は早いぞ」

そう言って、出て行った。

ギランの後姿に首を竦《すく》め、レオは薄青い浴槽《よくそう》の中に体をゆっくりと沈め、肩から首、胸などを気紛れのように擦《こす》りながら、唇を尖らせ、湯の上に浮んだ石鹸《サヴオン》の泡を向うへ吹いた。

ギランは革の長椅子《ディヴァン》に片脚を立てた膝《ひざ》に肱をつき、その掌に突き出した顎をのせていた。

＊

黒の首のあるスウェータアに不断用のカアキ色の木綿の洋袴のギランは下眼遣いに気のない眼を相手にあてている。前の椅子にかけているのは宝石商の陳裳雲《ちんしょううん》である。

ギランの東京の家の、玄関のわきの広間である。

「そんなこともないだろう」

「いえもう手前なぞはそちらの方はさっぱり、薬のお蔭のようなもんで」

そう言ってギランを上眼に見た陳の眼が妙な光を出した。陳は、仲間の劉《りゅう》からエルザレムにレオといたギランの話をきいているのである。

「入ってもいい？」

ふり向いた陳の眼に艶《つや》のある褐色の扉を後手《うしろで》に締めたレオの全身が、映った。湯上りの皮膚が湿り気をおび、ぬれた褐色の髪が、額や耳の辺りに汗の滴《しずく》でねばりつき、耳から頬へ紅い色が発している。

レオはチラと陳に眼をあて、ギランの膝に肱を深くかけて、片脚を立てて足を投げ出したが、そのまま膝を枕にずりおちるように長くなった。顎に廻ったギランの手を両手にとり、仰向いて、陳の方に顎をすくった。

「だれ」

「あててみろ」

「ビジュチエだろう？」

「どうして分った」

「いつか言ったでしょう？　小さい時倫敦《ロンドン》でパパがホテルに呼んだって。鞄《かばん》もそういうのだったし」

再び顎に廻ったギランの手を顎で抑え、陳の方に顔を向けた。

「みせてくれ給《たま》え」

陳の、表情を失った眼が、眼だけになったように、レオの姿態から離れずにいたが、その時ようよう下を向いた。

レオがギランの指に小指を絡めて、ひいた。

生唾《なまつば》をのみこむ音がして陳は俯《うつむ》いた儘《まま》立上り、後の小卓にあった、手摺れた鞄をとり、前屈《まえかが》みにもとの椅子に掛け、チャックをひいた。宝石が出てくる。

レオの眼が異様に輝いて、ギランの手をおしのけ、起き上って前へ乗り出した。固い、小さな音がして一カラット強の一個のダイヤモンドが卓子の上におかれ、部屋の明りを一点に集めて、光った。橄欖色《オリイヴいろ》をおびた冷たい色のダイヤモンドである。レオは宝石を手にとり、再び膝に頭を落し、窓の方に透かして見てから片方の手の指にあて、脣を半ばあけ、恍惚《こうこつ》として見入っている。

少間《しばらく》して、夢から醒めたようなようすでレオは起き上り、両手に支えた宝石に底深く光る眼を集中し、捧《ささ》げるように脣に近づけ、接吻をした。そのレオを覗《のぞ》きこむギランの眼は、凶鳥の鋭く、苦い、針を隠しているかのように、脣の微笑《わら》いとのバランスが破れている。心の情火に耐えかねる男の微笑いである。

レオが小さく微笑い、宝石を片手にとってギランの眼の前にかざす。それを奪うように取ったギランはレオの脣に眼をあて、掌底《たなぞこ》に落した宝石に接吻をした。レオがその掌を解こうとする。させまいとする。ギランは宝石を右の掌底に移し、レオから離し、脣を近づけた時、素早い白い手が宝石《いし》を奪った。宙に浮かせた手を下に、ギランは微笑って後に寄りかかった。薄い珊瑚色《さんごいろ》の果実を割って白い歯をみせた、意地悪な子供のような微笑いが、優しい、甲高い声を立てんばかりに、崩れ、レオは宝石をにぎりこぶしの中に隠し、腕を後に廻し長椅子の端《はじ》まで、とび退《すさ》った。

「ギって馬鹿《ばか》ね。見てるじゃないか」

「見てるって誰が」

「その人よ」

「陳裳雲」

「陳？」

「裳、雲」

「フーン。これペンダントにするんでしょう？」

「ああ、明日《あした》頼もう。美津野よりホテルの伊太利人の店の方がいい」

「明日？　いつ出来るの？　一週間位？」

「まあその位だね」

「では手前は、これで」陳が嗄《しわが》れた声で、言った。

「やあご苦労。一寸《ちよつと》待って呉《く》れ給え」

「僕もってくる」

レオが宝石を卓子におき、燕《つばめ》のように飛び出してゆき、小切手帳と、ギランの万年筆とを持って来た。署名《サイン》を入れながら、ギランが、言った。

「白　鳩《ピジョン・ブラン》はないか」

「へえ、その内入る筈《はず》になっておりますが、入りましたらこちら様におさめさせて戴《いただ》きます」

「横滑りは困るぜ。高くてもいいんだ」

「へえ、もう、さようなことは。へえ、毎度有りがとうございます」

陳は小切手を四つに折って懐《ふところ》の札入れに蔵《しま》い、鞄を抱えて、立上った。

*

耳を火のようにしたレオが、横鬢《よこびん》の辺りを指で掻《か》き上げるようにしながら、長椅子から立上った。腰に廻《まわ》したギランの腕を優しく解いて、レオは煖炉《だんろ》の鏡の前に行き、台の上の小さな櫛《くし》をとって、髪を梳《と》かし、暗い炎の出た眼を鏡に据え一瞬頬を窪《くぼ》ませて、引き締めた脣《くちびる》に指をあてて、横に擦った。

ギランが後に立って来て、肩に手をかけた。

「じゃあ六時半だ、いいね」

「うん」

立上ったギランはふり向いて頷《うなず》くレオの顎《あご》に、軽く握った掌《て》の甲をあてて上向け、放したくない凝視をレオの顔に、あてた。

レオは顎を支えたギランの指の上で俯き、顎をおしつけるようにして眼を上げ、眼をその儘《まま》ギランの指を両手で外して捧げるように支え、接吻《せっぷん》をして微笑った。ギランの顔に、甘い陶酔のいたみがよぎる。レオは手を放すと、扉《ドア》を出た。

レオを追って出て、先をくぐったギランがレオを扉の蔭の壁におしつけるようにして両手を壁に突き、脣を近づけ、右に左に逃げるレオの脣を、弛いカアヴを描いて追い、重なり、嚙《か》み合った脣は直《す》ぐに離れた。

玄関の呼鈴《ベル》が鳴り、二人の男はチラと眼を合せ、ギランが大胯《おおまた》に明けに行く。岩淵《いわぶち》夫人が時刻を故意に早めたのだ。ギランを忘れようというのが目的で、香港《ホンコン》に行っていたのが、一週間前に帰って来ていて、ギランを悪追いしている、貿易商の岩淵義逸の細君の佐喜江である。広間に隠れて二人をやり過そうと身を飜《ひるがえ》したレオの、深紅《あか》い襯衣《シャツ》の襟《えり》の出た、女のような狭い仕立ての黒の背広の後影が、素早くギランの肩越しに内部《なか》を見込んだ夫人の眼に入った。

「どなた？」

細い、尖《とが》った夫人の声でレオは締めた扉の蔭で一瞬呼吸《いき》を詰めたが、

「誰だっていいだろう」

ギランの声と一緒に二人の跫音《あしおと》が近づき、扉の前に止まった気配でレオは美しい眼を白く光らせ、不意に扉を明けて二人の前を魚のように擦《す》りぬけ、反対側にある外套

掛けから黒の短外套《オーヴァー》をとってはおり、暗紅色《あか》と濃藍《あお》の棒じまのマフラアを手早く首にまきつけ、顎の下に白い指をつっこんで一寸ゆるめると、ギランに腕をとられながら突立ち、愕《おどろ》きと疑惑にかおを歪《ゆが》めている夫人の顔に、夢みるような艶視《いろめ》を据え、洋袴《ズボン》の隠しを探ってパル・マルの袋とライタアを出し、ゆっくりと火を点《つ》け、踵《きびす》を返して後向きになり、一服した煙を後《うしろ》に玄関に出、後手に扉を締めた。

門の鉄柵《てっさく》までの階段を下り、車庫《ガレエジ》から車を出しながらレオは、ギランが故意に時刻をずらせたのではないかと考え、唇の端をかすかな微笑いに引き吊《つ》らせた。

(先刻《さっき》の眼がそういやあ変だったな。酷《ひで》えな)

レオは心に呟《つぶや》き、曳出《ひきだ》した灰色のロオルス・ロイスに飛び乗った。中央部の、鏡のように光る黒い屋根に、煉瓦《れんが》の家の突端がゆがんで映り、エンジンがかかると暗い紅《あか》の色が揺れる。故意《わざ》とエンジンの音を大きくさせ、ギアを入れると把手《ハンドル》を手にレオは美しい顔を突き出すようにして二階の窓を振り仰ぎ、無感動な眼を投げた。

レオの車の走り去った後《うしろ》に、夕陽の残映の薄黄色い光を上から、横から灰色の巨大な雲が囲み、逼《せま》っている。どこか恐しい空があり、煙突の突き出た紅い家の形をくっきりと浮び上らせ、次第にその紅い影はレオの後に小さくなって、行った。

女は帰ったのか、煉瓦の家の寝室と、書斎との境にギランは、立って、いた。扉はなく、刳《く》りぬきの出入口で、頑丈な樫材《かしざい》で、門のように長方形に二間が区切られている。その一方に寄りかかり、ライタアの炎にパル・マルを銜《くわ》えた顔を近づける、一服吸いこむと口に銜えたまま書斎に入り、入口傍《わき》の隅にある樽《たる》に植えたスガンディの前を窓際《まどぎわ》の書棚に行き、棚に手を突っかい、棚の時計の鎖に眼をやったが、その儘紙巻《シガレット》を左手にとり、烟《けむり》の中の顔をいくらか顰《しか》め、下眼遣いの眼を棚の本にみるともなく据えたが、手を放すと銀の鎖を手ぐり、時間をみた。くさりの先の骸骨《がいこつ》の顎を開くと下顎に文字盤がはめこまれた、古風な懐中時計である。

前の日、ギランは麻布の通りで宝石商の陳に会い、立話でダイヤモンドを持ってこさせることに定《き》めたが、陳の話した、そのダイヤモンドを翡翠《ひすい》五個とかえたという貿易商の男の容貌《ようぼう》からようすが、二カ月前の九月、エルザレムでレオに眼をつけ、執拗《しつよう》な眼を離そうとしなかった黒い眼鏡の男ににているように思われ、遠い所にあったものが、俄《にわ》かに近いところに来たような不安を、ギランは抑えられない。近頃になって急激にませて、稚《おさな》い匂《にお》いを脱して来たレオの、撓《しな》やかな体の誘惑がギランを火にしている。紙巻を灰皿におしつける手にねじふせるような力が入り、顔を上げたギランの脣に苦い、肉慾《にくよく》的なものが黝《くろ》い色をぬり、ふと蜜《みつ》をなめたあとの人のような形に、弛《ゆる》んだ。レオの媚態《びたい》が、ギランの脣の上に幻の火を点け、ギランの眼《まな》ざしは禿鷹《はげたか》の嘴《くちばし》のように、尖り、頬には、手触りの荒さが立ち、弛んだままの唇には、咬《か》み傷のレオの血が、塗られたように、みえる。

ギランは、気をかえたように、仕事卓を廻《まわ》って抽出《ひきだ》しをあけ、原稿らしい束を引っぱり出すと、大胯に寝室に入り、寝台に仰向《あおむ》きに倒れた。半身を起して小卓の鉛筆をとり、原稿に目を落す。やがて字を削ったり、欄外に線を引いて、書きこんだりしはじめたが、ギランの眼は再び切っさきの鋭さをみせて、宙に止められる。

ギランは起き上って再び書棚へ行き、書物の棚におかれたブランデイの罎《びん》をとり、小型の洋杯《コップ》に満たした。

＊

白い手で鉄の手《て》摺《す》りを擦りながら、靴の踵《かかと》を打《ぶ》つけるようにして、石の階段を下りたレオは外套とマフラアを隅の釘《くぎ》に引っかけ、フロアを横切り、奥の長椅子へ行き、両足を八の字に投げ出して腰を下した。「アルジェ」というナイトクラブの内部である。

少間《しばらく》は辺りが暈《ぼんや》りとしている程、内部は暗く、天井と、柱毎《はしらごと》にとりつけた蛍光燈《けいこうとう》の形式だけを取り入れた電燈の光の中に、桃花心木《マホガニイ》の床がまず光り、だんだんに四囲に囲《めぐ》らせた長椅子に離れたり固まったりしている人々、長椅子の人間と立話をしている男、猫背にフロアを横切る男などが見えてくる。アルジェの内部は降誕祭が近づいている暮の最中《さなか》だが、一つの静寂地帯である。パリかどこかに長くいた会田という男がやっているのだが、どういう金が入るのか、道楽商売の感じがある。開店以来六七年がたっている。狐《きつね》が穴をみつけるように、こういう所へ類をよんで集まってくる人間がすぐに出来て、欧羅巴《ヨオロッパ》人が多いが、日本の人間も、そんな匂いをかぎつけてくる或《ある》種の金持の老人、中年男、うらぶれたような男、喰いつめものでいて贅沢《ぜいたく》な男、麻薬密輸に関係している男、キャディとか、金持の車の運転手、そんな商売で客に蹤《つ》いて来ている内に一人でも来るようになった奴《やつ》、そんな連中が常連で、降誕祭の二日が、いくらか混む位で、いつも空《す》いている。六七種の新聞、英字新聞、パリの新聞二三種、各々《おのおの》の国の週刊雑誌なぞが備えつけてあり、片隅に酒場《バア》がある。酒場と対角になった隅にピアノがおいてあり、アフリカ辺のらしい黒人の、どういう径路で来たのかと聞いてみると、盲人の音楽隊の統率をして上海《シャンハイ》へ来て、賭博《とばく》に引っかかってバラバラになり、流れて来たのだというのが、まずいジャズをやっている。主人公の会田も客の中に入って、入り浸っている。白い粉に関係があるのかと聞くと、会田は肯定とも否定ともとれる笑いを浮べるだけである。

ギランが九州の学会にいった留守の間、穏《おとな》しくしていることを誓ったレオは、学校に出たり、酒場《バア》で時間を消したり、珈琲店《コオヒイ》の女の子を散歩につれ出し、ギランの写真をみせて、バイトをしている先のフランス人だと言ってみたり、していたが、明後日は帰るという十二月の四日、ギランに最初拾われたクラブ、アルジェに、来たのである。

だれかが合図をしたのか、ピアノの音が高くなり、二組の女伴《づ》れの男が真中に出て、ぴったり体をつけて、踊り始めた。後から又二組、これは男同士である。アルジェが、男色《ソドミイ》の連中が多く集まる、特殊なクラブであることは、その方の仲間では知れていて、主人公の会田自身が、酒場のボオイと関係があることも、周知のことであり、女伴れの客も、それを知っていてくる、中年のものずきな連中が多い。知らずにくる二人組は、ここでは場ちがいの人間と見られる。

三年前の同じ頃、父親のを持ち出して来て直した橄欖茶《オリイヴちゃ》の短い外套の隠しに片手を入れ、ジインパンツの足で、フロアを横切ったレオの、ナルシスのような上眼遣いの横顔に、眼を奪われたギランが、学校をサボって愚連隊の仲間に入っていたレオを仲間と会い手を切らせ、杉並のアパルトマンに入れたのである。ギランが仲間と交渉したのは知っていたが、金ビラでやったことだと軽くみていたレオは、その直後、再び街で仲間に会ってたかりをやり杉並署に留められたところへ下げに来たギランの警官との交渉ぶりをみて素人《しろうと》にも偉い奴がいることを知り、ギランに怖《おそ》れを持つように、なったのだ。レオは当時十四歳で、あった。知らずにヘロインの連絡をやっていたり、特殊のクラブと知らずにアルジェにやって来て、好色の視線を浴びていたレオの、悪の種子《たね》を持っていながら稚いようすがギランをどうにもならないもので縛りつけたのだ。洗礼も受けさせた。洗礼名はゼロッテである。

車にのって、初めて明るいところでレオの顔を見たギランは、レオの瞳《ひとみ》が硝子《ガラス》のように冷たいのが、性格ばかりではないのに、すぐに気づいた。仲間の少年といたずらにペイ煙草《たばこ》をやったために、茶っぽい瞳の中の黒褐色の瞳孔《どうこう》が、どこか夢みるように定まらないところがある。掌《てのひら》の中に入るような美しいかおの中の、自分では意識していない冷たさが光るきれいな眼に異常を見つけたギランはすぐに入院させたが、その後も少間《しばらく》の間はそれとなく監視していて、絶食の罰を与えて直してやった。

レオはギランに急激になつき、生来の閉じた貝のような、冷淡な性格を、ギランにはいくらかは開いてみせたが、内容は単なる子供である。ただ、天然の冷たさが、レオを美神と悪魔との愛児《まなご》にしている。意識していない魅惑は粘った糸をギランの心臓にまきつけ、底のない穴の中にギランを陥《おとしい》れる。育ちが相当にいいらしく、最初ギランが疑念を抱いた、境遇の荒れからくる盗癖などの悪い癖は一つもなかったが、レオがギランにとって恐しい誘惑物であって、それが破滅の向うに自分をつれて行くものだということを、ギランはレオを見た時すでに気づいた。ギランの森の家に泊ったり、遊び場所に伴れて行って貰《もら》ったりしはじめた最初の頃の或日、「僕馬鹿《ばか》にしなかった大人ってないや」と言って、ギランをうっとりした眼で見つめ、ギランを苦笑させたことがある。

レオはギランの精神も体も骨ごと煮溶かしている自分をすぐに意識したが、最初の扱いで抱いた恐れは今も持ちつづけている。それはレオがはじめて抱いた、自分では知らない、敬いの心で、あった。

十六の夏、穂高に登った山小屋の中でギランと一緒に秘密の果実を味わって以来、中身は子供のままでませ、レオは白い毒の粉をふり溢《こぼ》してギランを誘惑する、邪悪の天使に化した。本気でレオに惚《ほ》れたギランは知りながら、レオを、極限にまで、ませるようにしむけ、自分の破滅を、少しずつ近くに、招きよせるのだ。過去については話したがらないが稀《まれ》に口を滑らせるようにしてしゃべる会話を綜合《そうごう》すると、父親は外交官で、不身持な母親を持ち、母親は行方が分らぬらしく、レオ自身も母と父との間の正常の子ではないらしい節があった。母親の名も言わないが、母親の相手が混血児であったのはレオの眼や皮膚の色から見て明らかで、あった。山川京次というのは、本名ではなく、愚連隊の頭目の早庭が昔の恋人の名を男名に変えてつけたものである。

永遠のように続く歓楽の日々はレオを腐敗させ、学科のずれを無理やりに課した日課によって補い、ギランが保証人になって成城に入れたのだが、近頃では甘やかし放題になったので、金ばかり使わせる、寝台《ベッド》と遊びの相手に堕している。学校の成績は危うく落第をしないという線にとまっている。頭は悪くないが、絶え間なしに気が散り、すべてに持続力がなく、ものに耐える力は皆無である。ギランの生活の色と、話して貰うフランスの小説の話、映画の影響には過敏な位に反応をして、フランス語の日課は今でもいやがらずにやり、レオらしくない積極性を示している。ギランに時折睨《にら》まれると、首をすくめ、「僕通訳になるからいいや」と言ってギランの膝《ひざ》に肱《ひじ》を深くかけて凭《もた》れかかり、ギランの脣《くちびる》に現れる、溺愛《できあい》の影を見定めると、顔を膝の上に伏せ或《あるい》は膝を抱きかかえてふざけかかるのだ。

「通訳なんかになれるものか」

「うん。じゃ外国人の店の店員なら大丈夫でしょう?」レオはギランの手をとり小鳥の羽のような接吻を指にする。

「毎日、遅刻せずに出られるか」

するとレオは小さな声で、

「学校の日だって、ギが放さないじゃないか」といい、ギランを光る二つの眼で見上げ、ギランを惑溺の捕虜《とりこ》にする。そうしてどこかへ遊びに出る相談になるのだ。

見ていた新聞から眼を放し、レオは踊り出した群に眼をやったが眼を返そうとした時、右の頰に強い視線が灼《や》きついているのを感じて、レオはそっちにふり向いた。アルジェかどこかに長くいて灼けたような黒い皮膚の大きな男が真直ぐに自分に眼をあてている。明らかにギランと同じ性情の男で、しかも自分を見たことがあるらしい。

為体《えたい》のしれぬ戦慄《せんりつ》が、レオの体を突きぬけ、何かわけの分らない恐れが、頭に登った。ギランに声をかけられて伴れ出されて以来、ギランも伴れて来ず、自分も何かタブウのようにしていたアルジェである。既に十七になり、服装《なり》も凝った青年となった自分を、鼻にかけているレオは、一人前の若い男の来る場所として、ふとアルジェに来てみたのだ。特殊な人間の集まる場所だということは、ギランが教えていない。

(来るんじゃなかった。僕はギランだけがすきなんだ。だけどあいつ、なんだろう)

見られている意識が、ふと快感をよび起してレオはそれに抵抗ができない。ギランを知って以来、偉い男を自分の魔力の捕虜《とりこ》にすることに、絶え間のない、うずくような歓《よろこ》びをおぼえているレオは、ギランがまだ九州にいる、という安心感に頼った。どこかで会った時には知らん顔すればいいんだ。顔位見たって……だけどあいつと接吻《せっぷん》はおそれだな。

羞恥《しゅうち》をおびた白い顔の中で、透《すきとお》った二つの目が薄褐《うすちゃ》の長い睫《まつげ》の蔭《かげ》で狡《ずる》がしこい、だが稚い智恵《ちえ》をめぐらせているのを、黒い男は、瞬《まばた》きもせずに見つめている。

完全な、宝石の刻みを持ったレオの顔の内側に透いて見える冷淡な、だが稚い心の動揺に黒い男の眼は全く動きを失い、浅く細かな襞《ひだ》のある、薄紅い唇の、澄み透《とお》った艶《つや》に、眼をとめた時には抑えられない邪悪な慾望をあらわした。感情の温みのない眼と、バランスを破っている、処女《おとめ》のような柔かな唇が、男を誘惑して止《や》まない。強力な保護者の存在を、後にはっきりと感じさせる、美少年の浮気心の動揺は陶田オリヴィオという名の蕩児《とうじ》の心を、残酷に、攪乱《かくらん》する。

ふと振り向いて男を見たレオは、危険を感じて、立上った。

(僕はあんな奴はいやだ。それにギが可怕《こわ》い。僕はギランに憎まれたら、もう、生きてなんかいられないんだ。ギランの胸の中に入っていなくっては、僕はだめなんだ)

ギランとの出会いの時とはちがって、レオは逃げるようにフロアを横切る自分の足つきに、好色な男の眼があてられているのを意識し、耳の辺りを紅《あか》くしながら、急ぎ足になって外套掛けのところまで行き、マフラアを巻く時、斜め上に瞳をひきつけた、探るような眼をチラと男にあてたが、忽《たちま》ち狼狽《うろた》えたように眼を落し、外套は脇《わき》に抱えたまま、階段を駈《か》け上った。四五人の男の眼がそれに、気づいていた。

男は黒眼鏡をとってかけ、長椅子に、沈みこんだ。少年の可憐《かれん》な動揺を味わい、反芻《はんすう》するように、見えた。

*

自分の誕生日でもあり降誕祭でもある日を数日後に控えた或夜、レオの運転する灰色のロオルス・ロイスが、伊勢崎町の駅前を斜めに突っ切り、ビンゴの前に横づけになった。

ビンゴでギランに言われた食料品を包ませて車の後に積みこみ、再び運転台にとび乗ったレオは、握るでもなく把手《ハンドル》に山羊《やぎ》皮の手袋の手をかけ、一瞬暈《ぼんや》りと前方をみつめた。何のためか栗茶《くりちゃ》の外套《がいとう》の襟を立てている。ギランが二十五日の誕生日にアルジェで踊ろうと言い出したのだ。(それからビンゴで飯を喰おう。どうだ。浮気者が三年続いた祝宴だ)このあとの一言がレオは気になっている。東京駅にギランを迎えたレオはホオムに立ち、全身の表情で、ギランに甘えかかった。レオはギランの愛情に乾いていたのだ。別の車輛《しゃりょう》に乗せて伴れて行っていた表向きの恋人の冴子《さえこ》にレオを従弟《いとこ》だと言って引き合せ、レオの持って来たロオルス・ロイスに乗り込んだギランは、シイトに寄りかかり、あまりものを言わずにいた。車が森の家に近づいた時、糸杉の立った、森へ入る辺りの黒いシルエットの上に、空は一面に瑠璃色《るりいろ》を輝かせていたが、濃灰色《こいはいいろ》をおびた藍色《あいいろ》の低い雲が、落ちたばかりの陽を映した、紅い縁《へり》を下にふち取り、森にふれようとする程低く、垂れていて、圧迫するような重さを見せているのをギランは、眉根《まゆね》を寄せた眼で、見入っていた。

裏切りの微《かす》かな影をも見逃さぬギランは、レオが東京駅で最初に見せた、何かの恐怖から救われた子供のような表情を見て、その裏にあるものを、黒い男の影に、結びつけたのである。その夜ギランは食事の終るや否《いな》やレオを寝台《ベッド》に引き摺りこみ、レオはギランの火に灼かれ、紅紫色をした乳暈《にゅううん》が、肩や脚に移動したような、紫色の咬《か》み傷の疼《いた》みにのたうち、殆《ほとん》ど仮死状態に、陥った。それ以来ギランの愛情は、気のせいか執拗《しつよう》の度を加えて来て、いる。黒い男の影は、果汁の中に落ちた蠅《はえ》のような不快さで、レオとギランとの間に、映し出されて、いたのである。

ふと黒い翼の影がさしたように、黒のキャデラックが舳《へさき》を廻《まわ》すようにしてすれずれにレオの車の前に接触したと思うと、低い声がした。耳の傍《そば》で話すような声である。

「今日も一人？　君は運転は巧《うま》いようだ。今度僕の車で遠乗りをしないか？　面白いところへ伴れて行こう」

悪魔の囁《ささや》きのような、低い声の中に、レオの官能と恐怖をそそるものが隠れている。

「でも、僕……又」

レオは頬を紅くし、眼を伏せ、再びその眼を上げた。

「退《ど》けてよ。僕困るんです」

「じゃあ今日は逃がして上げよう」

男はにやりと微笑《わら》い、キャデラックは舳を廻すようにして、離れ、今度はすれずれにレオの車にぴったりとくっついて止まった。

レオの予感通りに、男はレオの車に手を延ばし、握手を求める。レオの耳の辺りが火のようになり、レオは前を見つめたまま、動かなかった。

(どうやって、僕のいるところへ来るのだろう?) レオは動悸《どうき》のする胸の中で、思い、瞼《まぶた》が深く二重になったような眼を一瞬男にすえた。一人の男の溺愛を喰いちらしている女や、少年の眼にしかない、無限の自信をひそめていて、どこか無感動な、熱のある子供のような、眼差《まなざ》しである。

エンジンの音を立て、その儘《まま》レオの車は黄昏《たそがれ》の街を走り去り、黒い男は隠しの眼鏡をかけ、これも東京方面に、走り去った。

＊

その日から三日後、レオは信号すれずれに東日新聞社の前から、フウド・センタアに向って横断道路を突っ切ろうとした時、信号が変り、右側の車の列が一せいに、動き出した。エンジンの音と、二三の運転手の上ずった叫び声に混って、

「乗り給《たま》え、早く」

という例の男の声がし、既に道路を三分の二まで来ていたレオは夢中で男が明けた扉に、飛びこんだ。

「どこへ行ったの」

後の車を五六間引き離した時、男が言った。だが別に返事をききたいようでもない。男は車の前方に眼をやったまま、黙っている。胆汁質の、重い油のようなたくましい横顔と、絵で見た奈翁《ナポレオン》のような自然な波のある髪。いくらか不恰好《ぶかっこう》にみえる大きな体は黒のジャアジイのスウェータア一枚で、太い腕はひどく軽い小さなものを動かすように把手《ハンドル》を操っている。腕には黒革の紐《ひも》のロンジンが、がっしりと、嵌《はま》っている。車の中は煖房《だんぼう》が利《き》いていてひどく温い。「上着をぬぎ給え」男は顔を向けずに、言った。

黒い、肉の厚い額、鼻、頰。最初の時からレオが薄気味悪く感じているのは周囲のどす黒い、不透明な感じのする眼である。黙って横を向いていても、黒い顔から、体から、発しているヴォリュプテの熱度のようなものが、レオを圧迫している。

レオは男の紫色をおびた黒い腕に時折眼をやった。この腕が、自分の首に、巻きついて来て、締めつけたら、首なんか骨ごと折れてしまうだろう。そう想《おも》うと同時に、この腕で強く抱きしめられたらどうかしてしまうかもしれない。そういう一種の体の中を、何かが、既に駆け廻りはじめたような、恐しい誘惑をも、感ずる。

どうして黙っているのだろう。ふいにレオは、自分が一匹の小さな生贄《ヴィクチム》にすぎないことを、本能で知った。禿鷹《はげたか》が獲物の兎《うさぎ》に向って真直《まっす》ぐに舞い下りる時、兎がすでに、動けないで、半ば死んでしまうように、黒い重厚な魔のような、キャデラックの中で、車の周囲に立て罩《こ》めた夕陽の残映の薄明りの中で、レオはすでに動くことの出来ない、一匹の野兎で、あった。

レオは恐怖し、必死に、思った。今日はどうしても駄目だったんだ。僕が悪くはなかったんだ。ギランにもう一度逢《あ》えたら、そう言って獅嚙《しが》みついていくんだ。レオの胸の中で暴れてどうしても堪忍《かんにん》してもらうんだ。それでも、だめかも知れない。ギランは子供のように真面目《まじめ》になった顔に脣を一文字に強く《きつ》むすんで、男の横顔を、偸《ぬす》みみた。

黒い男はレオの恐怖を知っていたが、前を見た儘《まま》で、言った。

「どうした？　僕は魔物じゃあないぜ。すぐに返してやるよ。君さえ時々僕のいうことを穏《おとな》しくきいてくれればね」

レオは逃げようとする力が恐怖で反射的に、はねかえり、男に飛びついた。男の左腕が把手《ハンドル》をはなし、柔《やさ》しくレオの肩を抱いた。水色《ブルウ》の襯衣《シャツ》をじかに着た、温かなレオの肩が男を火にしたようだ。男の手が二の腕に下りて、指先が脇に廻る。少時《しばら》く間してレオが言った。

「僕どうなってもいい。もう一度帰して下さい」

レオは女のように柔しく、可愛《かわい》らしい横顔を男の胸に伏せ、生温い涙が男の胸に沁《し》みた。強く摑《つか》むようにしていた腕をはなした男の手が、レオの顎《あご》に廻り、顎が仰向《あおむ》けられた。車が止まり、天井のライトが点《つ》いた。男の指に力が入り、小さな顎を空に、レオは灼かれたような痛みを脣の上に、受けた。続いて嚙《か》みつかれるような接吻が何度かレオを襲い、レオは夢中で顎の手に指をかけ、左に、右に、顔をふり向けようとして無駄な努力を、続けた。

やがて車は人家と森とがつづく見知らぬ道を走り、ギランの家の近辺によく似た森の中の小道に入って、止まった。

灰色をおびた煉瓦《れんが》造りの円蓋《えんがい》形の門の脇には太い鉄管の樋《とい》が雨の染《し》みを煉瓦に滲《にじ》ませている。背よりも高いところに六つに仕切った横に長い窓が暗い内部を映して黒く光り、その下に、鉄の郵便受け口が光っている。扉は左右二つに区切られ、左半分は締め切りらしく、左右に鉄の戸を、はり、奥へ引っこんだところに扉のある右側の入口を入ると、中は石の壁、石の階段の家で、黒い丸い鉄の手すりが蛇のようにうねって登っている階段を上ると左側に大きな赤子位ある天使を真中に、それを唐草模様が囲んだ浮彫の扉があり、階段上の突当りの横に四角い硝子窓《ガラスまど》は何の木か、猿《さる》すべりのように光る、うねった大きな木の梢《こずえ》を映していて、窓の下にはこれも木製の長椅子が壁にきっちりと嵌《は》めこんで置かれてあり、煖房が通っているのにもかかわらず冷え冷えとした感じが辺りに立て罩め、レオは上着の胸をすぼめるように両手を後隠しに突っこみ、秘密の場所に近づく稚《おさな》い緊張を俯《うつむ》けた美しい顔に現して、男のあとに従った。階段上の石の壁に古風なガス燈《とう》の形の中にはめこまれた蛍光燈《けいこうとう》の光を上から受けているレオの顔は、だがすでに秘密の匂《にお》いを知った眼が暗く伏せられ、感覚的な反《そ》りのある鼻と唇とが柔かな影の中に浮び上っている。

男が鍵《かぎ》を廻すと扉は自働で左右に開き、レオの姿を銜《くわ》えこむように、再び閉じた。

入口から階段までが塵《ちり》一つない、寺院のように清潔なのに比べて、部屋の中は四方に各々幅のちがった棚があり、書物、雑誌、洋酒の瓶《びん》、シェーカアや、洋杯《コップ》、硝子の壺《つぼ》、ポオタブル・ラジオなぞが乱雑に置かれ、左手の隅の毛布を敷いたダブルベッドには白いかけ布が無数の皺《しわ》を描いて半分めくられている。その脇にある卓子、小卓の上も、罐詰《かんづめ》、パリの自動車競走の景品の灰皿、酒の瓶、燃えさしの燐寸《マッチ》が散らばり、煙草《たばこ》の灰は卓子の上にも、床にも散乱していて、雑然としている。ギランの書斎の無秩序には知的な統一のようなものがあるのに比べて、この部屋の無秩序は、知的ではあるが、その知的精神がどこかでばらばらになっている、というような、投げやりな、怠惰が感ぜられる。

男がふり向いた。

「こわがらなくてもいい。直ぐにかえして遣《や》るよ。……それに長い時間は僕の方も困るんだ」

男はそういって、苦い微笑《わら》いを浮べた。

「君何か食うだろう」

そういうと男は右側の扉に消えたが、やがてボルシチ式の肉汁《スウプ》の入った緑色の瀬戸物の小鉢位あるコップと、大きな銀の匙《さじ》、厚切りのハムと萵苣《ちさ》を挟《はさ》んだ烏麦《からすむぎ》の大きなパンのサンドウィッチ、熟したオレンジ、茘枝《ライチ》、浅間葡萄《ぶどう》を溢《あふ》れる程入れた籠《かご》、ミルク、なぞを運んで卓子の上を横手に払い、白いナフキンを敷いてそれらをならべて顎ですすめ、自分は棚のウイスキイを下ろして紅茶茶碗《ぢやわん》に満たした。

「遣り給え。僕はもう街で遣ったんだ」

俄《にわ》かに空腹を覚えたレオは男と対《むか》い合った長椅子にかけ、スウプの匙をとり上げた。一度伏せた暗い眼をチラと上げ、酒の茶碗を傾けながら自分に目をあてている男を見、スウプを半分程飲み、サンドウィッチに白い歯をあてて、これを半分食った。それからミルクを全部飲み、浅間葡萄を五六粒食い、ナフキンで脣《くちびる》を拭《ふ》いた。

自分の食うのを見ている男の顔は、無感動である。ギランにみるような、温かい、兄か父親のような温《ぬく》みがない。陶田オリヴィオの眼はただ一つの、誘惑に満ちたヴィクチムを、見ている。レオはギランの恋しさに捉《とら》えられた。

ウイスキイの茶碗をおいた男の眼は異様な光を出し、殆ど理性の光をなくしている。男は尚《なお》レオに眼を据えていたが、立上って衣裳簞笥《いしようだんす》らしい簞笥から、薄く糊《のり》を効かせた白のパジャマを引き出し、レオを促して先に立って奥の大きな扉を開けた。レオに寝衣を渡し、顎で入れといい、レオが入ると扉を閉じた。

上着の袖口《そでぐち》に一条《すじ》栗茶の線の入っただけの、だが仕立てのいい寝衣である。いくらかのギャザアを寄せて打合せになった洋袴《ズボン》、上着の釦《ボタン》も貝だが、打合せのところにも上着のより小さな貝釦が二つついている。足の埋まるような絨氈《じゅうたん》の上に立ち、レオは古びているが豪奢《ごうしゃ》なベッドに目をやった。暗い緋色《ひいろ》の浮織りの垂れ絹が片方は絞られ、片方は半ば重く垂れて、同じ色の紐《ひも》でくくってある。その奥にダブルベッドより幅の広い、寝台が広々と見え、覗《のぞ》くと、ベッドの天井に小さな電球が点《とも》っていて、白い敷布や灰色の襞《ひだ》の上に鈍い光を当てている。

左をみると、見たことのないような、ひどく美しい自分が立ってこっちを白眼がちの眼で睨《にら》んでいる。いつもの自分の美貌《びぼう》への自信と歓《よろこ》びとがレオを圧倒し、レオは鏡に近づいた。鏡の中の自分と眼を見合い、一寸脣尻《ちょっとくちじり》をつり上げて睨みつけるような眼をすると、細い黒のネクタイを乱暴に引っぱって外し、水色《ブルウ》の襯衣《シャツ》を脱ぎ、水灰色の細身の洋袴を脱いで、長椅子の上に抛《ほう》り、紅紫の靴下をとって、水着用のパンツの形にぴったり仕立てた黒い木綿のパンツ一つになり、鏡に向って、両手を首の後に組み、その腕を解いて張った胸を平手で叩《たた》き、腰を捻《ひね》って前へ出た方の脚の線を映し、今度は両手で顔を挟んで、そこに人がいるかのような、陶酔《うつとり》とした艶視《いろめ》を鏡に据えた。気がついてベッドからパジャマの洋袴をとり、鏡に背を向けてパンツを脱いで洋袴をはき、臍《へそ》の下で二つの貝釦をはめ、紅紫の乳暈の中心に、雌猫の乳首のような薄紅《うすあか》い乳首のある乳に見惚《みと》れ、片手を上げ、腕の形をうつし、上半身を一寸廻して腋窩《えきか》の蔭《かげ》から、炎を吐くような黒灰色の眼をのぞかせて鏡をみつめる。鏡に映っているので気づいた西班牙《イスパニア》種かなにからしい紅みの濃い蜜柑《みかん》のなった小さな灌木《かんぼく》の植木鉢に近づいて、扉の方を偸みみてから一つをもぎり齧《かじ》ってみた。ものすごく甘美《あまい》のに目を輝かせ皮を丁寧にむいたが、むさぼりながらも、その口元を鏡に映してみて、白い眼差しを投げる。

（ギが言ったSanguine《サンギン》ってのと違うかな？）

レオは、呟《つぶや》いた。

上着をとって羽おり寝台《ベッド》に乗り、ふと見つけた枕元《まくらもと》のスタンドを捻ってみた時、後の扉が開いた。新たな恐怖が襲ったのか、びくの底で跳ねる海老《えび》のように一旦《いったん》跳ね起きて又横たわり、片手を胸を隠すように下につき、片方の手でまだ釦をはめていない上着の前を引っぱり、後へまくれ上っているので今度は胸に手を入れ、尚も胸を隠そうとしながら殆ど白眼に剝《む》いた眼で男をみた。黒い瞳孔《どうこう》を包んだ黒灰色の瞳《ひとみ》が、追いつめられた猫の眼のように、光った。扉を後手に締めた男はレオが眼を疑うほど生気に満ち、別の男のように引き締った眼は刃物のように鋭く閃《ひらめ》くようにレオの姿態を射た。海賊のはくような青い半長の洋袴をはき、胸毛の濃い、腕にも毛の深い、黒い半身は裸である。

レオはそのままの形で膝《ひざ》で退《さが》り、男から眼を離さずにいる。眼を離したら、瞬間に飛びかかる気勢が、男の全身にあったのだ。生きた海老のようにひき締った露《あら》わな下腹が、男の眼を捉えて離さない魔力をひそめ、恐怖はいよいよレオの体を、酢で締めたように、反りかえらんばかりにしているのだ。

殺気立った二人の対立をそのまま悪魔の顔を彫った桃花心木《マホガニィ》の分厚い扉は、固く閉ざされ、それから五時間の間、開かずにいた。

どっちの姿勢が崩れたのか、少間《しばらく》してレオの小さな、鋭い叫びが、聴え、つづいて鈍い、唸《うな》るような鞭《むち》の音が間をおいて鳴る。オレンジの皮と種が散乱していることにオリヴィオは巧みなきっかけを見出《みいだ》したのだ。麻薬常用者のオリヴィオは、昼の間は、濁った眼を見開いている男である。獲物を前にしてオリヴィオは強力なヘロインを打つ。そこでレオは、初めてみたようなオリヴィオを見たのだ。ヘロインに脳のどこかを犯された男は、少年の獲物に立ち向うことだけで生命の火を燃やしていた。少年を長い間止めておくことはそれで不可能であった。強力なヘロインと媚薬《びやく》とを打った後七時間で、オリヴィオは朦朧《もうろう》とした状態になり、その時期が過ぎると、禁断状態のような、激しい発作が来る。発作が起きるとオリヴィオは寝室に鍵をかけて、獣のような声を出して、生殺しの蛇のように部屋中をのたうち、着ているものを形のないまで嚙み破り、両手で引き裂くのだ。それは宝石商の陳しか知っていない、オリヴィオの秘密であった。

鞭の音は鳴りつづけ、間々に、かすれた小さな哀願するレオの声がし、やがて鞭の音が歇《や》み、枝葉をふり散らして木の実をついばむ鋭い嘴《くちばし》の音ににた接吻《せっぷん》の音に混って絶え入るような、レオのうめき声が、長く、つづき、そうして沈黙が来た。

＊

オリヴィオの狂乱と一緒に、真紅《あか》い夕陽が燃え尽き、夜の初めが灰色の煉瓦の家を浸しはじめた時、円蓋の門が開き、レオが出て来た。つづいてオリヴィオが出て車にレオをのせ、薄暗い木の下の道を車はゆっくりとぬけ、厚木街道に出る手前で車は止まり、黒の短靴をはいたレオの水灰色洋袴の片足が出、肩が斜めに扉をくぐり、捻るように体をかわした全身が車の外に出る。引こうとするレオの左手に、オリヴィオの黒い手が、枝に絡《から》みついた蛇のように車の外へ出る。レオが右の肩に力を入れて手を引こうとする。オリヴィオの手はしっかりとレオの白い手に指をからめている。レオの額に冷汗がにじみ、小さく声にならない叫び声を出した。

蛇の息が絶えたように、ふと黒い手が離れた。レオが闇《やみ》をすかすようにする。二十米《メエトル》程先に燈を消した車がみえて近づいてくる。息をひいたレオの眼が一度後からみたことのある中古のルノオを確かめた。陳の車である。

レオはルノオの前を駈《か》けぬけ、街道の向う側の田圃道《たんぼみち》へ走った。黒い男の車は陳のと擦《す》れちがって廻《まわ》り、元の道へ走り去り、陳の車も東京方面へ去った。

*

「…………」

「じゃ僕は一寸出るから」

ギランが立上ったので、これもガタリと不器用に椅子《いす》をずらして立上った陳裳雲は、それが癖だが、両手の肱《ひじ》を一寸張り、拝むような形に上向けた掌《てのひら》を組み合せて、首をぎこちなく、かしげた。

一点を下眼に見詰めて動かない。困《こう》じた果て、どこか却《かえ》っておどけた眼つきで脣《くちびる》を歪《ゆが》めていて、顔色は蒼《あお》い。

ギランは陳をみていない。怒りは腹の奥深く、沈まり、冷えている。軽く腕を組み、左の腕を一寸前に出し、眉根《まゆね》に深いたて皺《じわ》をよせた顔で、腕の時計をみた。外へ出るところだったらしくやや固いカラに灰色のネクタイ、黒の上着に、縞《しま》の洋袴で上着の隠しには真新しい白のハンケチが無造作にたたんだ端を見せている。苦悶《くもん》が煮え詰まって、怒っているように顰《しか》められたギランの顔を、陳はチラと、見、直ぐに眼を伏せた。

ギランは首を上げ、陳をみた。刃《やいば》のような眼と、唇じりを上げた口元とが、凄《すご》い場面の艶視《いろめ》のように磨《と》ぎ澄まされ、陳はひょいと見て、又目を伏せ、両手を握り合せた。

「手前が重々、手前の申上げましたことは……なかったことに、おみのがしを……」

「君だったらどうだ」

ギランの声は静かである。

「………」

「まんざら色の苦労をしらない君でもないだろう？　もういいから帰り給《たま》え」

陳は何度も頭を下げ、後の鞄《かばん》をとり上げ、扉の際《きわ》までいって、恐る恐る振り向いた。

何気ないらしいが、胸の苦悩が現れた、白眼に剝いた鋭い眼が偶然陳のいる辺りに止められ、唇じりは上ったままのギランのひどく艶《つや》っぽくもみえるかおに、陳は狼狽《うろた》え、吃《ども》りながら、

「宝石《いし》の御用はどうぞ、今まで通り……」

ギランははっと気がついたように、陳の顔に焦点を当てた。

「それは別の話だ」

「へえ、どうも。それでは失礼を申上げます」

陳の去った後の扉に、無意識な一瞥《いちべつ》をあて、ギランは少間《しばらく》立っていたが、真上の寝室の電話が耳に入り、時計を見、階段を駆け上った。

ベッドに上り、横になって受話器を取り上げる。レオの小さな声が入った。

「ギ？　レオよ」

「うむ」

「僕気分がわるくって、寝てるんだ」

「今どこだ。首輪が来ているよ」

陳からオリヴィオの車から下りた話をきいていなければ分らぬ程度の、微《かす》かなためらいの時刻《とき》をおいてレオは直《す》ぐに言った。

「そう？　じゃもって来てよ、車の方が早いでしょう？　今僕家にいるんだ」

「今から会だ。九時ごろアルジェに行って待っていろ。いいか」

今は名をしっているオリヴィオとレオが偶然出あったとすると、その場所はアルジェをおいてないと、ギランは思っていた。再びかすかにためらい、レオは言った。

「……うん。じゃ行ってる」

「白い襯衣で、栗茶《くりちゃ》の外套《オーヴァー》を着て来い」

「うん」

レオの声の中に、抑えても抑えられないかすかな弾みが籠《こも》り、ギランの耳を擽《くすぐ》るように、ひびいた。

思った通り、心は奪《と》られていない。

狡猾《こうかつ》な、かすかなレオの声のためらいと、最後の声の小さな弾みとが、煮え返るような愛情をよび起すと同時に、却って憤《いきどお》りの火をあおり、受話器を置いたギランの額から耳の後が蒼く、眼は醜く歪んだ光を出し、唇の辺りは微笑っているのかと、見紛《みまが》うように、ひき吊《つ》れた。腕を首のうしろに組み、ギランは寝台《ベッド》に、仰向けに倒れた。レオの醜くならぬ程度にもり上って来た肩、ひき締った胸、腕を上げる時の媚態、もう、一人の青年に近い力をもって来ていて、抑えるのに骨のおれる、逃げをうつ姿態、太くなった上肢。それでいて少年の匂《にお》いのぬけない、稚《おさな》い動き。だが近頃ではそれを意識してやっている。顔だけが発育からとりのこされた、仰向けに顎《あご》だけになる時の小さな、尖《とが》りぎみの顎、女のような声、吐息。レオの体のあらゆる部分の幻が実体をそこにおいたように、ギランを襲い、鋭い、火の棒がつきぬけ、ギランはこぶしを固く握り、ベッドの上に反転した。おい払おうとするレオの幻はいよいよ現実感をもって逼《せま》る。椅子にかけさせて洗ってやる時の無防禦《むぼうぎょ》な、姿態、酒精ににた汗の匂いだけがしているまだ少年の体は、不思議にそのままで発育をしている。耳の後や脇《わき》に少量をすり込んでやるムゲやヴィオレの香料の羞《は》じらいのような匂い。顎を仰向け、上体を捩っていたギランはふと止まった。苦いものを噛《か》んだ人間のような眉間《みけん》を深くしわめ、眼を歪めた顔の上部と、全くバランスの破れた脣は、甘い果物を齧《かじ》り、蜜《みつ》のような、汁気をその周囲にふり滾《こぼ》している人のような甘やかさを滴《したた》らし、陶酔《うっとり》と、空間に眼を止めている。ふと十七八歳用のジインパンツにはち切れるような腰つきのレオの足が浮ぶ。（今日は兎《うさぎ》出てるよきっと？）そんなことを言って、先に立ってかけだすジインパンツの腰つきが、横切る。

（そうだ、狩猟の時に……）

再び恐しい歪みが、ギランの顔面を犯し、ギランは我しらず脣を、酷《ひど》く噛んだ。鉄《てつ》錆《さび》のような血の味が舌にふれ、ギランは頭脳《あたま》にゆるい、生温いものが流れ入《い》るのを、感じた。ギランの理性は一時全く失われていた。

一時間ほど後、いくらか不機嫌な、だが助教授の義蘭・ド・ロシュフコオにかえったギランの運転するロオルス・ロイスが薄黄の煉瓦《れんが》の本邸を出た。

夕陽の残映をうつす、金色のかがやきのある空は上方が特に痛く光り、その中に首をもち上げた駝鳥《だちょう》と横を向いた悪霊《あくりょう》、骸骨《がいこつ》の小人の形をした雲が黒い兇悪《きょうあく》な地図のように群がり襲いかかるように浮んでいた。

＊

レオはギランとアルジェの酒場の止り木にかけていた。レオの右隣がギランだったが、そこへ後からオリヴィオが来て、レオの左隣にかけ、火酒《ウオツカ》を注文し、後隠しから煙草《たばこ》の袋を探り出しながら、レオの腰を、突ついた。

レオの眼がチラと動いてギランの方を窺《うかが》い、眼が伏せられた。

男は素知らぬかおで、ボオイの手の燐寸《マッチ》で火をつけ、紙巻を支えた手で脣を横に擦《こす》り、顔を正面に向けた儘《まま》、流し眼にレオを見た。

沈黙が流れ、レオは額に冷たい汗を浮べ、体を固くして、顎を咽喉《のど》にくっつけている。

ギランは眉根をしかめた顔の口元をひき締め、腕を軽く組むように前に出し、左腕の時計を覗《のぞ》くと気づかぬ顔で、レオの顎に指をかけ、自分の方に向かせて、言った。

「今日はどこでくう？」

レオは白く、汗のにじんだかおに真剣な眼を大きくあき、ギランを見つめ、小さな微笑《わら》いを浮べた。

「降誕祭《クリスマス》だしお誕生日でしょう？　だからビンゴよりいいところよ」

そうして顎を外そうとした。

ギランはレオの顎を捉《とら》えていて離さずに、言った。

「レオはクリスト教か？　そうじゃないだろう？　アドニス教だろう？」

ボオイは、二人の男を見比べ、遠く向い側の壁にいる会田に目を遣《や》った。

「アドニス教なんてしらない。離してよ」

ギランはレオの顎を、強く突きやるようにして離した。

黒い男がその時腕をレオの前にのばして灰皿を引きよせ、紙巻を捻《ねじ》りつけるようにして消すと椅子を下り、勘定を払って、大胯《おおまた》に、フロアを横切り、外套をとって被《かぶ》るようにしてひっかけ、黒のデシンのエシャアルを首に巻きつけ、外套のかくしに眼鏡を探りながら、二人の方に目をあて、暗い薔薇色《ばらいろ》をした厚い唇にかすかな微笑いを浮べ、立去った。

レオは衝撃に耐えようとして、ウイスキイの洋杯《コップ》を固くにぎり、顎を深く首に埋めるようにしていたが、額の汗を、ふきとろうとして手を上げかけた時、ギランが後かくしから白い手巾《ハンケチ》を出して、レオの前に出す。

レオはそれを引ったくるようにとると、それで顔を抑えた。咽喉仏が一つ大きく鳴り、手巾の中でむせぶような短い音をたてた。

ハンケチをのけ、眼蓋《まぶた》が紅《あか》く濡《ぬ》れた眼が、洋杯の中をわき眼もせずに、見つめている。

レオが素早くギランの方を偸《ぬす》み見た。

ギランの横顔は、頰から口元が、膨《ふく》らんだように醜くなり、うるんだ眼が腫《は》れたようなまぶたの中で血走っている。嫉妬《しっと》を起している時のギランの顔である。

レオは慌《あわ》てて眼をそらし、手巾をギランの腰のかくしに入れようとする、ギランがその手を捉え、勁《つよ》い力でひきつけて自分の前に出して、抑えつけ、マッチをすり、片手で銜《くわ》えた紙巻に点《とも》すと、レオの掌をおし開こうとする。度を失ったレオは、身を捩《よじ》り、手を外そうとしながら、哀願の目で必死にギランをみた。

「ちがうのよ……」

ギランは手を突き放し、残りのジンをのみ干し、勘定を払って腰掛を下り、手巾を拾って顎でレオを促した。

レオは腰掛を下り、ギランの顔をチラと見、後についてアルジェを出た。ギランは先に乗り込んでレオを運転台にのせ、百キロを越す速力《スピード》で森の家に向った。車の中でレオは呼吸困難を訴えて倒れかかった。愕《おどろ》いたための神経性のものだと見たギランはレオを胸に凭《もた》れさせて車を止め、十五分程その儘で様子をみて、森の家に、帰った。

＊

その夜、レオはギランの前に立っていた。ベッドに深く腰をかけたギランは外出着を脱いでいない。

レオはネクタイをとった所を手を捉えられて立たされたのだ。唇を固く結んだレオの顔は、そそけ立ったような頬が白っぽく、艶を失《な》くしている。風呂《ふろ》に入ったらしい。だが、どこかに汚《よご》れた罪の匂いが、馬鈴薯《ばれいしょ》をふかしたような、少年ぽい匂いにまじるコティの菫《すみれ》の匂いと一しょになって息苦しいほど漂ってくる。ギランは清潔さをいくらか失ったレオをみていて、抑えにくい誘惑につかまり、それが憤りを挑発する。

ギランが、言った。

「裸になれば僕が負けると思うのか」レオは見抜かれた怖《おそ》れに体を縮めた。レオは稚い頭で思いめぐらし、必死の決心をして、裸になり、ギランに哀れみを乞《こ》おうとしていたのだ。

「ちがうよ、僕」

「疲れたっていうのか。どこで」

レオの体を戦慄《せんりつ》が、つきぬけた。

ためらい、怖れ、稚い、だが狡猾な思案、それらが緊張した、レオのようでない深い目の色の中にせめぎ合い、その奥底に、責められる理由がないという不確かな自信と、ギランへの慕情が、可憐《かれん》にうごめいている、哀れみを乞う勇気を失い乱の中で戸惑っているようすが手にとるように判《わか》る。

ギランは黙っている。

ギランの沈黙に押され、レオの怖れが膨らんだ。

「昨夜レオはどこで寝た」

ギランが、言った。

レオは息をつめて俯《うつむ》き、顔を首につけ、苦しげに肩で呼吸《いき》をした。

今までにもついぞないレオの魅惑が、ギランを逆上させ、ギランはレオの首に両手で飛びつき、そうしたまま引き摺《ず》って寝台《ベッド》の上に押し倒して首の手に力が入った。

レオはギランの手に指をからめて、とこうとしながら、根限りに足をばたつかせ、はね返ろうとする。短い息がふと詰ったように止まり、足の動きが昆虫のようにゆるく、なり、ギランの手首に爪《つめ》を立てていた手が力を失くした。

手が放れ、レオは跳ねおきて逃げようとし、再びギランの手に肩を抑えられた。

怯《おび》えた小鳥のような眼が、ギランを見上げた。

ギランの顔は驚くほど間近に、大きくなっている。

ギランの顔ではない。笑窪《えくぼ》のように深い、窪みが入っていて、笑っているように見えているが、異様な歪《ゆが》みかたをしているので、二つの眼は眉《まゆ》と一つのように、瞳《ひとみ》はひき吊ったように上瞼《うわまぶた》にひっつき、これも笑ったように見える。顔全体が奇妙に歪んでいて、今までレオが見たことのない、嫉妬の相であることが解《わか》った瞬間、レオの全身を、恐怖が電流のように、突きぬけた。

レオは顔を外《そ》らそうと左右にふり向け、レオの肩はギランの掌《てのひら》の中で廻《まわ》るように、動いた。脚はいつのまにかギランの膝《ひざ》の下に、びくとも動かすことが出来なくなっていた。

声は出ない。レオは踠《もが》きつづける。

ギランの荒い、苦しげな呼吸《いき》づかいが、レオを恐怖で縛っている。病気に罹《かか》った小鳥のように光のない眼が、無意識のようにギランを見、又右に、左に、首をふり向けようとする。ぐりぐりする厚い肩の温みが、小鳥のように可憐な顔を裏切って、眼の眩《くら》むような、憎しみを誘って止《や》まない。

どのくらい経《た》ったろう。ふとギランの片手が弛《ゆる》み、左の肩は抑えつけたまま、右手が柔《やさ》しく、だがいつ締めつけるか分らぬ表情で纏《まと》いついた。

「どこであいつと最初に会ったんだ。すっかり白状するんだ。言わなければ言わしてやる」

ギランの肩を抑える腕と脚の上にのり上げた膝に力が入った。脚は砕けるようである。レオはただ夢中でもがくのだ。

「言わないなら、分るか。ここから生かしては返さないよ」

レオは根限りに足をばたつかせ、自由になった肩と肱《ひじ》とに力を入れてはね返そうとする。

「おとなしくするんだ。白状すれば許してやる。陳がレオをみているんだ。陳とあいつとは緊密な間柄だ。話の中に隠したところがあれば俺には分るんだ。分るか」

レオの眼が据わり、自由になった手が、ギランの右手首に力なく、かかった。

「放してよ。僕……こわかったんだ。逃げてたんだ。二度も……どうしても車にのらなきゃ轢《ひ》かれそうだったんだ」

ここでレオは短い、切なげな息をつき、

「……つれていかれた時……」

ギランの形相が幾らかの弛みをみせたのに力づいたらしいレオは、つかえつかえ、すべてをギランに語った。恐しいところへくると、涙を流し、ともすれば首に強く巻きついてくる恐しいギランの手を懸命にはずしては捉え、その上に生温い涙と接吻《せっぷん》とをおしつけ、黒い男の性格を拙《つたな》いながらにうつしてみせ、背中に廻《まわ》していた男の手に鞭《むち》をみつけた時の恐しさ、鞭うちの疼痛、最後の黒い蛇のように巻きついた手の恐怖、を誇張を加えて語り、陳の車をみたので手を抑えたのだと思うこと、を、さかしげにつけ加えた。

話の間ギランは爆発を抑えつけていた。可憐なレオの罪が、むしろ自分に火をつけ、灼《や》こうとする。嫉妬が固い、熱い、苦しい玉のように胸の中をつき上げる。話し終ったレオが、ほっとして、小さな呼吸をつき、恐る恐るギランの目を覗き、白い手をギランの頬にかけた瞬間ギランの嫉妬は頂点に達した。

「みせろ」

ギランはやにわにレオのきているものを、引き裂くようにして剥《は》いで行く。本能的にレオは恐れ、力の限り抵抗するが、その力はギランの力に比すべくもない。所きらわず打たれたらしい、血が小さくはみ出して凝固《かたま》り、細い、紫色の蚯蚓《みみず》脹《ば》れになった傷痕《きずあと》が、レオの肩に、胸に乳首の上に、みられ、俯伏《うつぶ》せになって逃げ廻るので手を後手に縛られ片足を掴《つか》まえられて打たれたとレオは言ったが、それを裏がきするように、下半身にも傷が多い。レオが美しい少年として当然持っているはずのマゾヒズムを培養して行こうという計画があるのにちがいない。傷は、ひどくはない。レオのさかしげに言うことばに待つまでもなく、オリヴィオは陳の車をみて、少年の手を抑えたのにちがいはなく、その陳の車の出現さえ疑えば疑われる。電話をかける時間は注射の時間が長すぎることで説明がつくのだ。レオの体の傷に手当をして清潔にしてやらなくてはいけないと、いう思考は浮ぶや否《いな》やけしとび、ギランは体の中心をつきぬける火の棒に狂い、真裸にしたレオの咽喉を抑え、はね返ろうとするのを膝で抑え、長い、この世の終りまでつづくかと思われる接吻に、魂を埋めこんでいた。ギランの狂乱の中で長い時刻が経った。

雨が鎧戸《よろいど》を打つ音をうつつにききながら、レオの恐怖は次第に陶酔に変った。傷痕に唇《くちびる》がふれる疼痛に上げつづけたレオの小さな叫びは、歓びをひそめた、かすかな、うめき声に、変っていた。レオの陶酔に狂乱の火をあおられていて、ギランはその中で癒《いや》しにくい、癒すことの出来ぬ傷を心にうけとっていた。冷静な頭をとり戻すと、ギランは深い息を吐き、眼をとじ、死んだようになったレオの顔を両手で挟《はさ》み、軽い、小鳥の胸毛の触れるような接吻をあたえ、一つ一つの傷痕を丁寧に消毒してやった。そうして所々に繃帯《ほうたい》をすると裸のレオを胸の上に抱きよせてよこになり背中に手をおき、長い間そうしていた。レオは小さな頭をギランの胸にもたせ、柔かな髪に、ギランは鼻から脣を埋め、二人の体はそのままで長いこと、いた。レオは赦《ゆる》された甘い夢をみ、ギランは不安を抑えようとし、それの無駄なことを知っていた。

雨はいつか歇《や》んでいて、鎧戸を時折、思い出したように打つ、風が砂をぶつけるような音を出し、それがギランの抑えつけようとして、なおはばたき立つ羽音のような不安を、そのたびに、掬《すく》い上げている。

その日一日はギランのためには辛《つら》い看《み》とりの中で、すぎた。倦《だる》い午後の光の中で、又夜の電燈《でんとう》の下で、レオの甘えかかる眼が、脣が、ギランの胸の傷痕に滲《にじ》み、時には無慚《むざん》に触れ、ギランはあらわにされ、宙に浮き、疼痛のある風に晒《さら》された、心の傷痕を、堪えた。

(レオの中の、マゾヒズムがめざめている)ギランは思った。レオの罹った、陶酔をほしがる燃え上りは、ギランの中にあるサドではみたされない時がくる。

(女のように、皮膚だけのレオだ。今に、あっちに惹《ひ》かれる。知らずにもう惹かれている)ギランはレオの陶酔の果ての地点を、みきわめ、苦痛の衝動を、抑える、レオの背中にあてた掌が、ゆるく這《は》う蛇のように無意識に脇《わき》に廻り、レオが、かすかに甘えるように体をよじる。ギランは、唇をいくらかあけ、魚のように、喘《あえ》いだ。

＊

次の日の朝は雨が晴れ、窓にうつる森の木々は輝き、雨の滴《しずく》を散らす小鳥の羽の音が聴えるような日で、レオは朝の目醒《めざ》めの愛撫《あいぶ》の中で、小さな微笑《わら》いをみせた。レオは自分の変化をまだ意識していない。

ペンダントをつくづくみるひまのなかったレオはそれが頭に浮ぶとギランの抱擁をつきのけ、

「ペンダント、どこ？」

と言い、綳帯のずりおちた足でギランが顎《あご》で指した煖炉《だんろ》のところにとんで行った。筐《はこ》をあけ、眼をキラキラさせペンダントをにぎったまま素早くブルウのパジャマの洋袴《ズボン》をつけ、洋袴のボタンを片手でかけながら、ペンダントを持って寝台《ベッド》にかえり、ペンダントを首に廻し、背中をギランに向ける。起き上ったギランが、ペンダントの鉤《かぎ》をはめ、首の根に接吻をする、それをうるさがり首と肩とをふって、立上り、ギランの前に立った。

「こんな傷があって、だめね」

「巴里《パリ》だったら、その傷痕が少年たちの間で流行《はや》るね」

「なあに、それ」レオは橄欖色《オリイヴいろ》をおびた光と金色とが朝の露よりきれいに揺れるペンダントを指先であきずに弄《もてあそ》びながら寝台の端に腰をかけ、ギランの腹の上に凭れかかって、言った。

「戦争前の話だ。巴里である女が接吻で出来た手の甲の痣《あざ》を、そのまま手袋をせずに歩いたんだ。その紫色の痣のある、白い手がいかすというんで、わざと痣をつけて、そいつをアクセサリイにするのが流行ったんだ」

「フーン、じゃ僕は、だめね。出るところには一つもないや。シャツの釦《ボタン》をもう一つ外しちゃったら、だめだし」

「裸で歩くさ」

「夏だったら、海に行けるんだけど」

「よその奴《やつ》らにみせて歩くのか」

レオはようようギランの不快に気づき、ギランの胸に顔を伏せ、小さな、短い接吻を、くりかえした。柔かな脣と一しょにペンダントが冷たくふれ、ギランは深い息を吐き、レオの脇に手をかけて上体をだき上げ、顎をのどにつけて瞬《まばた》きをするレオの顔に、見入った。

「すぐお調子にのる奴だ。それがねらわれる原因だ。僕の時だって、すぐついて来やがった。一体背骨はどこにあるんだ」

ギランが苦い微笑いを眼にひそめて、いった。

「骨のない魚だね」

レオは首を動かしてペンダントを揺すり、すねるように唇を尖《とが》らせた。

「ギは悪口がうまいんだもの、弱いや」

ギランの惑溺《わくでき》の段がついて深くなったのをレオは敏感にとらえているがひどい怖れが去っていない。レオは機嫌をとろうとして傍《そば》によこになり、ギランの腕を肩から廻してその手を捉《とら》え、指先に軽く唇をふれ、乳をのむようにして吸い、腋窩《えきか》の蔭《かげ》から美しい目を光らせて、ギランを窺《うかが》った。

真直《まっす》ぐに天井を向いて眼を閉じているギランの唇に、深く、甘い、だがいくらか醜い、陶酔の歪みが現れている。レオはみえぬ程の微笑いに唇を引き吊《つ》らせたが、ふと体をすりよせ、ギランの胸の片すみに、顔を伏せ、なおもすりつけ、手がギランの胸の上に、母親の乳房をさぐる赤子の手のように動いた。ギランの手がその手を捉え、指を一つにした、と思うと砕ける程に、にぎりしめた。

「レオ！」

低い、吠《ほ》えるような声で、ギランが言った。

＊

一日が経ち二日が経ち、一週間がすぎた。

日が経つにつれてサディスチックなものを加えてくるギランの愛撫の中で、レオのどこかに目を醒ますものがある。愕《おどろ》きと怖れの遮蔽物《しゃへいぶつ》がとれ、オリヴィオの鞭の記憶が、傷痕の一つ一つから燃えたち恐怖の中で眠っていた、鞭打たれることの中にあった陶酔が無意識の底で眼ざめる。オリヴィオに摑まれた左足が心棒になって絨氈《じゅうたん》の深みの中で引き摺《ず》られ、脚に、腰に、下腹に鞭をうけた記憶が、恐しいものとしてだけではなく浮び上り、もう一度鞭うたれてみたい、不思議な慾望《よくぼう》が、湧《わ》いてくる。傷痕に触れるギランの脣が、その傷痕の一つ一つに火を呼び起し、レオは陶酔の向うに、オリヴィオの鞭を、想起した。ギランの愛撫の下で、今までにはない獣のようなうめき声を上げ、耐えられぬようにのたうち、許しを乞《こ》うようにギランをみるレオの眼つきには異様な光がある。セクシュエルな点には、ませて来たというのにすぎない稚《おさな》いレオも自分の体の傷痕の一つ一つからもえ上って来た不思議な変化をおぼろげに気づき、その自分の変化が、時折自分の横顔に、背中に、あてられるギランの歪んだ、恐しい顔に関聯《かんれん》があるとは分っていて、レオの赦されたという、甘い夢は不たしかな不安の霧に包まれはじめた。

愛撫と陶酔の時間は残酷なかげを伴ってくりかえされ、ギランは苦しみ、レオは怖れた。残酷な陶酔が夜となく昼となく、つづき、その間々にギランは講義に出た。眼蓋《まぶた》の脹《は》れた、眼の下に疲労の垂《たる》みの出た顔で、ギランは車に乗って、出て行き、講義がすむと帰ってくる。傷を見られた夜以来、レオは鎖のない軟禁の状態に、置かれている。疲れた顔の中の白眼の部分に、網目のようになった血の条《すじ》の出た目をすえて、ギランはレオの動きを追い、レオは監視される獣のように、家の中を歩き、庭へ出ては、書斎の窓に、ふり返った。昼間のギランの眼と、嫉妬《しっと》の痛みの中に耐えにくい惑溺が絡《から》んだ、ギランの夜の執拗《しつよう》な愛撫とに、レオは日夜追い廻され、レオの可愛《かわい》らしい、冷淡な美貌《びぼう》にも淡い疲れの隈《くま》のようなものが、出来ていた。

ギランはレオの、オリヴィオの鞭にめざめはじめた肉体に、底のない惑溺をすると同時に生かしておくことが、出来ない憎しみの惑乱を感ずる。その狂的な、抑えにくいものがしまいには抑えておくことがどうしても出来ないところまで追いこまれるだろうという予感をもっていて、生かしておく間に、レオの肉体の魅惑の盃《さかずき》を滴《しずく》もあまさず飲み干しておいてやろうという、恐しい慾望を、体の中に感ずる。ギランはその苛《か》酷《こく》無《む》慚《ざん》な自分の心を鋭くかんずる度にレオを優しく抱き、胸をいたくして強く抱き締め、レオはそのたびに、赦された、という甘いつかのまの夢に浸され、ギランの掌《て》に唇をふれ、ギランの胸を赤子が乳をのむようにして吸うのだ。

ギランの心を読むことの出来ぬながらに、本能的に漠とした不安を抱いているレオはギランの狂乱を、唯一《ゆいいつ》のたのみにしていたが、狂乱の度が酷《ひど》くなって来ると媚態《びたい》を捨て、獣のような本能で、逃げようとする。その本心からの怖れはいよいよギランの狂乱を増長する。狂乱と恐怖とが蛇のように絡み合い、果てのない陶酔に、陥る。そうして夜が明け、レオとギランとは朝の食卓に、つくのだ。

ギランは辛うじて講義に欠かさずに出ることと、飜訳《ほんやく》の仕事の少量ずつとを続けていたが、創作の方は（乾草《ほしぐさ》）という中篇の書き出しから少しいったところの一つの句点のインクがはね、醜い染《し》みになり、そのわきに、レオへの妄想《もうそう》にとりつかれて無意識にペンをおいたためらしい、斜めによれた線が引かれたまま、もう何日も原稿用紙は埃《ほこり》をかぶっている。

眠れたようにみえる唇を結び、これも眼蓋の脹れた眼を宙にすえ、ギランは時折レオの眠ったあと、書斎に独り坐《すわ》っていた。左の手が、哀れな悪魔の弟子と化した自分を労《いた》わるように、頬にあてられ、その手で椅子《いす》の肱《ひじ》つきに頬杖《ほおづえ》をつき、眼は何ものか、誰もみた人のない、この世にはない、汚《けが》れか、恐しいもの、を、みて帰った男のように、なお今も、その恐しいものに向って、目をあてているかのように、見開かれている。気宇の偉《おお》きな、立派な男の、引き締った顔の眉根《まゆね》に、鼻から頬、口元のあたりに、泣くような表情が、漂っている。果断で美貌な父親の血をうけたギランは、どこへ出てもひけをとらないフランス魂と、優雅な柔《やさ》しい性情とをもっていて、レオを伴《つ》れて登山に、狩猟に、劇場に、ナイトクラブに、遊び歩き、いつ書くのかと人々が疑う速度で創作を次々と発表し、講義の下調べと、飜訳も、楽々と片づけていた。その生気にみちていたようすをいよいよ光らせていた橄欖茶《オリイヴちゃ》の背広に水灰色のソフトカラの襯衣《シャツ》、黒のネクタイ、それらが今ではどこか萎《な》え、しおたれてみえる。

それまでは、逢引《ランデヴウ》も週に三日が最も多く、土曜日から泊って、丸一日一緒にいて次の朝、大抵は森の家から学校へ車で出る。日曜日を中に挟んだ三日が、週の内の最も長い逢引《ランデヴウ》であって、レオとの情事はギランの適当なリクリエーションになっていたのが、オリヴィオ事件の次の夜以来、レオを外に出さないので、レオへの惑溺は、執念に変り、その執念の穴の中で、レオのマゾヒズムへのかすかな目覚めと、あらゆる魅惑にみちた肉体への苦悩とが、執拗な藻《も》のように、ギランを絡めとり、ギランの苦悩から殺気への推移を、必然の結果として喚《よ》び出すのだ。レオは学校へ出るのを、恐れていた。レオはオリヴィオに再びあい、再び体の上に鞭《むち》をうけることを、殺されることのように怖れては、いるのだ。

外へ出るのはギランの大学行きだけで、帰ってくれれば、ギランの惑溺と、レオの、レオ自身には分りえない、本能的な恐怖とがある暗い日々が、つづいた。

＊

ギランの作った、サアジンをならべた上に玉葱《たまねぎ》の輪とトマトの薄切りをのせ、ソースをかけた料理を前に、寝台《ベッド》にくっつけておいた卓子にギランと向き合い、レオは硝子《ガラス》に似た黒灰色の眼に、罰をせられた子供のような哀れな蔭を宿して、ギランをみた。

「僕、たべたくないや」

「喰わないと痩《や》せるぞ」

「……ギがもっと早く放してくれれば、太るよ」

ギランの眼が、厳しくなる。

「そんなことを言う権利がレオにあるのか？」

「……ゆるしてよ」

「だれが僕をこんなにしたんだ」

「…………」

レオは眼を伏せ、フォオクをとってサアジンの一つを気のないようすでつき刺した。そのフォオクの手を卓子においてギランのかおを窺《うかが》うと、怯《おび》えて烈《はげ》しく瞬き、涙が頬を流れ、脣《くちびる》の隅の窪《くぼ》みの上に止まる。

「ギはもう僕を愛してないの？」

レオはフォオクを投げすて、眼の辺りを掴《つか》むように両手でかおを蔽《おお》い、ひそんだ片方の眉だけを見せ、切なげにすすり泣くのだ。

悪魔に魂を奪られたギランはレオの、泥と砂とを附《つ》け、不器用に鉛筆を握って何か書く、あの子供の手の表情をもった指が、涙の塩気で汚れ、懸命に顔をかくしているのを卓子越しに、半ば起ち上り、一本宛《ずつ》顔から引剝《ひきはが》し、額際《ひたいぎわ》に髪がはりつき、耳が白くなり、涙によじれ、哀れに歪んだレオの顔に厳しい眼をあて、立上って逃げようとする腕を捉え、寝台《ベッド》に曳《ひ》いて行き、奴隷《どれい》のように突き放すのだ。レオは身動きもせずに、肩に顎をつけ、動かない、哀れな眼の中に、どこかかすかに挑むものを現し、一つの生贄《いけにえ》としての自身の体を、ギランの襲撃の前に横たえるのだ。

＊

　ギランとレオとの間に、二人の楽しい日々が、再びかえって来たかのような日もあった。ギランの精神がいくらか平静な日である。その日は一月の一日で、ギランは休暇でもあった。

「今日はあまり疲れなかったろう？　どうだ」

「うん」

　レオは浴槽《よくそう》に並んだ、暗く光る鏡に向っていた。窶《やつ》れたために一層大きく、可愛らしく見える瞳《ひとみ》を、じっと鏡の中に据え、起きて来る時、煖炉の火が消え、スチイムの温度が落ちたので、被《かぶ》ったリネンの下着を上へ剝ぎめくる下から、ギランを見た。

「僕もおとなしかったでしょう？」

　そう言って下着を下に放り、壜《びん》からオー・ド・コローニュを掌にふり溜《た》める。

　ギランは苦く、微笑《わら》った。

　レオは必死に逃げることがギランを一層残虐《ざんぎゃく》にすることをさとり、するままになるようにしていたのだ。だがそれはギランにとって、決して嫉妬と憎しみを鎮《しず》めるやり方ではなかった。それはギランが情事の間、サン・アントワァヌになることをまぬがれさせるものでは、ない。そういうレオの小賢《こざか》しい可憐《かれん》なやり方が、レオがどれほど自分の、狂乱のむちにひかれるものをおぼえはじめていることを見顕《みあらわ》されることを恐れ、自分の執拗な愛撫《あいぶ》から無意識のように逃げようとしているかを知らせることである。

ギランはレオの可愛らしい眼に見入り、レオの後にぴったり立った形で両手をレオの腰にかけ、鏡の中へ横に顔を出し、下眼遣いの微笑いを鏡の中でレオに、微《かす》かな風のように、吹きかける。レオが、腰の下を捉えて解こうとしながら、鏡の中でギランを凝《じっ》と見て、微笑う。

「今日は水車小屋《ムーラン》に伴れて行って遣《や》ろう。帰りにそこらの酒場《バア》でいいから、附き合え」

レオは再び振り溜めたオー・ド・コローニュを、襟《えり》から下へはたきつけていた手を止め、ふりむくと、半裸の、まだ傷痕の、うす紫に線をひいている、両腕をギランの肩にかけ、その手の上に顔を伏せた。ギランは首をかしげてレオの洗ったばかりの髪に頬を埋め、レオの背中の窪みに手をあてる。手に向うから吸いつくような、肌目《きめ》の細かなレオの皮膚が、耐えられない情感を動かし、もう片方の手が腰の上部にあてられ、ギランは嫉妬の苦痛の中に陶酔し、溺《おぼ》れこむ自分の無力を、意識した。小さな蛇とギランとの立像はしばらくの間オー・ド・コローニュの薫香《くんこう》の中に、あった。「水車小屋《ムーラン》」というのは、和蘭人《オランダ》の七十を越した女店主が指揮をして拵《こしら》えている菓子店で、レオの好む菓子がある。

半カ月ぶりでロオルス・ロイスにギランと同乗して外に出たレオは、生来の目まぐるしく動く特性を、いくらか取り戻していた。最初は神妙に、左の端に小さくなっていたが、やがて足を八の字に開いて、腕を首の後に組み、シイトに仰向《あおむ》きによりかかってみるかと思うと、右足を片方の膝《ひざ》の上へ手で摑《つか》えてもって来て、ギランが大学の帰りに買って帰った、新しい黒の、ピカピカ光るエナメルのスリップ・オンをなで廻《まわ》した。女の子が人形を触るような可愛らしい手つきである。灰色木綿のカアテンをめくって窓からそっと後をみてからシイトに腹這《はらば》いになり、足を交る交るけ上げ、靴の踵《かかと》が後のガラスにぶつかってギランに怒られたり、ギランの反対側に小さくなってカアテンの隅をめくり、首をすくめてすれ違う車の中の人間をみたり、した。

運転台は外から覗《のぞ》かれやすいので後へのせられたのである。

「水車小屋」は銀座五丁目の裏通りにあった。

動き廻るのにも飽きて、ギランの後のシイトに両肱をかけ、ギランのふかすパル・マルの烟《けむり》が顔にかかるのに時折顔をしかめながら、首を低めておもてを窺っていたレ

オが、

「ギ、あれよ」

素早くギランはハンティングの庇《ひさし》を下ろし、レオは後に引っこむ。車は危険を冒してスピードを出し、四五間先を横町へ左折し、車を廻して裏通りを後《あと》へ戻り、再び表通りをつっきり、反対側の裏通りを改めて五丁目に向って、走った。

「キャデラックか？　黒の」

「うん」

レオの声は低く、嗄《しわが》れている。恐怖が体を引き締めるらしい。まだしもの徴候だと、ギランは思った。だが、突発的な事件では、恐怖は何倍にも膨《ふく》らむものだ。二人とも男がのっていないのを素早く認めたが、エル・ドラドの店から出てくることと、飾窓の内側からみられることを、警戒したのである。

ギランはレオをふりかえった。レオは先度の恐怖が一時に蘇《よみがえ》ったらしく、内側の紅《あか》みのこの頃濃くなった、薄紅色の脣の色が褪《あ》せて、シイトのすみに埋るようにし、おどされた鳩《はと》のような眼を見開いていたが、ギランの目を意識すると、かすかに、動揺の色を示し、眼が動いた。ギランの恐れる徴候である。腹の中にあるものを言葉には出さないレオは、眼の動きや、呼吸のせまり具合、脣の動き、言葉を発する前のかすかな短いためらい、耳の後に手をやること、腰のよこの辺りを後向けにした手の甲で擦《こす》ることなどの、一寸《ちょっと》した動きで、言葉には出さぬ言葉を捉《とら》えるよりない。眼の中の動きなぞはひどく微妙で、ためらいもせずに、眼を大きくし、魅惑してしまおうとして、ギランをみつめることさえある。自分では欺《あざむ》きおおせた積りでいるが、根が子供のレオの心の動揺は、ギランの眼からはすべて、明らさままで、あった。

ギランはこの頃になって、レオとの初夜であった、穂高の夜を、想《おも》い浮べることがある。レオは既に、相当に苦労をしていて、自分によってその日に困らぬどころか、生れた家での記憶を上廻る贅沢《ぜいたく》な生活が許されていることに対するいわば女のような盲従ともいえる心持もあったが、レオにはたしかに自分に征服されたい慾望の萌芽《ほうが》は、あったのだ。それはあの時には、単に、都合のいいことにすぎなかった。穂高は六月で、寝袋に入ることもない、又蚊や蚤《のみ》の襲撃もない季節だった。天幕の裾《すそ》の狭い地面に俺の雨外套をしいた上で、俺とレオとは、薄い毛布を胸までかけ、向き合っていた。俺の家に伴れてこられて、こうしているのも、自分の類《たぐ》いない美貌《びぼう》のためだということを百も承知のレオだ。ピッケルと飯盒《はんごう》、明治屋の紙袋、皿、フォオクなぞが片よせてある枕元《まくらもと》の龕燈《がんどう》の鈍い光の中で、レオは僕のかおをみていた。夢をみて眼を醒《さ》ました子供のような表情のある、切れの深い二つの目に、無意識か、意識しているのかの境界の不明な、媚《こび》をひそめて、レオは僕をみていた。カンテラの光の中で、褐色の、僕の指図で銀座近辺で刈らせたいくらか長めの髪、生えたなりのやや太い眉毛、小さい、撮《つま》み上げたような鼻、人の心を捕虜《とりこ》にして離さない眼から、僕の眼はレオの唇にうつった。少し膨らんだ薄い薔薇色《ばらいろ》の唇は軽く結ばれ、唇《くち》じりが一寸引き吊《つ》っていた。いくらか荒ら目の、唇の縦皺《たてじわ》、内側の濃い、洋紅をぬったような紅さがのぞいていた。五月の咲きはじめの薔薇が僕の眼のすぐそばに、咲いて匂《にお》っているようだった。レオが、僕の少し執拗《しつよう》になった、唇への視線に気づいたのと、同時に僕の腕がのびて、毛布から出ていたレオの肩を摑んだ時、レオは驚いたように唇を明けたが、うろたえはしなかった。何か、起るべきことが起ったというものが、そこにはたしかにあったのだ。勿論《もちろん》ソドミイについて何か知っていたのではない。それはすぐに分ったし、最初に伴れて来る時から分っていた。だが仲間の間で話位はきいていたのにちがいない。それでレオの中に一つのプレサンチマンがあったのだ。最初に捉えたレオの肩の――その時レオは十六になったばかりだった。――厚みのつきはじめた温さを、僕は今もこの手に覚えている。女の肩の、しまりのなさはない。女はすぐに熟しすぎる。あの女というやつが。或《あ》る種の女の持っている、軽薄さや無智《むち》からくる可愛《かわい》らしさを、レオはもっていて、そうしてうるささはない。これだけ愛情を上げたからそれだけのものを返せ。金を使ったから返せという奴《やつ》も中にはいるそうだ。女位いやらしいものが、どこに、何が、あるんだ。見当ちがいな、馬鹿《ばか》げた色目、馬鹿げた香水、からかわれた時の醜い面《つら》つき、髪の形と化粧ときものの襟のくりなぞで、辛うじてすっきりさせている顔。

レオの肩を捉えると、僕は力一杯に引きよせた。レオが抵抗したからだ。レオの肩が僕の胸の中に引きよせられる、僕の手が腕にすべる、素早く両手が二つの膨らみはじめた二の腕を抑えていた。レオが顔をそむけようとしてもがく、俺の体はもうレオの上にのりかけていた。レオの脚が固い果物の手ごたえでふるえるのを、僕は夢のような気持で抑えつけた。女のように耳朶《みみたぶ》のふくらんだレオの耳が火のようになって僕の眼の下にあった。レオの力がつきるまで、僕は抑えつけていた。耳朶の接吻《せっぷん》がレオの中の火を誘うのを、僕は、知っていた。レオは僕を慕っている。やがて諦《あきら》めたように顔が仰向き、小さな尖《とが》った顎《あご》が僕の眼の下で接吻を誘った。もう五月の薔薇は僕の自由になる。僕は腕の手をとき、レオの頬を柔《やさ》しく挟《はさ》んだ。戸惑ったようなレオの可憐な二つの目が涙をにじませて、僕を、羞《は》ずかしげに見上げていた。レオは天性《うまれつき》の恋愛者だ。それは最初から分っていた。レオの女のような手が僕の手にかかり、頬を外そうとするように顔が左、右に、かしごうとする。それは技巧ではなかったが、いかにも技巧のある女のように巧妙だった。僕はとうとう、咲きはじめた五月の薔薇を摘《つ》んだ。

レオのマゾヒズムの影は最初の接吻の中に、もうあったのだ。ナルシスムとマゾヒズムとは、美少年のもっている二つの性癖にはちがいない。僕も、思想的にも、セクシュエルな面でも、サドの後継者だ。レオをおどろかさぬようにして、サディスチックな関係にもって来たのも僕だ。

レオは急に黙ったギランの背中から、何ものかを受けとり、窓枠《まどわく》に肱をついた手を前でくみ合せ、初めて着た暗い薔薇色の襯衣《シャツ》の、釦《ボタン》を、つまぐったりしながら、両脚を前に長く延ばしている。窓掛けの隙間《すきま》から外を覗くような眼をしているが何もみてはいない。ギランとの関係が狂的な色をおびて来て以来、レオの髪の前髪、もみ上げのあたりに、妙な癖がつき、頭の頂上にはどっちの分け目にもうまく寝ない一束が出来ていて、それが肉感的なものにギランを誘う。ギランはレオという実体が、後の席にいると、思うだけで烈しい火を、かんずるようになっている。そういうものがレオの方に、二つの乳房の漲《みなぎ》りのようにひびいてゆき、響き合い、二人の間の火は、どうにもならぬ走りようをし、ギランの憎悪《ぞうお》と、狂暴とを引き出してやまない、レオのオリヴィオの鞭《むち》の記憶への、マゾッホ的な蘇りが、その中に、育って行くのだ。

ギランは夢からさめたようにレオをふり返った。

「汗が出ないか?」

「ううん。少しだけ……」

車の中はスチイムで六月の夜のように温く、レオは汗をかくと風邪をひくのは穂高の天幕以来の常習である。穂高の初夜の夜、地面にじかにねて、少し汗をかいたせいか、レオは熱を出し、ギランは谷川の水でしぼったタオルで額を冷やしてやり、焼いたパンをミルクでにてやり、三日目に山を下りたが、その三日間の、新鮮な蜜《みつ》の日々はギランの心を完全なレオのとりこに、した。その時の新鮮な蜜が、今も変らずに、ある。少年であるためだけではない。それはレオという、うすい黄金色《きんいろ》をした小さな蛇の、憎むべき魅惑で、あった。

(この僕が、サン・アントワァヌの誘惑につかまるとは、僕は思っても見なかった)

ギランは深い溜息《ためいき》を心の中に、吐き出した。

「そこよ、ギ」

レオの声で、ギランは慌《あわ》てて速力をゆるめ、後退して、「水車小屋《ムーラン》」に車をつけた。

その帰途レオは時計をねだり、二人は夜のくらやみに紛れて車を横町におき、美津野の飾窓に近づいた。白銀色をした何かの鋼《はがね》を、四弁の花弁のある花のような形の唐草もようを入れた二本条《すじ》の格子《こうし》に組んだ窓枠の中の六月の空のような藍色《あいいろ》の天鵞絨《ビロウド》の垂幕《リド》に大きな象牙色《ぞうげいろ》の、瑞西《スイツル》の時計店のパンフレットをおき、その前にこれも白銀色に光る円い、廻転台《かいてんだい》が、腕時計が置かれて、ゆっくりと廻っている。廻転台の中心には宝石で美津野のMと尖端《せんたん》につけた十字型の棒が、金の帆をつけて立っている。ジンで紅みをおびたレオの、魂を奪われて、心がそこにない横顔をギランは恐しい、青《あお》ずんだ眼にあかず見入った。

「どれだ」

レオの肩に手をかけ、その手が二の腕に、下り、指先が脇《わき》に深く、入る。

レオはその指を強い程脇で挟み、ギランの方に一瞬、そぞろな眼を遣《や》り、すぐに眼を一つの時計の上に戻した。

「あれ、あれよ。丸いので宝石のついた……」

「うむ?」

「その四角いのが二つある向うの」

四万七千円のナルダンを無造作に購いとった混血児らしい美丈夫の、五万はするとみられる外套の姿に、ぴったりよりそう、生々と呼吸《いき》づく花のようなレオの、襟元にダイヤのペンダントののぞくオリイヴ茶の外套の撓《しな》やかな立姿に、この前に二人が来た時にはいなかった新入りの店員は、好奇と感嘆の眼を、一瞬もはなさずにいて、番頭《がしら》の藤木に、肱で注意されたのを、レオは見つけて、そしらぬ顔でその店員の方へ、悩みのあるような眼ざしを流した。ギランが指で顎をついて向うへ向かせる。芸者を伴《つ》れた金持は、既に何度か見ていたが、若い店員にとってそのギランとレオとの一対は、今まで想像したこともない、恍惚《うっとり》とするような一対で、あったのだ。

レオは久しぶりの贅沢な散歩に酒のように酔い、ひどく浮き浮きとして車にのった。ナルダンの筐《はこ》を膝の上で触ってみながら、ギランに凭《もた》れかかっている。レオが時計に心を奪《と》られているためもあったが、白い襯衣《シャツ》を透して、レオの肩の、厚みが、自身もスウェータアだけになっているギランの二の腕に無邪気に、思うさま圧《お》しつけられ、ギランは眉《まゆ》に立て皺をよせ、殆《ほとん》ど苦しげに、みえる。

レオの傷痕《きずあと》をみた夜の狂乱の中で、思わず知らずにレオが示した傷痕の痛みへの陶酔を知って以来、ギランにとって甘やかな愉楽を誘う、そんなレオのようすが、ギランには耐えられぬものに、なっている。レオの我を忘れた浮わつきと、それとはうらはらなギランの煮られるような、だが、それでいてレオに似合うといって、使わせている菫《ヴィオレ》の匂いからとったアアム・ド・ヴィオレットの浸《し》みた布で鼻と口とが塞《ふさ》がれたような甘さをもった苦痛とをのせて、車は巨大な闇《やみ》の中を、音もなく走った。

「あの飾窓《ウインドウ》すごいね」

「あれはチュウリッヒの時計屋の模写だよ。本ものはもう少しいいだろう」

「フーン」

「若僧を揶揄《からか》いやがって」

「だって、ああいう奴、面白いんだもの」

「あいつはあれで旦那《だんな》もちだぜ。嫉《や》いたんだ」

「フン、地面の虫が花を嫉いたみたい。そんならもう少しいじめてやるんだった」

小さな、黄金色《きんいろ》の蛇は、上調子になっていて、ギランの気分も、気づかずに肩を圧しつけたまま、紙を破って筐の時計を出し、左の手首の古いロンジンを外して腰かけの後につっこみ、そのあとへ、銀のバンドのナルダンを嵌《は》めようと、しきりに唇《くちびる》を尖らせている。

ギランの脣が、一種の黝《くろ》ずんだ色をおびて歪《ゆが》んだ。

「ナルダンのお礼はなんだ」

レオは黙って、ふと時計から顔をはなし、耳から頰を薄紅くすると、ギランにぴったりと身をよせ、腕を背に廻し、体を少し固くして、俯《うつむ》いた。

＊

レオは何か楽しい夢をみていて、唇に微笑の影をみせ、ギランの方に俯き、顎を引いた形で眠っていた。二日ほどギランが自分を苛《いじ》めなかった。レオは時折ふとおぼえる不安を忘れ、許されるのだという、甘い夢の中に、眠る時、ギランの腕の中で、浸ったのだ。ギランがふざけて追いかけるので逃げようとした時、首に生温い縄のようなものがひっかかった。それで前へ行けない。苦しくなって、ふっと眼をあいた。生温いものは、なんだったのだろう。レオはまだ目がさめ切っていない。顔の真上にあった、大きなものがつと、退《の》いた。それはギランのかおで、あった。レオが眼を醒ましたと思ったギランは、微笑《わら》おうとするように唇の廻《まわ》りを動かしたが微笑いにはならずに、半ば唇を明けただけである。油をぬったのかと思うように、妙に光っている鼻から頰、頰がむくんだようで、平常の倍ほど大きく、異様に曲げた唇は下唇が下へ引っぱられたようになり、下の歯が覗《のぞ》いている。レオを見下している。閉じたように伏せられた睫《まつげ》の蔭《かげ》の二つの眼は、化けもののまねをしてふざけている、とでもいうような、表情のない眼である。それでいて眼にも、唇元へかけての表情にも、ひどく肉慾《にくよく》的な、ものが、流れている。レオは再び眼を大きくあけ、暈《ぼんや》りとギランをみたようにみえたが、怯《おび》えたように再び、眼を閉じた。ギランの目が大きくなり、息をひくようにしてじっとレオの寝顔を、のぞきこむように、見た。

「夢でもみたのか？」

大きな声でいったつもりらしいが、ギランの声は声がのどにひっついたように嗄《しわが》れて、いた。

レオはかすかに顎をふるわせ寒いのか夢中で掛布を顎まで引っぱりギランの胸に、顔をすりつけた。

冷たく、しめって、微《かす》かにふるうギランの手が、レオの額にふれ、掛布をくぐってレオの胸から脇へ入った。

(夢で冷汗をかいている)

ギランはいつも枕のそばにおいている手巾《ハンケチ》をとってレオの額をそっと拭《ふ》き、起さぬように用心しながら、胸から脇を抑えるようにして拭いた。

翌朝眼をさましたレオは、昨夜夢うつつにみたギランの顔が間近に、自分の顔を覗いているのをみて鋭い叫び声を、あげた。

「どうしたんだ」

見るとギランは微笑っている。夢だったのか、と思うらしいレオの頬をつつき、

「夢をみたのか？　昨夜《ゆうべ》も急に眼を開いて大きな声を出したんでさわってみたら冷汗をかいている。ごらん」

といって、ギランは枕元に丸めた手巾を、レオに示した。

レオは朧《ぼんや》りとした眼を少しずつはっきりさせ、ギランをうかがうようにみた。

「眼をあいていたぜレオは、しらないのか」

ギランの手がかけ布の下の肩をつかまえた。かけ布がずれて傷痕の凝血が小さく黒紫色に玉になっている肩が現れた。

レオの目はいつものように可愛らしい、だが冷たい眼に還《かえ》った。肩が媚をみせ、その肩に下眼づかいにふりむき顔をもとへもどすと、今度は首を折るように、ギランの、胸の奥に額をつけ胸を擦《こす》って顔を上向けて、ギランを視《み》、枕《まくら》に頭を落した。

ギランが肩の掌《て》を腕にずらし、首をのばして露《あら》わな肩に唇をふれた。

「夢をみたのか？」

レオはかけ布から腕を現してギランの首に指をまといつけ、顎に接吻し、埋まりこむようにギランの胸に顔を埋めた。

「こわいゆめよ。ふざけて、ギが追いかけかけて来たから逃げるとあったかいものが咽喉《のど》にはまったんだ。ぎゅっとじゃなく、ぼんやりはまるんだ。そうしてギのかおがとても大きくなって」

そこでレオは黙り、両腕をギランの首に投げかけて咽喉のところに顔を擦りつけ、身をよじった。

「なんだ。どうしたんだ」

ギランは言い、深い目の色になってレオの裸の半身を抱きかかえた。

「僕いうのいやだ。こわい」

ギランは尚《なお》も固く抱きよせ、前の石の壁を射ぬくような目でみつめ、心の底に、太い息を、吐いた。

＊

夜も、昼も、黄昏《たそがれ》も、この世界はギランにとって、悪魔の囁《ささや》きをきく場所と、なった。追い払おうとする程首の廻りに、肩に、背に、纏《まと》いついてくるレオの白い手の幻影。少しずつ癒《い》やされ、黒紫の傷の条のくっきりと現れた、レオの肩、上膊《じょうはく》、胸、乳暈《にゅううん》、下腹、腰、愛撫《あいぶ》に悶《もだ》え、逃げをうち、床まで逃げて、のたうつ脚、追いつめられ、下半身を抱擁される時の心臓の鼓動、短い呼吸、稚《おさな》い眼。半獣神に追われ腰を抱えられて、下腹から次第に桂《かつら》の樹《き》に化《な》った処女《おとめ》のような、反《そ》りかえった胸、あどけない顎《あご》。

悶える拍子に押しつけられるレオの肌の、麻酔薬の手巾で唇《くち》を抑えられるような苦悶《くもん》。殺意に負けそうになりそれを耐えている時、巻きついて来る初心《しょしん》な誘惑の媚態《びたい》。菫《ヴィオレット》の匂《にお》いと、ムゲの薫香《くんこう》のかすかに残る肌の汗。嫩《わか》さと、固さと、幼時の育ちに原因するらしい、決してつつしみが失われる瞬間のない、ヴォリュプテの深園。ギランの強靭《きょうじん》な体は、夜に、昼に、レオの肉体の幻の火にのたうち、その肉の乱れ舞う間に、陶田オリヴィオの顔をみた。黒い太い、ロンジンの嵌った腕を、みた。

ギランの咽喉《のど》は灼《や》け、乾いて、水を湛《たた》えた、南仏蘭西《フランス》の黒紫色の葡萄《ぶどう》のような眼は水気を失い、血走っていた。ギランはレオとの情事の時間の中で、我しらず手に鞭の無いことに技癢《ぎよう》を感ずる。だがオリヴィオのような、錯乱者にはなりえない健康が、邪魔な棒杭《ぼうぐい》のように、生きていて、自分の中にはねかえるのを、感ずる。鞭がもてたら。うなる皮の鞭で、打ちすえてやれたら。狂乱の中でギランは髀肉《ひにく》の歎《たん》に悶える。甘やかしてはおけない、痛い目をさせずにはいられない兇暴《きょうぼう》な燃え上るものが腕の中で手の指の一本宛《ずつ》の中で、苛立《いらだ》たしく、荒れ狂う。誘いをかけておいて、忽《たちま》ち、しおれ、本心で、必死に逃げようとするレオは、ギランを逆上させて、止《や》まない。そういうレオの、強い憎しみを誘発する媚態の数々が、夜中、書斎に独りで坐《すわ》っている時にもギランの皮膚に、挑みかかり、息をさえ、させぬようになる。

ギランの中にある憎しみの影をどこかでかんじているレオが、ギランの腕を涙で濡《ぬ》らし、母のない子の本能のような、ギランの胸を、乳を探すような仕種《しぐさ》で探る時の、鞭《むち》の手を抑えられ、殺気をおさえつけられる溺愛《できあい》の勃発《ぼっぱつ》が、次の瞬間の肉体への狂乱と殺気を、一層ひどくする。可愛くてならない、憎くてならない、レオという実在の脅迫は、ギランの咽喉元にとびつき、喰《くら》いつく、地獄の悪鬼で、あった。

或夜《あるよ》ギランは懊悩《おうのう》の間に、一匹の巨大な犬の姿を、みた。レオがこの隠れ家に伴れてこられる前に、ギランに飼われ、ギランの寵愛《ちょうあい》を独占していたグレート・デン種の、小柄な男ほどもある巨大な猟犬の森《ボア》である。レオが来るようになると、この犬の表情に、哀《かな》しげなものが見えはじめた。レオには犬を懐《なつ》かせるような、寛大な心がなく、レオはレオでボアを嫉妬《しっと》し、きらい、ギランのいないところでは窃《ひそか》に苛《いじ》めることもあるらしいのをギランは、知った。犬は少しずつ孤独になり、ギランをみると、哀訴の眼《まな》ざしをして、その太い、瘤《こぶ》のある枝のような前脚の、小馬の蹄《ひづめ》位もある爪先《つまさき》を、ギランの胸に差しのべ、後脚《あとあし》で立ち、ギランのかおや顎をなめ、顎の中に籠《こも》ったような、哀しげな甘え声を出した。レオが嫌うので、この犬と別れることに心を決めたギランは、或朝レオの睡《ねむ》っている間に散歩につれ出し、長い間犬と一緒に歩き、一緒に休み、用意していた肉やビスケットを与え、首を抱いてやり、かねて報《し》らせておいた父親のオダンの友だちのオーギュスト・マイヨの住む厚木町の家までつれて行った。そこに二日ほどおいて、大森のマイヨ氏の息子のアランの家につれて行かれ、そこで飼われる手筈《てはず》になっていた。その後もギランはレオにかくして犬の好きなものを、郵送していた。だが犬は死んだ。局どめ電報の為《ため》に、死の一週間あとで、知ったのだ。

レオとの関係が、自分を破滅に導くだろうという、アルジェでレオの青くすんだ冷たい目をみた時から抱いていた予感が不幸な確実なものとなった今、美しい、薄い黄《き》金《ん》のうろこの光る薄青い蛇を自分に近づけたことを、犬を他人の家にやったことを、犬にわびたい心持が、ギランの厚い、たくましい、今はレオの過失から以後徐々に、嫉妬に喰い荒らされ、洞《うろ》となった胸の中に、ふと湧《わ》いて出て、それで犬の姿を、みたのだ。ギランは犬をやるとは言わずにいた。あずけるという言葉を使っていて、事情を見ぬいているオーギュストも、あずかろうと言って、ギランの手からいたわるように犬の鎖を受けとったのだ。森《ボア》は、主人の心を悟っていた。哀しげな目をギランとオーギュストとに等分に向け、うずくまるように小屋の前に足を折って坐ったのだ。犬をおいて帰った朝、ギランは新しくえた恋人のレオに冷たいようすをしてその時レオは、泣いた。塩からい涙で頬をこわばらせ、落がきをする子供のような稚い表情をしたレオの手が目のくぼみをつかむようにしてすすりなくのを見た時、もう既にレオの魔力への屈伏は、はじまったのだ。

レオは自身のしらないところで、オリヴィオに惹《ひ》かれている。レオを生かしておけばもう一度オリヴィオの手が延びるのだ。レオの肉体の抵抗できない誘惑は一日、一日と、ひどくなる。その掻《か》き挘《むし》られるような誘惑が、ギランの殺気に拍車をかけているというよりも、そのこと自体が主流の、もっともギランを苦しめ、耐えられなくさせ、ギランの決意を凝固させつつあるものであるかにさえ、見えた。

ギランを怖れ、ふとした時に、鏡の中から小狡《こずる》い、偸《ぬす》み見るような、凝視をあてていることもあるレオは、根柢《こんてい》では高をくっていて、ギランの溺愛に信頼をおいていて、昨日からレオは指環《ゆびわ》をねだっている。

ギランは充血した眼を伏目に、苦しげに結んだ唇元がどこか弛《ゆる》んだ表情《かお》で、今しがた目に入れて来たレオの、媚態を想《おも》い浮べている。レオは寝台《ベッド》に枕を外してギランの方に向き、スタンドの光を頭からうけて、横になっていた。片方の目は影に、上になった目と、頬の輪郭、小高い顎だけに光をうけた顔で輝いた、大きく見開いた目でギランをみたのだ。

「白鳩《ピジョン・ブラン》って子供の時みた。もう一ど早くみたい。葡萄酒を透かしてみたような色でしょう？」

「うむ」

レオは枕を外したまま、喰い入るようにギランをみつめた。稚い、強烈な自信をひそめた、その中に、どこか不安の翳《かげ》のある、二つの目が、火影の中で爛々《らんらん》と光っている。そのかすかな怖れの影が、ギランに火をつけ、ギランは黙ってレオの向う側の手をとって、力まかせに上へ引いた。

蔭になった額の際《きわ》の小高い眉《まゆ》の下で自分に惑溺している男に見入り、次の行動を見すかして、どこかに大胆な挑戦をひそめた眼が、大きく見開かれ、顔に平行して、腋《えき》窩《か》を露《あら》わに白い腕がよこたわり、ペンダントの金の鎖があらわな咽喉に、絡《から》んでいる。惑溺の泥沼の中に、頭を下にのめりこむようにして、レオの手を強く押えつけたまま、ギランはレオの顔の上に、引きこまれるように被《かぶ》さって、行ったのだ。

＊

前の日の一日低く垂れていた重苦しい雲が晴れ、朝日が森の樹の葉を乾かし、厳冬の澄んだ空気の中で、森も、家も、煉瓦《れんが》の道も黄金色《きんいろ》を被り、輝いて、いた。煖炉《だんろ》の蒸気で曇った窓硝子《まどガラス》を透かし、寝室の中は明るく、煖炉の薪《まき》は半ば灰になり、蛇の舌のような小さな炎が、崩れて低くなった薪の残骸《ざんがい》の上に動いている。四囲《あたり》の明るさのせいか、ギランは、朝の愛撫《あいぶ》の中で、不思議に以前《もと》のような、この森の家で初めてレオと、寝た朝のような、甘美なものをとり戻し、レオへの執拗《しつよう》な嫉妬から来る殺意を、頭の隅へ置き去って、いた。

レオは再び紅玉《ルビイ》を購うことを、ギランに誓わせた。ギランの頰を手で挟《はさ》み、脣《くちびる》に朝の接吻《せっぷん》をし、光る眼で眼を覗《のぞ》きこんで、レオは、言った。

「ほんとうに買う？　ほんとう？」

柔《やさ》しいギランのようすに、気をゆるし、たかをくくったレオの無心な仕種はギランの惑溺の心を掻きたて、平静な、朝の気分を、暗い、いやな、嫉妬に乱すまいとしているギランの、心を揺すぶった。ギランの胸に次第に胸苦しい嫉妬が頭をもち上げる。先夜仰向《あおむ》けになって睡るレオの首に手を搦《から》め、愛撫している内に、レオの首に指が廻り、親指をしっかりと咽喉輪《のどわ》の窪《くぼ》みにおしつけ、夢中で締めようとしてレオが眼をあき、果さなかった時の、頭の中に、生温いものが流れ、充満したような気分が、又いつか、来るのではないかという、不安を、ギランは再び、おぼえた。ギランは黙って、レオの指をのけ、汗ばんだ前髪をなで上げてやる。そうして微笑《わら》うレオの白い歯の間に指をふれる。レオは指を歯に銜《くわ》え、微笑いながら二三度左右に振って離した。

レオは浮き浮きとシャワアにかかって、煖炉の上においたダイヤのペンダントをつけ、ジインパンツに、ギランが家にいる日なので象牙色《ぞうげいろ》の絹のシャツをかぶり、もう一度寝台《ベッド》に入ったギランのために、裏へ行って、ギランの割った薪を抱えて入って来た。レオの頬はいくらか窶《やつ》れ、艶《つや》を失い、細くなったように見える。首のペンダントが、咽喉もとの窪みに、痛々しく纏《まつ》わっている。

レオは煖炉の傍《そば》にしゃがみ、火搔き棒でまだ炎の出ている残骸《ざんがい》をつき崩し、赤くなった炎の上に籠《かご》の楢《なら》の葉を投げこみ、細く割った薪を上手《うま》く投げ入れた。火の様子をみていると、睡ったと思ったギランが、言った。

「感心だね。湯に入ったのか」

浴場との出入り口から薪を抱えて入って来たレオの顔が、心持上気しているのを、睡れない眼を薄く開いていたギランは見たのである。

「うん」

その時火をのぞきこんでいた首をもとへ戻すはずみに、ペンダントが咽喉の痛む場所に触れた。

「ギが咬《か》んだところ湯がしみて痛いや、もう変態やめてよ」

思わず言った「変態」の言葉にレオ自身首を縮め、息を呑《の》んだ。

ギランが起き上ったのが、ふり返らないでも、レオに解《わか》った。

ギランの抑えた声が、言った。

「レオ。レオは僕に殺されてもいい奴《やつ》なんだ。それが解ってないんだな。それならそれでいい」

ギランの声が一際低くなった。

「今夜からどうするか見てろ」

レオは火搔き棒を手から落し、立上って左の手で咽喉を抑え、後撫《な》でに右手の甲で顔を隠し、そのまま、背中を向けて白い首を落すように煖炉の台の縁に肱《ひじ》をついた上に顔を伏せ、左の甲で咽喉を抑えたまま、息を引くようにして、切ない咽喉の音をさせはじめた。声がよく出ぬらしい、嗄《しわが》れたような泣き声で、細い咽喉がひくひくするのが見えるようである。

レオの、肱をついたためにもり上った肩に、片方が高くなって捩れたような腰の線に、痛々しい白い後首に、ギランの眼が、鋭く突き刺さる。ギランの気配を感じとったレオは、一層息を詰まらせて、声のない泣き吃《じゃく》りに肩をひきつるように動かし、その間々に、ようようききとれる声で、言った。

「僕、知らないんだ。僕が悪くないんだ。……ギは知ってるくせに。……」

ギランは立って来て、逃げようとするレオの肩を両手で抑え、自分の方に向かせる。レオは眼に喰いこむように両手の指を立て、顔を蔽《おお》い、まだ吃《しゃく》り上げるような咽喉の奥の音を立てている。

ギランの手が肩から腕に滑り、確《しっか》りと抑えた。レオの体はギランの手の中でめまいがしたように、よろめいた。

「知らないといえるのか？」

「二度、あれだけのことがあって、何故《なぜ》黙っていたんだ。わざと捕まったのと同じだ。それはレオがあいつに興味があったからだ。それを僕に隠せると思っているのか？」

レオの膝《ひざ》が折れ、ギランの腕にぶら下るように崩おれ、腕をふり放そうともがきながら、レオは片手を放したギランの腕に引き摺《ず》られ、寝台《ベッド》の上に放り出される。ギランがレオの眼を蔽っている指を引き剝《はが》すと、捕えられた小鳥のような光のない眼がじっとしている。ギランは逃れられぬ惑溺の底へ再びひき込まれるように、頭を下に逆さになって陥《お》ちこんで行った。

＊

二月に入った十日目の朝である。レオは寝台《ベッド》の中で目醒《めざ》め、のびをすると、空地へ出る扉にチラと目を遣《や》った。ギランはレオを、このごろでは止められなくなったサディスチックな愛撫からようよう放し、むずかしい仕事があるといって、今しがた書斎に行ったあとである。レオは久しぶりに一人の自由な朝を、歓《よろこ》ぶように枕蒲団《まくらぶとん》を顎にかって腹這《はらば》ったり、片足を寝台《ベッド》から落して長々と大の字になって掛布を顎までかけ、うとうととしたり、していたが、やがてパジャマを引っかけ、珈琲《コオヒイ》と麪麭《パン》を運び、寝台《ベッド》の中で自堕落な食事を、はじめた。乾酪《バタア》をぬった麪麭にキャヴィアを充分に塗りつけ、腹ばいになり、ギランが投げて行った新聞を開き、その上に乗りかかって、麪麭をくい、珈琲を飲んでいたが、ふと息をとめて、新聞の一点に眼を凝らした。麻薬密輸の記事が新聞の三面の三分の二を埋めていて、大きな、陳裳雲の写真が出てい、その下の方に、関係のあるとみられる日・伊の混血児某として、オリヴィオの写真が小さく載っている。レオはその三面を破り、台所へ行って瓦斯焜炉《ガスこんろ》にのせ、又考えて、細かく破き、水で濡らして、屑入《くずい》れに捨てた。そうして台所の隅から二三日前の三面を破って来て、あとを元の通りにし、それを破り、これも濡らして床に捨てた。ついでにギランが喰ったらしいハムの塊にナイフを入れ、——ギランを真似《まね》てナイフをもった片手でえぐるように取るのである——深く切りとって、和蘭《オランダ》チイズの片《きれ》と一しょに持って寝台《ベッド》にかえった。再び腹這いになったが、想いついてテレヴィのダイヤルを廻《まわ》した。丁度七時のニュウスが入り、陳の大きな顔と、警察の門を入る陳の横顔が写った。つづいてオリヴィオが本部を出るところがうつり、ソフトの庇《ひさし》を低く下ろしたオリヴィオの眼が、瞬間自分に向って射るような光をあてたような気がし、夢中でスイッチを切り、麪麭を持ったまま枕に横顔をつけて俯伏《うつぶ》せになり、そこへオリヴィオが来たかのように怯《おび》えた眼を、宙に止め、掛布をかぶって体を縮め、少間《しばらく》息を凝らしていたが、寒くなったのか掛布を胸に巻きつけて起き上り、「フン」と鼻で笑い、寝台《ベッド》に腰をかけ、ハムの残りとチイズを喰いながら新聞の写真版や、女優の顔なぞを詰まらなそうに眺め、喰い終ると新聞を床になげようとしたが気がついて畳み、寝台《ベッド》の上においた。

森へ行って見たくなったレオは、裸になってシャワアにかかり、顔を洗い、裏から出て、空地に通りかかった。ギランは書斎にいるものと思っていたレオは、ふと、愕《おどろ》いて足を止めた。

空地の、昼間は内側へ閉じて、森でギランが拾って来た石で止めてある鉄の扉は隅がくり抜いてあって、そこに森《ボア》をつないであった太い、囚人を繋《つな》ぐためのような、鎖が、錆《さ》びて断ち切られたあとを見せて、残っている。レオの平常気味悪く思っている、鎖その鎖に、先刻からじっと眼を落していたらしいギランが、彫像のように立っていたからだ。

レオの頭に訳の分らぬ恐怖が走り、顔を上げたギランと眼が合うやレオは反射的に二三歩後退《あとずさ》りをして逃げようとする。眼はギランを見た儘《まま》である。その可愛らしく狡《こう》猾《かつ》な、怯えの出た眼にギランの眼が止められ、逃げ腰になったレオのジインパンツの腰の辺りに、銛《もり》のように、突刺さった。

ギランの眼を感じとったレオは、そこに、釘《くぎ》づけのようになって立ちすくむ。

「どうして逃げるんだ」

「何が可怕《こわ》いんだ」

ギランは恐れていた生ぬるいものが、熱くなった頭の中に流れ入るのをおぼえ、手足の尖端《さき》まで残酷な、切ない、だが恐しい快感のようなものがゆっくりと衝《つ》きぬけた。咽喉が灼《や》け、舌が縮んだ。生ぬるいものはひろがって、眼の裏に来て、眼が暗くなるような感覚がある。

ギランは既《も》う新聞を見ていた。

レオの恐怖は二重にギランの怒りを、燃え上らせたのだ。

生贄《ヴィクチム》はここにある。手に、脣《くちびる》に、未《ま》だ恋の余炎の残っている、レオの肉体《からだ》が、ここにある。犬を哀《かな》しみの中で死なせ、オリヴィオに自由にさせた肉体《からだ》が、ここにある。

この肉体《からだ》はオリヴィオのむちを覚えている。傷の痛みの陶酔を、知らないというのだな。知らないことがあるものか。もう一度鞭《むち》で打たれたいと、思ったことが一度もないというのか。神に誓ってないと言うのだな。嘘《うそ》をつく小蛇奴《め》が。……黒い、重いものが、ギランの眼の前に、膜のように下り、ギランは脣の辺りに黝《くろず》んだものをぬり、黒い瞳《ひとみ》が、白眼のところまで灰色を流したようになった、陰惨な眼をレオの腰に、すえた。

レオは後に向き、二三歩よろめき、直《す》ぐに速足《はやあし》になって、森の方へ、走り出した。森の方が身を隠せると思うのだ。

ギランは大胯《おおまた》に家の中に消えたが猟銃を左手に、右手を前へ出し、何かをかき分けるような手つきをし、前のめりに、レオの跡を追った。兎《うさぎ》の匂《にお》いをかいだ猟犬のようにギランは真っしぐらに、レオの行った跡を走った。

いつの間にか、空が黒ずみ、水気を含んだ灰色の、幾重にも重なり合い、膨《ふく》れ上った雲が低く畑地の向うの地平線をかすめて垂れ、這い、少し残っている瑠璃色《るりいろ》の光の一角へ断《き》れたり繋がったりしながら、空一面を、かきくもらそうとしてゆるく、流れはじめている。

レオの影はもうなく、ギランの姿が森の中へ消えた。

嵐《あらし》の前ぶれのような肌寒い、湿った風が森の樹々《きぎ》をこめ、半エーカーほど森の樹を伐《き》り開いた空地を埋める枯葉の海が、暗くなった。

ギランは森に入った。知性をなくした、レオの匂いに目をつけているような二つの眼は眉と一つにくっつき、鼻孔は膨らんでいる。結んだ脣《くち》もとは微笑《わら》ったように歪《ゆが》み、頬に、これも微笑っているような、だが異様に恐しい皺《しわ》が刻まれている。

遠く、かすかに、ギランはレオの立てたらしい枯葉か木の枝の音をきいた。どこかで、レオの匂いがした。ムゲの石鹸《サヴオン》を使い、菫《ヴイオレツト》の匂いをすり込んでいるからだ。横の街道に出る、樹のまばらな方へレオは走ったらしい。森の中では危いと思ったのだな。その時ギランの脣が妙に歪んだ。靄《もや》のかかったような頭にも、レオの必死の姿が目に見えるように映るのだ。

レオが見えた。レオ特有の腰の辺りが少女のような肉のつきようをしている、もたつくような足つきで走っていたが後をみたらしくいくらか横顔をみせたと思うと、恐れのために、よく走れぬらしい、哀れな走りかたに、なった。

空の灰色があたりを暗くし、薄い霧のある向うのように、レオの可憐《かれん》な姿はよろめくように走っている。レオの可憐さが獣になったギランを兎の匂いのようにけしかける。ギランは銃身をもち直し、息を切らし、眼を光らせて距離をはかりながら、いくらか走り方を弛《ゆる》めた。

街道の方へ出ようとしていたレオが方向を変えた。体を隠せなくて危いと思ったのだ。

全く獣になったギランは哀れなレオの心持が手に取るように分れば分るほど怒りとも、憎しみとも、嗜虐《しぎやく》ともつかない狂い廻るものを燃やし、少しずつ距離を計りながら追いつめ、レオが小さな灌木《かんぼく》に足をひっかけた時、一歩退《さが》って銃をとり直し、前にのめろうとする瞬間、ねらいを定めて、引き金を引いた。弾はレオの脇腹《わきばら》から斜めに心臓を射抜いたらしい。もんどりうって倒れ、海老《えび》のように仰《の》け反《ぞ》り、二三度はねかえり、仰向けになると、右腕が上に力なく延びて空をつかみ、両脚がゆるく、昆虫の足のようにもがくと、腕は折り曲げられて止まり、左脚を曲げた形で、ぱったりと動かなくなった。

硝煙の匂いがした。

ギランは銃を手にもっているのを忘れていて、立っていた。胸の中が急に苦しくなり、胸の底から、球のような、ひどく大きな、固いものがこみ上げるように登ってくる。ギランはただ、こみ上げてくるものを必死にのみ下し布で口を抑えられた人のようなむせび声を出した。頭のしんが冷たくなり、手足の感覚が失われ、ただ抑えても

抑えても吠《ほ》えるような、声が、出て、手に吸いついてはなれない銃をふり落し、顔を蔽って、獣の吠えるような声をおし殺しおし殺し、その場にがっくりと、膝をついた。

（レオ！）

（レオ！）

ギランは悶《もだ》え、胸を低く、窪《くぼ》ませるようにし、胸の奥底で呼んだ。

レオの手と足とが、ぴくりと動いた。ころがるようにして、枯葉の音を立て、ギランは首を前へ前へと出すようにしてレオの体に近づいて行った。最後の痙攣《けいれん》がギランの心を掻《か》きむしった。睫《まつげ》を長くとじ、小さな反《そ》り気味の鼻の下に、脣を半分あき、可《か》愛《わい》らしい顎《あご》が、かすかに二重になって仰向《あおむ》き、もう泣いて動くことのない咽喉《のど》を反らせているのがみえる。にじるようにして傍に寄ると、レオは、可憐な表情をしていた。胸をうたれた小鳥のような、罪のない顔だ。死んだ小鳥の嘴《くちばし》のように半分開いた脣。手の指が、最後の苦悶《くもん》を現して親指を反らせ、人差指を鉤《かぎ》のように、あとの指も少しずつ曲げているのも小鳥の足の表情に似ている。

ギランはレオの腕を下ろし、足の形を直してやり、レオのわきに横になった。そうして、レオの顔を抱いて、まだ生温い頬に自分の頬をぴったりと寄せ、そのまま、長いこと、動かずにいた。

顔を起すと、ギランは窶《やつ》れの出たレオの頬を、やさしく、幾度も、さすった。うす紫色をした小さな唇の間から白い歯がのぞき、唇じりに、口の中にたまった少量の血が流れ出たのが又もとへ返ったらしく、小さな短い糸を引き、鼻孔にも血が少し固まっている。頬には泥と細い草の葉がつき、小鼻のわきに木の枝で突いたらしい傷がついていてそこにも血が固まっている。ギランは手巾《ハンケチ》を出してレオの頬から唇のあたりを丁寧に拭《ふ》き、顔を抱き起すと、貴重な、すぐに壊れるものを扱う人のような、柔《やさ》しい手つきで頬を撫で、揉上《もみあ》げの髪をなで上げる。千も万もの柔しさが伏眼に少し目じりを下げ、レオにみ入るギランの睫の蔭《かげ》の黒いひそやかな瞳に凝集している。溶けてしまうのではないかと思うような瞳である。唇もとが何か柔しく言いかけているように少しばかり開きいくらか微笑ったように笑み皺がより、甘い柔しさが、ギランの顔から果物の滴《しずく》のように、したたっているようだ。上半身を抱き上げ、抱き締め、ギランは唇を尖《とが》らせてレオの唇に、深く埋めるようにして接吻《せっぷん》した。伏せた睫毛《まつげ》、接吻のためによった唇じりの深い皺、頬の下の深い、窪み。柔しい、だがヴォリュプチュウズな苦みが深く匂っている。唇にもまだかすかな温《あたたか》みが、残っていた。もう決して外の男に与えはしない、もう決して逃げようとしない、レオの唇であった。ギランの柔しく甘い、接吻の愛撫《あいぶ》の中に、恐しいヴォリュプテが、見えている。やがてギランはレオを寝かせ、横に向かせて、自分も添い寝をし、レオの背中に腕を廻して抱きよせ、横側から甘い、溶けるような接吻をした。眉《まゆ》も、目も、頬から首、すべてが耐え得ない甘い、接吻の中にとけて滲《し》みて行くようなギランの横顔で、あった。やがて顔を上げたギランは厳しい顔をして辺りをすばやく見廻し、それからレオの顎に指をかけ、生きているレオに言うようにして、言った。

「どうした。今日はおとなしいね。これからレオの行くところは寂しい場所《ところ》だ。いやか。だがきれいな場所《ところ》だ。戦争の時の壕《ごう》だから、僕が他のやつの触れたところはすっかり、草も抜いて削りとったのだ。自然の、森の中の地の底だ。スペインの城に真似た僕の家なぞより、余程上等だ。春も、夏も、枯葉が鳴っている、枯葉の寝床だ。白鳩《ピジヨン・ブラン》も来たら入れてやる。そうして、あとから僕も今に一緒に入るんだ。オーギユストとアランとに遺言を送っておいて死ぬんだ。死人に罰はあてられまい。オーギユストとアランなら、僕をレオのそばに寝かして呉《く》れるよ。いいか。僕にはし残してはおけない仕事がある。分るか。僕は今からは毎日森の家にいる。レオと寝て、レオと料理を食うんだ。いいね。分ったね」

そう言うとギランは胸が絞られるようになり、レオをもう一度抱き、深い、接吻をしてやり、脇の下に手を差入れ上体を持ち上げ、少しずつ引摺るようにして森の中央部へ、進みはじめた。

＊

その夜、ギランは闇夜《やみよ》を期待していたが、月が照り、まだ千切れ千切れになって低迷している、濃灰色の雲が、細い前脚を折り曲げ、毛の長い後脚《あとあし》を大きく拡《ひろ》げた怪獣のような形で天駆《あまが》けり、無数の小羊の群が重なり、その上に魔女が二人話し合っているような、そんな異様な形をしながら、低く、ゆっくりと流れていた。風が吹き、枯葉が鳴り、森の樹々は群がる獣の地図のような雲の下で左に、右に、重い頭を、ふった。ギランは羽根蒲団《はねぶとん》を持ち、ナルダンの腕時計、聖書、レオの好きだった洋杯《コップ》なぞを、外套の隠しに入れ、鶏小屋の梯子《はしご》を外套の下にかくしてレオの寝床へ、行った。そうして、枯葉と小枝をとりのけ、梯子をかけて下り、レオを抱き起して一旦《いったん》外へ出して寝かせておいて羽根蒲団を敷き、枝や葉を払って蒲団の上に寝かせ、時計を腕にはめてやり、冷たくなった唇に長い接吻をした。壕のへりに置いた小さなカンテラの明りに照らし出されたギランの顔は厳しい、真面目《まじめ》な顔だが、眼の下にも、小鼻の脇にも、閉じた脣にも、高頰に、脣の周囲に、顎に、耳の辺りに、涙が漲《みなぎ》っていて、声を出さずに泣いている表情が、あった。ソフトをかぶりすっかり外出の服装をしている。人に会った場合、酔ってかえって、酔気をさますのに森を歩いたのだと、いう為《ため》だ。陳とオリヴィオが摑《つか》まったとしても、二人の友人もある。レオの父親は死んでいるので、あとの家の人間は届け出ないが、危険は多い。運悪く摑まればレオへの恋情と苦悶《くもん》をすべて法廷でのべて刑を受ける積りにしている。だがギランは露《ば》れた時、時を移さず自殺をする気でいる。遺書は書いて、書物机《かきものづくえ》の抽出《ひきだ》しに入っている。ギランは「乾草」だけは書き上げておいて死にたいと、思っている。発表はしなくてもいいが、オーギュストかアランに、預けておいて、何かの機会に発表して貰《もら》うことにしてあるのだ。「乾草」はフランスの田園の乾草小屋で、死んでいた母親のそばに遊んでいた子供が、十四歳になって東京へ流れて来て、ギランのような男に目をつけられ、森の家につれて行かれる。レオが生きている時から、結末は考えられていた。レオがオリヴィオに犯されたのを知った夜から、少しずつ頭の中に組み立てられたものだ。

ギランは壕の蓋《ふた》をし、外套を脱いで、土を盛り、枯葉を厚く敷いて、再び外套を着、カンテラを消し、邸《やしき》に、帰った。

怪獣の形の雲は部分々々が風で千切れたのか、もとの形をなくして、漂っている。

森の樹のゆれる風の音を、ギランは、耐えられぬ思いで、背中に聴き、一歩、一歩、家に向って歩いた。

＊

夜も、昼も、ギランは書斎の書物机にいた。書き疲れると、書斎の隅の革の椅子《いす》に腰を掛け、力のない両手を膝《ひざ》の上に、組むでもなく、触れ合うようにしておき、目蓋《まぶた》と眼の下、総体に辺りの肉の落ちた、幾らか細くなり、瞳が小さく、明瞭《はっきり》と澄んで来たような、別人のような目に、寂しげな色を湛《たた》えて何かをみつめていた。鼻柱も痩《や》せてい、ギランらしいところの消えた、僧侶《そうりょ》のような脣を、寂しいような形に、結んでいる。その涼しいような、はっきりとした眼差《まなざ》しは、レオのいる別の世界、土の下の世界を見ているようで、あった。髪も洗うだけであまり刈りもせぬので、形が変り、バサバサとしている。今ここにこうやって腰掛けているこの男をみて、これがギランだと、すぐに気のつく人間はあるまい。レオと関係するまでは、少年との関係も一時に二人持っていたこともある。今はギランの傍《そば》に少年というものの影もない。まして女の関係はない。大学の講義も小説専門になるつもりだといって辞表を出した。

革の椅子は黒の皮で、同じ皮の釦《ボタン》が窪みの中に嵌《はま》っている、フランスから持って来た、父親のオダンの部屋にあったもので、十六世紀型の、肱《ひじ》つきにも、同じような皮がはってある。

寝室に入るのはぎりぎりの時刻まで延ばしている。起きていられるだけ起きていて、眼が醒《さ》めればすぐに寝室を離れる。

食うものも、必要で食うといった感じで、グウルメだったギランの面影は、ここにもない。

森を歩くのが唯一《ゆいいつ》の歓《よろこ》びである。レオのねているそばで休み、煙草《たばこ》をふかす。レオと一本のやつをのみあった、二人の好きだったパル・マルをふかす。森の中の恐しいような静かさの中に、ギランは自分の心とようよう歩調の合ったものを見つけていた。

小説は少しずつ進んでいた。読みたいものがあって、神田に出た或日《あるひ》、ギランは陳の友人の劉に、あった。劉は白鳩《ピジョン・ブラン》を預っているというので、田園調布の家に持って来させて、会って受け取った。劉は色の黒い小柄な男だった。劉は帰り際《ぎわ》に、言った。

「レオさんはちっともみえませんね。このごろ」

劉はオリヴィオの事件について知っていることを、神田であった時仄《ほの》めかしていたのだ。

「ああ東京には伴《つ》れて来ないようにしている」

「陶田さんが、ちっとも見えないってそう言ってましたよ」

「それはご愁傷だ。レオは今僕の森の家に罐詰《かんづめ》だ」

「腐りませんか」

ギランの眼が底の方で鋭くなった。

「ぴんぴんしていて、僕を昼も夜も誘惑している」

「それはお愉《たの》しみですな。ではこれで」

「ああ」

ギランはその日すぐに森の家へ帰り、家に閉じこもった。

明るいスタンドの光の下で、ギランはペンをおいてほっと息を入れる時、細く、涼しくなったような眼が、ふと、蛇のような、ヴォリュプチュユウズなものを出して、黒く、光った。薄く細めている目の中に、明らかに肉感的なものが、光っている。今日の劉との出あいで、レオが死んだあとも、生きていて、自分を苦しめたような結果になったことが久しく忘れていた惑溺《わくでき》の苦しみをさそい出したというのが原因でもあるが、ギランは僧房の人のような生活をしていて、何《なに》にも関心を持たなくなったのには違いないが、レオへの火だけは、胸の奥底で、燃えつづけ、今も燃えさかっている。ただレオが生きている人間でなくなったために、その火が外へ中々出ないだけで、あった。

ギランはレオとの恋愛を、窮極まで、追いつめたいと、その胸の火の中で、思っていた。ギランはレオとの恋愛を、窮極まで、追いつめたいのだ。レオを、一旦手放したような気が、ギランはしている。レオを、この世の果をこえて、次の世の、果まで、それがどんな煉獄《れんごく》でも地獄でもいい。レオをどこまでも、どんな世界の果までも追いつめ、抱きしめて、この手から離したくない。ギランは胸の火に灼《や》けるようになって、思った。レオが生きている時、僕の中の火は燃えさかっていて、僕を灼き、レオを灼いた。今僕の中の火は、宙に迷っている。レオの奴《やつ》をどうしておれは、一人先へやってしまったのだろう。あの場合は突発的だったとしても、すぐあとで死ぬのだった。レオの奴の首に手を巻き、蔓草《つるくさ》のように絡《から》んでくるあいつと一つになり、どんな世界の業火《ごうか》にも俺は焼かれよう。レオの脣《くちびる》からこの脣を、どうして離してしまったんだ。煉獄の底だろうと、地獄の底だろうと、僕はレオを逃がしはしない。

どこまでも追いつめていって、レオが逃げれば首を締めて、生かしてはおかない。俺はレオをどこへも、遣《や》りはしない。レオは軽薄な、価値のない一人の少年に過ぎないかもしれない。だが、少しは道楽をしたこともある。女も、少年も、少しは見て来た俺の眼で、レオは恋愛の相手として価値のある奴だった。僕はレオの為なら、何を拋《ほう》っても、いいんだ。何を失っても、惜しくはない。

やや精神が鎮《しず》まると書物卓《かきものづくえ》に向うが、日が経《た》つに従って、レオと自分との間に死と生との大きな距離のあることに苛立《いらだ》って来て「乾草」を書いていることがひどく生温《なまぬる》いことに思われてくる。生温いだけではない。小説というものそのものが、あってもなくてもいい存在価値のないものに、思われてくる。ところが、作家である以上はこれを書いておかなくてはいけない、という、奇妙な、考えが、つき纏《まと》ってくる。これはたしかに奇妙なことだ、と、ギランは思った。小説というものが存在する価値が、もしあるとしても、自分の書くものが、価値のあるものなのか、どうか。こんなに耐えがたいほど、僕はレオという実在と、一つになりたいと、希《ねが》っている。今僕はレオというものを書いている。この僕の文章が、実在しているレオというものを、曲ったところから写しているようでも、正確だということになっているレンズなぞよりたしかなのだと、本当に言えるだろうか。レオというもの、そのものより、レオというものはない。今僕が小説を書いているのは、レオというものを実在物以上に、捉《とら》えてやろうと、思っているからだ。しかもそれを捉えて人にみせようというのだ。僕が読んでもレオというものがレオ以上に実体として見えてくるように書ければ、価値はある。だがそんなことは稀《まれ》にしかないことに、違いない。レオは本当に実在したが、今も僕の中には実在しているが、僕の見たことのない人間でも、僕がそれを、見て、たしかに見て、その人間以上に、小説の中に現れれば人にみせる価値はあるだろう。だが人にみせて、どうするというのだ。喝采《かっさい》を博するのか。僕は生きたいように生きて、レオという、僕が価値をみとめる人間と一つになって生き、死んだあとでも、どこかにいるに違いないレオというものを追いかけて、どこまでも追いかけて、永遠に自然の森の中の、土の中に抱き合って睡《ねむ》る。レオが地獄へ行くのなら僕も地獄へ蹤《つ》いて行く。煉獄へ行くのならば煉獄へ蹤いて行く。

どんな場所《ところ》でも、行かなくてはならない場所《ところ》があるのなら、俺はそこへ蹤いて行く。そこで二人の間に永遠の、どんな花よりも綺麗《きれい》な花が、咲くのだ。その方が小説なぞよりたしかに大切だ。たしかに素晴しいことだ、たしかに価値があるんだ。

ギランの果のない妄想《もうそう》と、「乾草」の執筆とは闘いながら一日、一日ともつれ合い、絡み合って進んでいたが、少しずつ妄想の時間の方が長くなり、妄想の方がギランをしっかりと捉え、遂《つい》にギランにとって、小説というものを書くために生きていること、何か喰うこと、それらのすべてが次第に億劫《おっくう》になって、行った。

楽しい森の休息も、苛立たしいだけだ。近くの見知らぬ街を歩いて、川をみつけ、その石の手摺《てす》りに倚《よ》りかかって、長い間レオを思い浮べていることも、ただ耐えがたい、レオとの遠い距離をはっきり認識するだけのことになって行き、一日、一日と、ものに対する興味というものが薄くなった。或日ギランは、生きている自分の世界と、死んだ人間の世界とに、あまり差のないことに、気づいた。生きている自分の状態というものと、死んだ人間の状態というものとの間に、差がないのだ。たとえば、冷たい、冷めた湯の中から水の中へ移るようなものだ。と、ギランは思った。

大学の講師をやって、作家として毎月二冊以上の雑誌に小説を書き、宴会に出、出版記念会に出ていたころの俺と、死との間には、事実の距離は同じにしても、全く、光と影とのように、違うものが、たしかに、あった。レオを知ってからも最初の間は、そうだった。レオに足をとられ、嵌りこみ、灼きつくような苦しみに会って、その後で、僕は、価値のあることというのが何だか、それが解《わか》ったようだ。

価値のあること、それはレオということなんだ。レオを自分のものにして、放さない、ことなんだ。

価値のあるものに殉ずること、なんだ。

今もレオは俺の手の中で肩をもがき、俺の腕の抱擁の中から逃げようとして、腰から下を悶《もだ》え、足の尖端《さき》から桂の樹《かつらき》になった処女《おとめ》のように、胸を仰け反《の》らせ、俺の唇の下に、紫色の傷痕《きずあと》のある胸を反りかえらせて、いるのだ。

そのレオの幻は、幻じゃあない、実体なんだ。レオのいくところへ、地獄の底まで追いつめていって、レオを自分の下に抑えつけ、二つの体を蛇の縄のように絡みつけること、それが立派なことなんだ。(ギラン、よく遣った)と、俺の親爺《おやじ》のオダン・ド・ロシュフコオは、そう言うにちがいない。俺の親爺のオダン・ド・ロシュフコオは、そういう奴だったようだ。

ギランはいつもの黒い、革の椅子に倚りかかり、涼しいような、寂しいような、目蓋や眼の下、眼窩《がんか》一体の肉の薄くなった眼を、見開き、薄くなったような脣を寂しげに結び、想《おも》いに耽《ふけ》って、いた。

僕はレオの傍へ行こう。レオはあの土の中に寝ている。寝て、僕を、待っている。可愛《かわい》らしい、生きている時には喰い裂いてやりたいほど憎かった、顎《あご》を仰向《あおの》けて。咽《の》喉《ど》の咬《か》み傷もそのままで。僕を待っているんだ。橄欖色《オリイヴいろ》の入ったディアマンのペンダントを首に纏わらせて。それらのために、僕に撃たれた、体中の傷痕もそのままで。レオは男を誘惑する、天然の、一つの誘惑物なんだ。あの稚《おさな》い、小生意気な技巧で、男を誘うレオは、又次の、別の世界でも、危い、危険な奴だ。無智《むち》な、何もよくは解らぬ頭で、考え廻《まわ》していることが、皆、透《すきとお》る板を透かした稚拙な絵のように、見え透いているレオの可憐《かれん》さが、危険なんだ。恐しいのだ。そうして芯《しん》には冷たい、心臓を持っている。あの冷たい、美しい眼で見られた男は、どうにもならない沼の底にひき入れられるのだ。そういうレオを一人で放しておいてはいけない。僕が摑《つか》まえて、抑えつけていて遣らなくてはならない。あのレオの体を、もう一度他の男の唇の下に晒《さら》させてはならない。固くて、嫩《わか》い、少しずつ、撓《しな》やかさを失わずに肉がついて来た、あの、男をヴォリュプテに誘《いざな》って止《や》まない、肉体《からだ》を、どこまでも僕のものにして抑えつけておかなくては、いけない。レオのそばに行くのには、卓の抽出しにある二粒の錠剤を飲めば、いいのだ。僕がレオの傍に、レオに寄りそって睡ることは、オーギュストとアランとがやってくれるだろう。

オーギュストさん、さようなら。

アラン、さようなら。

またどこかの世界で会えるなら、会いたいのだが。

森《ボア》は可哀《かわい》そうだった。可哀そうだが、共同墓地に睡っていて貰《もら》おう。レオが森《ボア》を嫌うからだ。

レオは我儘《わがまま》な、悪い奴だ。

だが可愛い奴なんだ。

俺のレオ。

俺の悪い、可愛らしい、レオ。

ギランは起ち上り、書物卓に近づき、その抽出しを明けて、白い封筒を出し、本棚の水の壜《びん》を下ろし、銀盆の上の洋杯《コップ》に注ぎ、封筒から錠剤を掌《てのひら》の上に出し、水と一緒に、嚥下《のみこ》み、咽喉が乾いていたのか、洋杯の水を全部飲み干し、書物卓の椅子に腰を、落した。再び抽出しを明け、オーギュスト・マイヨ宛《あて》の分とアラン・マイヨ宛の遺書を卓の上に重ねて置き、その上に手をおいたが、起ち上って空地への扉を明けた。見ると庭から森まで、一面の雪で、なお細かな雪が降り続いている。

ギランは二日程、書斎に籠《こも》っていたのだ。

ギランは止むを得ぬ会に出ていたのでタキシイドに白い襟《カラ》、黒の蝶《ちょう》ネクタイをしていたが、そのまま空地を抜け、雪の中を、一足《ひとあし》、一足《ひとあし》、足を抜きながら、森へ向って、歩きはじめた。前のめりに、体がいくらか斜《はす》になり、上半身が揺れるようになりながら、ギランの黒い影は少しずつ、動いて行く。十間ほどいったところで崩れるように倒れ、雪の上に背中を丸く屈《かが》めこんでいるようだったが、やがて、よろめきながら起ち上り、又直《す》ぐに、崩折れた。今度は両手を咽喉にあてて海老《えび》のように体を縮めたと思うと烈《はげ》しい勢で、仰《の》け反《ぞ》り、咽喉の中で沸騰《ふっとう》したものが恐しい速さで搔《か》き廻るような、恐しい叫び声が、ひびき、咽喉を手で摑んだまま、二三度雪の中で体が跳ねかえるように転がり、仰け反ったまま、ギランの体は黒い小さな塊となって、雪の中に、動かなく、なった。

（「新潮」昭和三十七年六月号）

日曜日には僕は行かない

ハインリッヒ・カハァネの「処女」の試写を撮りに来た東日グラフのカメラマンの一人は、作家の杉村達吉を二三枚撮ったあと、丁度其処《そこ》へ入って来た杉村の愛弟子《まなでし》の伊藤半朱《ハンス》を捉《つかま》えた。

遅れて来て急ぎ足になって通路を進んで来た伊藤半朱は、カメラを向けられると何《ど》うしたのか怯《お》じけづいたように足を止め、長い睫毛《まつげ》を伏せてしまった。平常《ふだん》はもの怯じなぞはしない若者である。

硝子《ガラス》ならものが映りそうな薄褐色《うすちゃいろ》の、瞳孔《どうこう》だけが色の濃い眼が半朱の特長なのだ。それが、閉じたように伏せた密生した長い睫毛の外套の下に隠れてしまった。

掌《てのひら》の中に入ってしまうような、顔である。刻んだような美貌《びぼう》だが、横から見ても眉《まゆ》と眉、眼と眼の間が離れ気味なのが分る。華車《きやしや》な鼻は尖端《さき》が反《そ》っている。脣《くちびる》も一寸尖《ちよつとと》がらせたような形をしている。褐色の髪。額やもみあげに産毛《うぶげ》が多くて、眉尻《まゆじり》の眼の上の辺りなぞ、何か煤煙《すす》でも附《つ》いたのかと思うようだ。もみあげが豊かで、額は角がかっている。耳朶《みみたぶ》がもみあげの後に、女のように柔かそうな厚みを見せている。顎《あご》は小さい。

広い、一寸おでこの額の下で、透《すきとお》った褐色《ちゃいろ》の眼を凝《じっ》とさせているのを横から見ていると、小鳥が青年に変身したらこんなではないか、そんな気がしてくる。皮膚は白く、女のように綺麗《きれい》だが、女の皮膚よりは心持荒く、一寸ひっかかりのある感じがある。伊藤半朱は俯《うつ》むいた時、顎の下に弛《ゆる》く握った右の手をあてたが、それが咽喉《のど》を抑えたように見える。首にきっちりした黒の襯衣《シャツ》に薄い灰色の夏服、小指には婚約指環《ゆびわ》が細く光っている。睡《ねむ》ったように伏せてしまった眼の辺りや脣に、怯《おび》えた色があり、もみあげから頰、ことに小鼻の脇《わき》なぞは涙の溜《たま》った痕《あと》が見えるようである。

昨日の午後、杉村達吉から受けた衝撃が、この若者を不安と恐怖の虜《とりこ》にしたのである。

怯えた顔がどこか稚《おさな》い。稚い嗚咽《おえつ》がきこえるようなその顔を、前の席にいる達吉が先刻から凝と、みていた。

「此方《こっち》を向いて」

腰から上を左にかしげ、反対側の肱《ひじ》を高くあげた、無理な恰好《かっこう》をしたカメラマンが、舌打ちをして、言った。

顔を上げるとカメラマンの上げた肱の下に達吉の顔があって、鋭い眼が射るように自分にあてられている。フラッシュが焚《た》かれ、怖《おそ》れた少年のような半朱の顔がフィルムに、焼きつけられた。

杉村達吉の行く所には必ず影のように、小説は拙《まず》いが美貌の弟子というので有名な伊藤半朱の姿がつきそっているという、もう二年越しになる習慣は、このところ半年近くもその習慣がなくなっている現在でも、カメラマンが忘れずにいた程、知れ渡っていた。だがカメラマンの思惑違いは偶然、当っていたので、昨日の午後から杉村達吉と伊藤半朱との仲は、半年前の状態に戻っていたのである。

達吉が合図をしたのを見て、半朱は顎にあてていた手を耳の後《うしろ》に、髪を掻《か》きあげるような仕科《しぐさ》をすると、眼を伏せ、急ぎ足に達吉の隣の空席についた。その時又別の新聞社らしいフラッシュで辺りが白くなり、半朱の側の横から二人に向けてシャッタアが切られた。半朱は眩《まぶ》しげな眼を上眼遣《うわめづか》いに、達吉の方へ外《そ》らそうとし、その半朱の顔に重なって、カメラの方へ向けた達吉の顔は、女を肩に寄りかからせた男のような、黝《くろず》んだ、エロティックなものを出していて、顎を上げ気味にした下眼遣いの表情である。中堅作家の杉村達吉と、弟子格で達吉と親交のある伊藤半朱との、試写会でのスナップとしてはどこか異様だが、常識の中に絶えず頭を突込んでいて、その中で麻痺《まひ》している人々の眼からは、こういうものの気配のようなものはすべて、お目溷《めこぼ》しにあずかるのだ。ジャーナリストの目からも同じである。欧露巴《ヨオロッパ》のように知っていて滾すか、軽い触れかたで触れるのなら解《わか》るのだ。性《しょう》の悪い恋敵《こいがたき》が介在していない限り、この種の秘密の匂《にお》いは、人々の心理の触角の届かない、はるかに微妙な境にあるのである。

達吉のような男は、大抵の人間の前で、恋の言葉や合図、時には人々への不敵な揶揄《からか》いをすることにさえ、傍若無人であった。自分達が、人々の窺《うかが》い知れない世界に住んでいるのだ、という矜持《きょうじ》からくる倨傲《きょごう》で、常識外のものを嫌う人間の目からは、憎むべき特性である。

「どうした？」

達吉が低い声で、言った。

半朱は横顔に達吉の視線を感じた。

「睡れたか？」

「ええ、……一寸だけ……」

「僕は徹夜だ。もっとも僕のは罰だがね」

「……僕だって、……」

「それが解っていれば感心だ」

疲れたように装《よそお》い、達吉は腕を半朱の椅子《いす》の背に廻《まわ》し、いくらか横顔を半朱の方へ寄せるようにして、言った。

「僕の言う通りに遣《や》るね」

「ええ」

半朱の声は聴き取れぬ程、低かった。

辺りのざわめきが急に歇《や》んで、明りが消えた。

人々は宗教の儀式に臨んだように息を呑《の》み、いつものように、動こうとするものが無理に止められているような止まり方で、独逸《ドイツ》語の字幕が意味ありげに闇《やみ》の中に、美しい甲虫《かぶとむし》の行列を数秒間、止めた。

＊

昨日《きのう》半朱は達吉と「ベラミ」で会ったのだ。六カ月ぶりである。知り合ってから半年前まで、二人が落ち合う場所にしていた、本郷通りの喫茶店の「ベラミ」である。半朱は達吉との間の、兄弟分というような間柄に、それだけではない、微妙なものが出来て来ているのに気づいていながら、深い考えもなく、裏切ろうという気もなく、持前の暢気《のんき》さで、何かのはずみのように、八束与志子《やつかよしこ》の恋を受け入れ、婚約した。

八束与志子は、小柄な、鳶色《とびいろ》の髪に囲まれた小さな顔と、ようよう昨日《きのう》か今日、蜜《みつ》を湛《たた》えはじめたような脣とを持った、十八になる娘である。眼尻が下り気味の、酒に酔ったような眼。淡黄の額に、両側から軽くバングを垂らした髪には、よく見ると黄《き》金色《んいろ》に光ったのが混っている。子供のようでいながら、もう女を中に持っていて、その母性的な、素質が半朱を捉《とら》えた。それまでにつき合った女友達や、関係した女にはなかったものである。こんな娘は他にはいない。この娘より他に、愛していい娘はない。半朱は思った。こんな娘を歎《なげ》かせてはいけないんだ。と、半朱は思った。これが半朱が婚約をした由因《ゆいん》である。

与志子は、半朱が一度好きだと言ったものは、忘れない。少しの間も、半朱を不幸にさせまいとする。（この娘は僕に、血の滴《したた》ったままの心臓を捧《ささ》げてくれている）と、そう想《おも》う時、半朱の腹の底にはたじろぐものがある。だが父親も母親も早く死んで、一人のきょうだいである姉の佐美が結婚して九州に離れて行き、とり残《のこ》された形の半朱にとっては、家庭の味が魅力である。しかも与志子の両親、兄の紀一は細君と倫敦《ロンドン》にいるが、生れた時から紀一と与志子に附いていた老女中なぞの、家ぐるみの歓応は、半朱を中心の団欒《だんらん》である。姉の佐美は二つ上の二十四だが、少年のようだった形を今も残していて、細くて美しい女である。半朱は達吉の性情をうすうす知っていながら、姉の佐美を達吉に会わせたくない、と思っている。半朱は自分ではこういう嫉妬《しっと》を持っていながら、達吉の方の気持に対しては暢気である。甘い砂糖菓子を、自分だけで鉢ごと抱えて占領している幼児と、全く異るところがない。与志子の幸福も、達吉の幸福も、考えたことがあるわけではない。それはその筈《はず》で、半朱は自分自身のこともあまり深くは考えない男である。

半朱が与志子と会うようになってから、半朱と達吉との間は少しずつ遠くなった。それまでは達吉と殆《ほと》ど恋人のようにしていた半朱だったが、気まずいような、達吉に済まぬようなものがあって、達吉の家へ行くのも三度が一度になり、一週間に三度は会っていたのが、一度か、殆ど一度も会わぬというような程度に、なった。偶然会なぞで会うのも入れてである。達吉も口を噤《つぐ》んだように、呼び出しをかけて来なかった。二人の間にあった微妙なものは、達吉の方から出たものだったが、半朱にも共犯意識がなかったとは言えない。それが二人の間に出来た疎遠《そえん》な空気の原因で、あった。その内にとうとう二週間もの間会わずにいるように、なった。

弥生町《やよいちょう》の与志子の家から、森川町のアパルトマンに帰ろうとした半朱は、ふと昔の習慣通りに東大を抜けようとして、裏門を入った。与志子との式が二週間と三日に迫ったために、なんとなしに、昔の習慣のように東大を抜けてみる気になった。それまでは達吉に会いそうな道は避けていたのである。東大の裏門から赤門に抜ける道は殊《こと》に達吉との想い出が深い。達吉を頭に浮べれば、必ず附き纏《まと》う後暗さのようなものがあるので、半朱はそれにふれぬようにしていたのである。

裏門を入ると、午後四時の薄陽が、砂利の一つ一つにあたっていて、両側に開けた芝生や病棟の建物が、妙に明瞭《はっきり》と明るく、見えた。前には達吉と、同じ日に二度も通った道である。

砂利を靴で蹴《け》る音がして、見ると達吉が空を背負って立っていた。此方を凝《じっ》と見ているらしいが、達吉の姿は唯《ただ》大きな、黒い影のように見えた。

傍《そば》まで来ると達吉が、言った。

「珈琲《コオヒイ》飲まないか」

その達吉の調子は、兄弟のようにしていた時分と全く同じである。

達吉との想い出の場面はどの部分も強い色が塗られていて、その場限りのようなところのある半朱の胸の中にも、深いところで残っていた。強烈な匂いのする「ドリアン」の記事を雑誌で見た時、半朱の頭に達吉が、愛用のキリアジの匂いと一緒に浮び上って来た程だ。その達吉の濃い、黒い影が、どこかで半朱に纏いついていて、与志子と一緒にいる半朱の顔を、どうかすると曇らせることも時折は、あった。

殆ど毎月のように、「文芸」や「鹿園」などの文芸雑誌の内のどれかに、どうかするとその両方に発表される達吉の小説を、半朱は読んでいた。その中には「パウロ」、「サドゥの後裔《こうえい》」などという、サディスムの男を描いたものが二つ三つあって、その中に、達吉のような男と、自分に酷似《そっくり》な少年が必ず出て来ていて、それが半朱には恐怖で、あった。それよりも一層半朱を不安にしたのはそれらの雑誌に時折載っている達吉の写真であった。傍にいる友達に微笑《わら》いかけている顔なぞを見ると、達吉の眼は微笑っていない。その微笑っていない眼が半朱を不安にした。達吉という男は微笑う時、眼を平常《ふだん》の儘《まま》開いていて微笑う男だが、写真の微笑いは平常のそれとは異っていた。二三の作家と並んで此方へ顔を向けている一つは、はっとするような恐しい顔をしている。フランス人のような癖の強い、だが美貌の達吉の顔が、醜く歪《ゆが》んでいる。達吉の眼がどうかすると恐しいものを宿すことのあるのを、半朱は知っていたが、その写真のような顔は見たことがないので、これが達吉かしらんと、半朱は眼瞬《まばた》きをして、見直したのである。凝とみていると、呼吸《いき》の止まってしまいそうな眼が、自分に向ってぴったりと、止められているのを感じた半朱は、その写真の出ている雑誌を、書棚の脇の雑誌の山の後に突込んでしまった。宴会場で、横向きに立っているのなぞは、彼らしくない、肩を落したような、寂しげな様子に写っている。

それらの小説の細部や、写真の印象は、どこかで半朱の心に傷痕のようなものを、つけていた。そういう不安なものはあったが、半朱はそういうものを、深くは考えずに、忘れ去ろうとし、又半朱にはそれが出来た。大切に頭に蔵《しま》って置こうと思うものも、忘れ去る半朱であった。

達吉と半朱とは別々な場所で、互いに相手と一緒でないことを不思議がられて、訊《き》かれたが、達吉は苦笑いをして、「彼奴《あいつ》は裏切り者だよ」と言い捨て、すぐに他の話に話題を変えた。半朱は人に訊かれる度に、「この頃あんまり、僕……」と、そう言って、狼狽《うろた》えたような様子をした。事情に幾らか通じた人が、重ねて、「デイトの方が急《いそが》しいんでしょう」と、追及すると、洗いっ放しのような髪に手をやって横を向いたが、そういう時、美しい彼の横顔が、少年のように紅《あか》らむのを、人々は見た。

稀《たま》に出版記念会なぞで、半朱は達吉と出会ったが、達吉は向うから傍へ来て、元と変りのない言葉つきで、二言三言何か言ったり、微笑ったりし、一緒の車に乗せて、半朱をアパルトマンの入口まで送って呉《く》れたりもしたが、車の中でも、多くは横を向いて黙っていて、手短かに八束家のことなぞを訊く位で、あった。だが会っている時には不機嫌なところもなく、まして恐しい顔なぞはどこにも見えない。すべてが極く自然で、冷淡な、不親切な、というところなぞは、どこにも見えない。唯、今まで此方を向いていた人間が、目立たぬ程度に横を向いた、とでもいうような、そんなようすで、あった。

それがその日は、今までのそんなようすを拭《ぬぐ》って捨てたように、全く前と同じの調子で、ものを言った。そうして半朱にもそれが当然のことに、感ぜられるので、あった。

「うん」

と、半朱は応《こた》え、前にそうしたように、達吉と並んで、歩き出した。

二人の足は図書館の横を通って、赤門を出た。夏の終りの午後の光の中で、東大の赤い煉瓦《れんが》と、砂っぽい鋪道《ほどう》とが乾いている。電車通りを横切って、二人は肴町《さかなまち》の方へ向って歩いた。「ベラミ」は三丁程行った農大前の辺りに、あった。

達吉は（八束の帰りか）とも訊かない。半朱は達吉の顔を横から、チラリと偸《ぬす》みみたが、その儘眼を伏せて、歩いた。運命が元の道へ撚《よ》りが戻りはじめたとでもいうような、不思議な気が、胸の底ではしている。

不意に達吉が、言った。

「式は何時《いつ》？」

「来月の五日、……」

「ふむ」

それ切り達吉は再び黙った。

「ベラミ」の前に来ると、いつもの習慣で、達吉が先に、入った。中は暗くて、ガランとしている。いつもそんな店である。その日も入口の近くに、珈琲を飲んでいる学生が一人居た切りだ。学生は直《す》ぐに出て行った。達吉が「珈琲二つ」と、言う。顎《あご》の短く角い、長閑《のどか》な顔のボオイが、囲いの中に潜《くぐ》って入る。少時《しばらく》すると淹《い》れた珈琲をシェーカアに入れて、氷と一緒に振る音がする。半年前と同じである。達吉は、氷を入れて急激に冷たくした砂糖なしの珈琲を、愛用していた。半朱はそれに、好きなだけ卓子の砂糖を入れるのである。すべてが前と同じなのが、半朱には不思議なようにも、又当然なようにも、思われた。

半朱は与志子の母親の八束須賀子と、与志子との三人で銀座のデパートに行って誂《あつら》えた、灰色にチョオク・ストライプの夏服に紅紫の艶《つや》のない紋織りのネクタイをしている。襯衣《シャツ》だけはクリイムがかった白の、襟《カラ》の先の丸い、達吉の好みで着せているものだが、すっかり変った服装は、上着の内隠しにある、与志子が贈ったベエジュ色の豚皮の札入れから、洋袴《ズボン》の後隠しに入っている同じ皮の靴ベラ、胸の隠しに突込んだ白麻に同じ白糸でイニシャルを縫った手巾《ハンカチ》まで、すべて新しい環境の中の色彩を現していたが、それらの色彩も、達吉と二人で居る、前と同じの雰囲気《ふんいき》の中では、難なく達吉の色の中に溶解してしまって、いた。

ボオイが珈琲を運んでくると達吉は、煙草《たばこ》を言いつけた。達吉はキリアジを切らさずに持っていて、外《そと》で煙草を買ったことなぞはないのだ。それにその日は三丁目の角の喫茶店まで外国煙草を、買いに遣った。

半朱は横を向き加減に、腰かけていた。もう少しでビート族めいてくるぎりぎりの線で仕立てた細身の洋袴の足を組んで、膝《ひざ》に白い手を置いている半朱は、先刻から何か分らぬ予感に襲われている。伏せた眼は、席についた時チラと達吉を見上げた切りである。達吉は、椅子の背中に右腕を投げかけ、半朱から見ると左肩の上ったいつもの癖のかけ方で、下眼遣いに半朱を見ていた。獲物を前に置いた野獣のような、残忍な光が眼の中にあって、攻撃的に見えたが、胸の中には寂寥《せきりょう》が羽搏《はばた》いている。半朱が達吉に馴染《なじ》み始めた頃に評したことのある、悪魔的な眼、が妙に大きくなって、半朱を視《み》た。

「式は五日と言ったね。もうそれは決まったんだね」

半朱は愕《おどろ》いて、顔を上げた。

「君は僕を裏切るんだが、……それを君は知っているんだろう？」

「僕の心臓をずたずたにして、それを向うへ贈物に持って行こうというんならお誂え向きだ。……僕はその通りになっているよ」

半朱は顔を伏せ、固く脣《くちびる》を結んで、黙っている。

少時《しばらく》黙っていた後《あと》で達吉が、言った。

「聴えているのか？」

半朱は脣を嚙《か》み、顔を外《そ》らせた。眼を閉じているような長い睫毛《まつげ》に、涙が盛り上るのが、見えた。

「どうしたんだ」

達吉が、言った。

「裏切ったのは解《わか》っているんだね」

半朱の頰に涙が二筋になって、撚《よ》れるようにして、伝わった。熱があるように紅くなった脣が顫《ふる》えていて、それを必死に嚙み締めている。小鼻に力が入り、耳朶《みみたぶ》が紅くなっている。

沈黙が、流れた。

半朱の横顔にじっと眼を当てると、その眼を達吉は外した。

「………………」

「まあいい。半朱のすきなようにするさ」

打って変って暖かい声で達吉が、言った。珈琲の洋杯《コップ》を取り上げる音がした。一口飲むと、洋杯を卓子に置いた。再び後へよりかかった達吉は、半眼にした眼を天井に向けていた。ひどく泣いて、涙が涸《か》れ切った人のように妙に乾いた眼である。

半朱が立上った。

「おい」

振り返る半朱の目蓋《まぶた》の薄紅くなった眼に、白い達吉の手巾が、痛いもののように映った。

半朱は手巾を取ると、足速やに奥の手洗いに、立った。

扉が開いて、ボオイが手にキャメルの罐《かん》と釣銭とを持って入って来た。

「やあ、ご苦労」

ボオイの手から釣銭と煙草の罐とを受けとり、達吉は釣銭の中から勘定を伝票の上に載せ、脇《わき》の棚に載せてあった新刊らしい白水社の紙包みの方に手を出した時、半朱が帰って来た。半朱の後で電燈《でんとう》が点《つ》いた。達吉を見ようと、眼を上げかけて、直ぐに又伏せた半朱の、涙の痕《あと》を洗い流した薄紅い顔がこの上なく可憐《かれん》に、達吉の眼に映った。達吉の眼はその可憐な顔の内側にあるものを確めるように見ながら、罐に包みを持ち添えて、立上った。

半朱は眼をチラと上げて達吉の眼を覗《のぞ》き、固く締ったネクタイの内側に指を入れ、習慣的に一寸《ちょっと》弛《ゆる》めるような仕科《しぐさ》をし、達吉の後に従った。

「伝票もここへ置いたよ」

「有難うございます」

ボオイの声が後でした。

本郷通りは薄暗くなっていて、乾いた鋪道が白く、二人の行く手に次第に狭まり、帯のように続いている。達吉の顔は幾らか青ざめている。バスの停留所の標識の黄色、埃《ほこり》を被《かぶ》った銀杏《いちょう》の緑、煉瓦の紅、濃灰色の影になって動く人々、尾を垂れて二人の脇を行く赤犬、何もかもが半朱の眼にも、達吉の眼にも、先刻とは変ったもののように、映っている。

並んで歩くと達吉の方が五糎《センチ》ほど、半朱より高い。二人は諍《いさか》いをして仲直りをした兄弟のように、黙って歩いた。二人の足は自然、長い間の習慣に従って三丁目の方に向った。

浅嘉町に家のある達吉が、森川町の半朱のアパルトマンに寄る。或《あるい》はその反対に半朱が達吉を誘う。そうして「ベラミ」でトオストに、持参の果物なぞで何時間も遊んでいることもあるが、大抵は三丁目から切通しを下りて山下に出て、池の端で麦酒《ビール》を飲むか、酒場《バア》の「エデン」に入る。そうしてタクシイで帰るが、昼間で天気さえよければ弥生町の坂を登って東大を抜けて、達吉が、半朱を送って行く。これが二人の二年間の散歩道で、あった。

「此方《こっち》を向いて御覧。まだ眼が少しおかしいな」

達吉が眼にかすかな微笑いを含んだ顔で、言った。

半朱は達吉を見たが、その眼はすぐに深い睫毛の影に、隠れた。

男にしては細い首を白い襟《カラ》がとり巻いている。まだもとに戻っていない紅い耳朶が、半朱の精神の高揚していることを示している。歓《よろこ》びも、哀《かな》しみも、怖れさえもが一種の女のような精神の高揚の中でなされるのが、半朱の特殊な精神状態であった。一面に抜けた、暢気《のんき》なところがあって、自分の内部を見詰めることも知らない。なんとなく軽々しく裏切りを遣《や》って、ぬけぬけとしている。そんなところを見ると達吉の胸に強烈な憎しみが湧《わ》いて来て、どんなことをやってでも、手許《てもと》へ引き戻して遣らずにはいられなくなるのである。

達吉は半朱と離れていた期間に一度、半朱が銀座を歩いているのを、そっと見ていたことがある。富裕な事業家の愛婿《まなむこ》といった感じの若紳士になりすましていて、ネクタイと同じ色の手巾《ハンカチ》なぞを覗かせ、達吉のことなぞは忘れた顔で、一寸眉《まゆ》を釣りあげて綺麗《きれい》な眼を見はる得意の眼つきで辺りを見たりしながら、歩いていた。そんなところを見ていると、体が燃え上るようになって来て、捉《つかま》えて厭《いや》という程とっちめて遣りたくなる。そうしてさてとっちめてみると、俄《にわ》かに自身の内部に気づいた様子で、女のような昂奮《こうふん》をして、切ない苦しみようをするのだ。すると気の毒になって、どうかして遣らないではいられなくなる。だが達吉の理性を昏《くら》ますものが、その哀れなようすの中にはある。達吉の胸に再びわけもなくとっちめてやりたい慾望《よくぼう》が、頭を持上げてくる。達吉はそんな時、冷たい戸外《そと》を長い間歩いて来て、湯に浸《つか》った人のように、指先の末まで生温くなった血が走りすぎ、一種の甘美な状態に陥ることを防ぐことが出来なかった。その欲望を抑えるのにはかなりの精神力が、要るのだ。

半朱にやきを入れて、半朱に自分の内部を覗かせてやるのは、易《やさ》しかった。だが六カ月もの間半朱と楽しい出会いをせずにいて、寂寥の胸の中を戸外の風に晒《さら》すようにして来た達吉は、その成功にそこばくの危惧《きぐ》を感じていた。口を切る前、達吉の胸にはかすかにではあったが、不安が波立っていたのである。半朱のいい加減な、軽々しい様子をみていると、どこまで新しい環境に溶けこんでいるのか、それが測量出来ないのだ。

だが小鳥はもう僕のものだ。と、達吉は想《おも》った。だが手綱は弛めてはならない。八束与志子という娘の方は爪《つめ》の先まで半朱に上せあがっているのに違いあるまい。そうして半朱にはお人好《ひとよ》しなところがある。それが世間に向いた面で、半朱の女のような軽薄さや、狡猾《こうかつ》なところなぞから当然受けとられる筈《はず》の不愉快を払拭《ふっしょく》しているらしいのだが、そういう半朱の亀《かめ》の腹の部分が、どんなことで僕の計画の齟齬《そご》を招くか、それは予想出来ない。

三丁目に来た時達吉が、言った。

「山下まで歩かないか？」

「ええ、……」

嗚咽《おえつ》の吃逆《しゃっく》りの籠《こ》っているような声で答えた半朱のようすに、躊躇《ためら》いが、浮んでいる。

切通しの坂は既《も》う暗かった。

「もう苛《いじ》めないよ。それともまだ僕を裏切っているのか？」

半朱の眼が切なそうに達吉を見、再び胸の辺りに落ちた。達吉は半朱の肩に、手を置いた。

「もういいよ。『エデン』へ行こう。サンドウィッチがあったろう、あそこには。僕は飲みたいんだ」

二人はネオンや街燈の灯の点々と点《とも》りはじめた三丁目を背にして、切通しの坂を下りて行った。

その日から半朱と達吉とは元の間柄に、還《かえ》った。「エデン」で金を払う時、隠しの中にあった「処女」の試写の切符を達吉が半朱に遣ったのである。

＊

アパルトマンの部屋に帰った半朱は、着崩れた背広の儘《まま》寝台《ベッド》の上に仰向《あおむ》けに、倒れた。

小さな顎が、倒れる前に捻《ひね》ったスタンドの光の中に、咽喉《のど》から続く薄い影を見せて仰向いている。スタンドの明りを眩《まぶ》しそうに首が横に捻《ねじ》られる。白い手が胸に行く。まだ動悸《どうき》が搏《う》っている。手が下に落ちて、しなやかな細い体が蛇のようにひとうねりし、又もとへ戻った。手を再び心臓の上にあて、半朱は長い間、そうしていた。腫《は》れがひいて、瞳《ひとみ》を上瞼《うわまぶた》にひきつけた眼が、女のように深い艶を湛《たた》えている。

ふと腕が倦《だる》そうに寝台《ベッド》に落ち、半朱は耀々《きらきら》する眼を凝《じっ》とひとところに止めた。

（僕は僕たちがドリアン・グレイやいつか達吉が言ってた希臘《ギリシャ》の小さな娼婦《しょうふ》と、貴婦人の華客《おきやく》みたいな、身体《からだ》的のものだとは思っていなかったんだ。達吉のいってるフリルテで、フリルテだから誘惑的だし、悪魔的なんだと、そう思っていたんだ。今日のような目に会うなんて、僕は思ってもいなかった。ほんとうに呼吸《いき》が出来なかった。苦しかった。……知っていれば行かなかったんだ。往来だから逃げられたんだ。……だけどどっかで僕は予感していたような気がする。こうなるような予感が、ずっと前から、そうかも知れないんだ……)

半朱は手で咽喉を抑え、枕《まくら》に横顔を圧《お》しつけて、暗い眼を炎のようにしてスタンドの火影のあたりに、据えた。

(与志子のところへこれから二度行くのか。達吉が「ベラミ」で待っていてくれて、後はすぐそこへ行けるんだけど。その次は達吉が文句を考えた手紙を書けばいいんだ。それがすめば後は達吉と一緒だ。旅行に行くんだ。……)

倦《だる》いのか片足をくの字に曲げた時、臙脂《えんじ》に黒い模様のあるナイロンの靴下の足に、先刻《さつき》夢中で隠しから掴《つか》み出して寝台の上に放り出した札入れや万年筆と一緒に落ちていた白麻の手巾が、引っかかって来た。

半朱は溺《おぼ》れる男が藻《も》かなにかを足から掻《か》き落そうとするような動作で、足で手巾を寝台の下に蹴落《けおと》そうとしたが、手巾は毛布の端に引っかかって止まった。

半朱は急に起き上ると背広を脱ぎ、寝台の背からパジャマを取り手早く着ると扉口の脇のスウィッチを押して天井の電燈を点け、何を思ったか鏡にタオルを被せ、毛布を頸《くび》の下まで引被《ひきかぶ》った。

(達吉が一緒なんだ。こわいことがあるもんか。達吉のような強い共犯者が僕にはいるんだ)

半朱は自分に言い聞かせるように、心に呟《つぶや》いた。

幾度か寝返りをうち、やがて頭まで毛布を被ったが、毛布の下で半朱の体は微《かす》かに悶《もだ》えるようにうごめき、それが少時《しばらく》の間、続いていた。

*

翌朝、達吉は睡《ねむ》らなかったらしく、いくらか重い瞼を下眼に、寝台《ベッド》に半身を起して枕を下にかい、煙草《たばこ》をふかしていた。

紙巻の灰に気づくと、首を延ばして小卓の灰皿に捨て、新しいのに火を点けた。開けたままでしまった仏蘭西《フランス》窓が風で船の艪《ろ》のような音をさせて、時折あおられたように動いている。擦《す》った燐寸《マッチ》の匂《にお》いと一緒に、ジンをかけて燻《くすぶ》りを止めた灰皿が、強い匂いを立てた。「エデン」からもって来たジンの壜《びん》が半分になって明るく、透《すきとお》っている。原稿紙の重なった上に万年筆と燐寸が載っていて、七八枚らしい止め金で綴《と》じた原稿が、二つ、寝台の背に載っている。窓際《まどぎわ》の暗緑色の硝子《ガラス》の壺《つぼ》に、牛乳珈琲《ミルクコオヒイ》の色に枯れた月桂樹《ロオリエ》の葉が二本挿してあって、風で時折廻《まわ》っては、止まる。濃い緑と焦茶《こげちゃ》の大型のチェックの毛布を跳ねのけ、黒人の頭《あたま》髪のように緻密《ちみつ》な黒い髪に手を遣って、かきまわすようにした達吉は、チラリと充血した眼を小卓の上に落すと、飛び起きて隣の浴室に入り、シャワアに掛かって襯衣《シャツ》を代え、部屋に帰ると窓を閉め、再び寝台の背に寄りかかって、ジンを注いだ。

半朱の部屋が、達吉の眼に浮び上る。背広もネクタイも脱ぎ散らしてまだ睡入《ねい》っている半朱が眼に見るように、浮んでいる。

(今頃は小児《こども》のような顔をして睡っているのだろう)

ふと達吉の体に、電流のように燃え上るものが、走った。ジンの洋杯を離した脣に恍惚《こうこつ》が塗られ、眼には暗い火が、あった。

昨日《きのう》の夜「エデン」で、ジンとウイスキイとをたてつづけにやった達吉は、扉口で何かに躓《つまず》いて、半朱の肩に倒れかかった。半朱の肩は小さく、筋肉が締っていて、バネの利《き》いた細い体は思ったより力がある。達吉は瞬間、生きた儘の皮を剝《は》いで庖丁《ほうちょう》を入れた、海老《えび》の下造《したごし》らえを聯想《れんそう》した。

戸外《そと》へ出てタクシイを止め、半朱を先に乗せ、後から乗り込んで扉を締めると、達吉はいつものようになく酔っているのに気づいた。腕を半朱の背の辺りに延ばして、腕の上に顔を伏せた。車が揺れると顔が前にかしいで、頰が半朱のそれに殆《ほとん》どふれそうになる。

半朱は達吉から受けた衝撃が、まだなくなっていない。そこへ追い撃ちのように八束の家への計画が囁《ささや》かれている。八束に行く時には「ベラミ」で僕が待っているのだ、という達吉の言葉はあるが、不安は殆ど胸を圧し潰《つぶ》しそうである。「エデン」で捗々《はかばか》しい応《こた》えの出来なかった時、一度達吉に残酷に突放された。「僕がついていても怖いんなら、この話は止《や》めよう。あっちの方を又続けるさ」と、達吉が、言ったのだ。半朱はディヴァンに倒れ、少時《しばらく》して弱々しい手を達吉の膝《ひざ》のあたりに、かけたのだ。達吉はその手を膝の上にもって行って、軽く弄《もてあそ》ぶようにした。「勇気を出して遣るさ。僕は平気だと思っているんじゃあないだろうね。ハンスのことだから危い」そう言って達吉は、半朱の手を持った儘左手で、ジンを溢《あふ》れる程注いだのだ。

半朱は達吉の胸と腕との囲いの中に、嵌《はま》り込んだような形になったのが、ひどく安楽な、懐《なつか》しい気がするので、そこへ体を潜めるように、していた。不意に車が烈《はげ》しく揺れて、その拍子に半朱は達吉の胸の中へ倒れこんだが、半朱はそのまま起き上ろうとしなかった。半朱を胸によりかからせた儘、シイトに頭をがっくり落した達吉の顔は、青ざめた額のあたりに陶酔《うっとり》としたものが霞《かす》んでいて、眼には哀しみに似た光が、宿っている。ネオンの反射が時折、その顔を青白く染め、或は何かの影が黒い、ゆらゆらする太い縞《しま》をその顔の上に映し出したりする。

車が切通しの坂を登り始めた。達吉は首を起すと介抱するように装《よそお》い、半朱の髪に指を埋めた。半朱の頭は達吉の胸の中に死んだように凭《もた》れかかっている。手探りで顎《あご》に手をかけ、仰向かせると半朱の顔は達吉の眼の直《す》ぐ下に、あった。瞼の二重が彫ったように深くなって眼をとり囲み、病気になった子供のような顔である。しんから怖れ、達吉を信頼して眼を凝《じっ》と見開いている。毒矢の傷痕に薬を塗ってくれる医者に向ける、土人の子供の眼のように、半朱の淡い褐色の透った眼が、幾らか瞼を下ろしては大きく又見開く。ものを問いたげな表情をする。ふと見入るのに疲れたのか、半朱の眼が無表情に斜め下に、外《そ》れた。色の褪《あ》せた唇《くちびる》が、半ば開《あ》いている。

達吉は全身が、半朱への哀憐《あいれん》の感覚の中に溶け去るのを覚え、手で半朱の頰を囲んだ。達吉の指先は、ひどく触ると壊れてしまう美しい小動物を支える、少女の手のように、みえた。溶けるような眼差《まなざ》し。脣は微笑《わら》いかけるような形に弛んでいる。再び達吉の眼に還った半朱の眼に、安堵《あんど》と甘えとが、浮んだ。

達吉は昔ひどく愛していて死なせた小犬以外に、このような可憐さを見たことがない。僕の生涯の想いをその中に罩《こ》めて、僕の中の、僕の全部を煮溶かした無我の中で、半朱に接吻《せっぷん》をして遣りたい。半朱のためなら僕はなにも要らない。この儘死んで遣ってもいいのだ。達吉は想った。だが半朱は恐れるだろう。半朱は女の精神と、ひょっとしたら女の性を持って生れたような奴《やつ》だ。今だってヒステリックになっているのだ。ふと達吉は苦笑いをした。僕だって、いざとなったら、そこまで精神が夾雑物《きょうざつぶつ》なしになれるかどうか、疑問だ。人を誑《たぶら》かすからくりのような小説を、もっと書いて置いて死にたいなんぞと思うのだ。だが今僕と半朱との間には何もない。と、達吉は想った。月も日もない。世間もない。二個の別々な人間なんだという、人間同志の間にある、永遠の寂しさも無い。達吉は精神の高揚と同時に、性の高揚を、おぼえた。今は軽く結ばれている半朱の脣は、上下《うえした》にある窪《くぼ》みが小さな影を作っている。ついこの間まで母親の乳首を吸っていた少年の脣のように無心で、その結んだ表情には、今日半日の怖《おそ》れと哀しみとが、刻まれている。だが運転手の背中が気になるだけではなく、達吉はこの上半朱を愕《おどろ》かすことを、怖れた。

達吉は顔を半朱の上に伏せ、熱を見るかのように掌《てのひら》を半朱の額に被せ、その掌の蔭《かげ》で額に脣を触れた。酒精《アルコオル》ランプに温められた蒸溜《じょうりゅう》水のような、清潔な汗の匂いと、オーデキニンらしい甘い、湿った髪の匂いとが、一瞬達吉の頭を空《から》にした。達吉はその儘半朱をもとのように胸の上に凭れさせると運転手に声をかけて、伴《つ》れが気分が悪いんだ、と言い、スピイドを落させて、半朱をアパルトマンまで送り届けてやったのである。

＊

半朱は寝台《ベッド》に浅く腰をかけ、白い手に黄味の少ない苔緑《モスグリーン》の山羊《やぎ》皮の手袋を嵌《は》めてみていた。

試写会の前の日の、夢のような出来事からもう七日の日にちが経《た》っている。試写会の帰りに銀座で、達吉が誂《あつら》えて呉《く》れた深い栗色《くりいろ》の、ラグラン袖《そで》の胴の弛《ゆる》いオーヴァーに合せて、昨日八束の家の一回目の訪問が済んだ夜、車で銀座まで行って選んで貰《もら》ったものである。ぴっちりと苔緑のステッチの入った手袋の嵌った華車《きやしや》な両手を、軽く握ったり弛めたりし、立上って鏡の前に立った半朱は、手袋を嵌めた手を鏡に映してみた。眼と眼の間の一寸《ちよつと》離れた、可憐《かれん》な美貌《びぼう》が、悩んだ痕《あと》を残して血色がなく、脣《くちびる》だけが薄紅《うすあか》い。

栗茶のゆったりとしたオーヴァーを眼に描いて顔と手袋との調和を想い描くと、半朱の顔に満足の微笑が、浮んだ。耳の辺りにも幾らか紅みが上《のぼ》って来た。手袋を脱いだ白い手で、半朱は洗ったばかりの髪を掻《か》きまわすようにし、寝台《ベッド》に腰を落すと左手で耳の後をかきながら上眼遣《うわめづか》いに艶《つや》のある表情を浮べ、微かに脣尻《くちじり》を吊《つ》り上げた。そうして寝台《ベッド》に崩れるように横になり、耀々としたものを眼の中に浮べ、呟《つぶや》いた。

(達吉の家《うち》に僕の新しい寝台を買って入れるんだって。寝台が一つじゃあ、全くおかしいや)

昨夜「ベラミ」で八束へ行く前に、達吉と会っていた時だ。ボックスに並んで掛けていて、ボオイが奥へ入った隙《すき》に、後へ寄り掛っていた顎《あご》を抑えられて烈しい、灼《や》くような接吻を受けた半朱は、愕くよりも先に力強いものを、受けとった。ブルゴオニュの紅のような渋味のある、それでいて甘い、接吻である。嚙《か》みつかれたような最初の感覚が、異様さも、常態でないことも感ずる暇を与えない。顔を離した達吉の、不敵に据った眼と、恋の火を残している脣の、微笑《わら》うとまで行かない表情を見た半朱は、胸に動悸が搏《う》ち、達吉の懐しい顔を見た後《あと》、そこら辺りの風景、半分残ったジンジャエールの壜の透明な薄緑、二つ三つ残ったサンドウィッチの空皿のパセリ、氷の残った洋杯《コップ》、燃え残りの燐寸《マッチ》、キリアジの罐《かん》、昼でも薄暗い店の中に浮き出している卓子掛けの白い色。なにもかもが、烈しい一瞬の前と、全く変貌したのを、感じた。頼もしい、キリアジの匂いの強い、懐しい世界である。

「今日はハンスは浮気に行くんだから、夜は僕と一緒だ。いいね」

半朱が店を出る時、半朱に前から約束していた、力づけの為《ため》の握手をしながら達吉が、言った。

不思議な戦慄《せんりつ》が半朱の背筋を走り、半朱は手を離そうとしたが、達吉の手は半朱の手を確《しっか》りと握り締めていて、びくともさせない。半朱は紅くなって額にたて皺《じわ》をよせて、眼に哀願するような色を浮べた。

「早く行きたいんだろう？」

達吉は微笑って、手を離した。

その夜は急に気温が落ちて「ベラミ」の扉口の硝子戸《ガラスど》が曇っていた。九時十分過ぎに、約束の時間十分遅れて「ベラミ」の扉を開けた半朱は、不安な眼をしていた。

「まだ全然わからない。だけど一寸変に思ったらしいんだ」

「それでいいんだよ」

達吉は、

「珈琲《コオヒイ》を熱くして二つ」

と、首を後《うしろ》に捻《ひね》って言い、半朱の方に向き直った。

「だんだん判《わか》って来るんでいいんだ。判ったからと言って、何も起る訳じゃあないんだ。解《わか》るだろう？　幾度も僕が言ったろう？」

「うん」

「向うは諦《あきら》めるより他に、どんな工夫も出ようがないさ」

半朱は運ばれて来た熱い珈琲を飲むと、不安も幾らか治《おさま》ったようすで、二人はやがて、「ベラミ」を出て、車で銀座に出て手袋を買い、達吉が行きつけなので遅く行って肉汁《スウプ》だけでも注文出来る、「銀の塔」に寄って軽い夜食を摂《と》って、帰った。

「銀の塔」の温かな部屋の殆ど動かない蠟燭《ろうそく》の炎が、薄褐色《うすちゃいろ》の分厚い洋杯と、木の台に嵌った燻《い》ぶしたような銀色の皿の中のロシア風の肉汁、銀の大きな匙《さじ》なぞを赫々と照らし出している中で、半朱は不安を忘れた。

部屋の隅の卓子の上の何かの壺の、細かな白い花の塊、鈍い銀の肉刺《フォオク》、ごついアルコオルランプの上に載った銀色の皿、なぞを背景に、達吉が微笑ったり、麪麭《パン》を千切ったりするのを見ながら、半朱は達吉に、（ブリュウジュ・ラ・モルト）の前半の話を、聴いた。（後半は詰らないよ）と、達吉が言った。

達吉はフランス文学を遣《や》っていた男だったが、今では作家の生活が主になっていた。

美しい、蠟のようになって死んだ恋人の髪を截《き》り、硝子の飾筺《かざりばこ》に入れて保蔵する男の話である。美しい女の描写をするところになると達吉の話は熱をおびて、その眼は半朱の顔に、飽くことのない凝視をあてた。

「面白いか？」

「うん。……フランス人って、あ、ベルジック？　凄《すご》いことを書くのね。……」

「面白い文句があるんだ、その中に。危いところで賢こさを失わない接吻、ていうんだがね、僕には解るね。解るか？」

そう言って、達吉は、微笑った。

帰りの車に乗ると半朱は、再び不安が襲って来るのを、感じた。達吉が、言った。

「元気を出すんだ。ね？　もうあと一遍だ。心配したって、しなくったって結果は同じなんだ。解るだろう？　たとえ悪い結果が出たって僕と一緒だ。悪い結果が出たって半朱の罪という訳じゃあない。そうかといって僕の罪でもない。みんな自然の成りゆきなんだ。解るね。……」

半朱は達吉の胸に肩を寄せ、窓の外に映っては後へ行く街の光を見詰めながら、大きな翼の中に囲われている、一羽の小鳥のような自分を、感じた。その大きな翼の感覚はその夜もつづいて、達吉の寝台の上で半朱を襲い、温め、羽毛《はね》でなされるような柔かな愛撫《あいぶ》に移って暁近く、睡りに落ちた半朱の顔には甘い、安らかな色が、あった。

昨日《きのう》から昨日《きのう》の夜につづいた、不安な、そうして甘い、夢を、追想していた半朱は、苔緑の手袋を本棚の洋燈の脇《わき》に置き、達吉と約束した夕食をくいに出る仕度を、始めた。

＊

最後の訪問の日、達吉は友達から車を借りて、夜の九時に、八束の家の塀《へい》の脇に止めていた。半朱が頼んだのでもあるが、達吉は半朱を永遠に八束の家から掠奪《りゃくだつ》することが、一秒でも早いのを望んだのでも、あった。

約束の九時が十五分過ぎた時、半朱が与志子と縺《もつ》れ合うようにして出て来たので、達吉は素早くハンティングの庇《ひさし》を深く、下ろした。

半朱が、言った。

「どうして今日はそんなことを言うんだ。僕又来るのに」

「ごめんなさい。でも半朱さん先刻《さっき》、お別れのような眼をしたのよ、たしかに」

「そりゃあ、……何時《いつ》だってお別れのような気分がするって、いつも言ってるじゃないか。日曜日に来るの、……僕は待ち切れない位なんだ」

「でも、……あたし半朱さんに、……お別れするような気が、……」

半朱は車の方を気にしながら、与志子の肩を捉《つかま》えた。そうして胸に引き寄せると、辺りを見た。与志子の方は夢中のようで、半朱の胸に体を投げかけ、確りと半朱のレエンコオトの胸を、小さな手で掴《つか》んだ。半朱は与志子の背を柔《やさ》しく抱え、片方の手で伏せていて上げようとしない頭を撫《な》で、騙《だま》すようにして顎に手をかけ、ひき起した。涙で光った眼と頰とが半朱の眼の下にある。半朱はびっくりした顔を装い、

「どうしたの？　与志子は。又日曜に来るのに」

その半朱の調子で幾らかなごんで、微《かす》かに微笑いを見せた与志子の脣に、半朱は必死の思いで熱い、烈しい接吻《せっぷん》をした。恐怖が背中から半朱を、抱きしめている。少時《しばらく》して脣が離れると、与志子は羞《は》じらうように半朱の胸に顔を伏せたが、その時半朱が敏感に車のある方に、振りむいた。車の後《うしろ》から男が二人来るのが見えた。

「誰か来たよ、……」

二人は離れ、手と手を固く握り合って眼を合せたが、与志子はその時始めて止まっている車に気づいて飛び離れるように門のところまで行き、髪を直すようにしながら、凝《じっ》と半朱の眼に見入り、

「きっとよ」

そう言って俄《にわ》かに後を向き、門の中に走り去った。

半朱はチラリと車に眼を遣り、与志子の姿が見えなくなるまで見ていたが、与志子は、もう、振り返らなかった。

半朱は一瞬、躊躇《ためら》いを見せたが、直ぐに車に近づいた。

達吉が開けた運転台に乗り込むと、手巾《ハンカチ》を出して脣をぐいぐい拭《ふ》きながら、

「可怕《こわ》くって。……後《うしろ》から可怕いものが抱き締めてた、接吻の時」

半朱はそう言うとがっかりしたように達吉の肩に凭《もた》れかかった。達吉がその肩を突き戻すようにして言った。

「可怕いものってのは僕だろう?」

「ちがうったら、知ってる癖に」

達吉は時計を見た。

「直《す》ぐこの車が出発したら変かな」

「まさか」

車は八束の家の前を通り抜け、大分さきの角で車を廻《まわ》し、東大前の通りへ、出た。

「僕の家《うち》へ来るだろう?」

車が動き出すと、達吉が言った。

「うん」

そう言って半朱は体を捩《よ》じって車の後《うしろ》を見返った。濃紺の綿ギャバのレエンコオトを、首から被《かぶ》るように着た半朱の、コオトの襟《カラ》から覗《のぞ》いた白い頰と、反《そ》り気味の小さな鼻、尖《とが》らせたような脣《くちびる》を、達吉は運転に気を取られながらも、自分もそっちへ首を捻《ね》じって下眼に見遣り、頰をつけるようにしながら、言った。

「じっとしてろよ。危いよ」

もとへ顔を戻しざま半朱の眼が、達吉の暗い火花を出している眼を見取った。半朱の接吻を見た達吉は、厚地のレエンコオトに包まれた半朱の体を、燃え上るような想《おも》いで受け止めていたのである。

半朱は体をもとに戻し、再び達吉の肩に寄りかかった。半朱の白い手が達吉の脚の上部に、柔しく置かれ、顔を擦《こす》りつけるようにする半朱の前髪が、小犬のように達吉の頰に触った。

車が団子坂を上って肴町を折れ、達吉の家のある銀行の角を曲ろうとする時、カアヴを切りながら達吉が、言った。

「今夜は覚悟しているだろうね」

半朱は体を固くし、達吉の肩に顔を低く、伏せた。

＊

八束与志子に約束をした日曜日を次の日に控えた、土曜日の午後、半朱は達吉の部屋にいた。

象牙色《ぞうげいろ》の襟のついたスウェータアに灰色のジインパンツの半朱は、達吉と買って来た旅行鞄《かばん》の鍵《かぎ》を開けてみたり、新しい毛布やタオル、白いタオルのパジャマ、旅行用の櫛《くし》、なぞに気を取られていたが、時々不安な眼をして、手を止めた。

達吉の家に宿《とま》っていた一昨日の金曜日の朝、半朱は達吉の文案で与志子宛《あて》の手紙を、書いたのである。

手紙はひどく短いものである。

達吉の文案の文句は、本人の半朱が書いてもこれ程半朱らしくはあるまいと、思われるものである。

―――――

《僕は日曜日には行かない。

婚約も止《や》めた。

もう一月位前から、気が変ることが出来たんだ。

僕は変らない友情を君に持っている。

僕が悪いと思わないで、

どうしても駄目なことが出来たんだ。

ハンス》

半朱は森川町まで自分の便箋《びんせん》をとりにやらされて、朝食を片づけた後の卓子でそれを書いたのだが、達吉の文案を見ると半朱は瞬間、抵抗出来ぬ一種の興味を持ち、すらすらと、書いたのだ。

書き終ると半朱は、指先に、厭《いや》な虫に触れたような感覚をおぼえ、ペンを放り出して卓子を離れ、寝台《ベッド》にかけて、達吉が封筒に入れ、封をするのを、恐れた顔つきで、見詰めた。

達吉にインクに浸したペンを持たされて書いた表書きの字は、ひどく顫《ふる》えて、二度書き直しをした。

半朱と達吉とは朝食後の散歩に出て「ベラミ」に入り、「ベラミ」のボオイに、その手紙の投函《とうかん》を、託したのだ。

白いパジャマの柔かな手触りを歓《よろこ》んで、両手ですくい上げ、頬に擦りつけたりしていた半朱は、それを離し、寝室《ベッド》に来て、横になり、不安な眼で、達吉を見た。

「もう着いたね？」

「朝着いたろう」

半朱は小さな呼吸《いき》をついて、仰向《あおむ》けになった。

「どうした？」

達吉は半朱の傍《そば》に寄って、半朱の胸の釦《ボタン》を外ずし、手を差し入れ、心臓の上に、手を置いた。半朱は小さな顎《あご》を、薄い影をみせて仰向き、更に壁の方に横向きに首を落した。半朱は微かに体を捩《よ》じった。

「心臓に手をあてちゃ駄目だ。動悸《どうき》がいつまでも直らないよ」

達吉は手を抜き、今度は静かに、半朱の心臓の上に、耳をあてた。

（僕のハンスは、生きている）

歓びと、切なさとが達吉を捉《とら》え、胸が不安になり、達吉の胸にも動悸が速く搏《う》ちはじめた。

達吉は半朱の傍《かたわら》に横たわり、手を再び半朱の胸の上に置いた。半朱の手がその手の上に置かれ、そうした儘《まま》長い時刻《とき》が、流れた。

達吉がやがて手を抜き、半朱の髪を掻《か》きまわすようにしてから、体を起した。

半朱が達吉を見上げて、言った。

「僕もうどうだっていいや」

「馬鹿《ばか》に強いね」

達吉は寝台《ベッド》の端にあった腕時計を取って視《み》、寝台を下りて扉口の方へ行きかけた。

「三時だよ。達吉製のコルニッションでも喰うか？　塩漬肉《ハム》と乾酪《チイズ》がある」

そう言って達吉が廊下へ出た時、玄関の呼鈴が鳴った。達吉はふと眉《まゆ》をよせた。静かな呼鈴の押し方に達吉は、あまり自分の家に来ることのない、中年以上の中流の女を感じたのである。

訪問者は八束須賀子で、あった。白い首のあるスウェータアに黒い洋袴《ズボン》、濃いめの灰色に黒の二本縞《じま》のある平常着《ふだんぎ》らしい上着で、片手を洋袴に突込んだ達吉をみて、須賀子は低く頭を下げた。

「私は八束須賀子と申します。おきき及びと存じますが伊藤半朱さんと婚約をしております八束与志子と申しますものの母でございます。じつは半朱さんのことにつきまして、一寸《ちよつと》、……お話し申し上げたいことがございまして出ましたのでございます。お忙しくいらっしゃいますところを、まことに失礼とは存じましたけれど……」

「ああ、何卒《どうぞ》」

達吉が先に立って書斎に入り、客用の椅子《いす》を須賀子に勧め、自分は寝台に腰を下ろした。席を外ずそうと立上っていた半朱は須賀子を見て立ち竦《すく》んだ。入口から寝台を右に見て左側の奥に、湯殿に通ずる扉がある。そっちへ行きかける半朱に達吉が、言った。

「君はそこに居たまえ。君のことでいらっしゃったんだ」

抗《あらが》うことの出来ない調子である。

半朱は許しを乞《こ》うような眼で達吉を見たが、寝台《ベッド》の背に手をかけ、俯《うつ》むいて、立った。

夫人は半朱に凝らしていた眼を達吉に移し、膝《ひざ》の両手を軽く握り合わすようにして、口を切った。

「半朱さんから今朝お手紙を戴《いただ》きまして。……式もあと四日の五日と申すことに、……定《き》まっておりましたが、婚約を取り止めるという、突然のお手紙でございます。どういう訳がおありなのか。一昨昨日《ききおととい》までは、その日は私は丁度留守にいたしておりましたが、なんのお変りもなくお帰りになったと、……娘はもう泣きもいたしません。物も申しませんで、伏せっております。(この時夫人の、エメラルドの光る細い手が固く、握り合わされた）これは長年娘についております女が申しましたので。……こちらは与志子が半朱さんを存じ上げる前から半朱さんがご先輩としておつき合い願っていらっしゃると伺っておりますので、何かご存じのことでもおありでございましたら、娘にはともかく私共だけにでもお話し願えましたらと……」

夫人は膝の上の青白い手を、術《じゅつ》なげに握り合せては揉《も》むようにし、又固く握り合せたりしながら、そこでつかえたように、黙った。

半朱はお茶の仕度をするらしく装《よそお》い、裏口から逃げようと、体を動かしたが、達吉に凝《じっ》と視られて、夫人から顔をそむけ、寝台《ベッド》の背を指で懸命に、擦《こす》っている。

「八束さんに手紙を出したのか？」

達吉が全く知らぬ人間の口調で、言った。半朱は無言である。

「そうですか。ご心配でしょう、それは。僕にも何も言いません。昨日《きのう》来て、旅行すると言うんで妙に思ったんですが」

夫人の眼がこの時、寝台の足の方に投げ出された贅沢《ぜいたく》な旅行鞄や、部屋の奥の卓子の上に皺《しわ》になったまま置かれた焦茶《こげちゃ》と栗茶《くりちゃ》の大柄チェックの新しい毛布、鞄の口からはみ出している白いパジャマらしいタオルの布地、そこら辺に散らばっている商店の包み紙や、紐屑《ひもくず》、小さな鼈甲《べっこう》の櫛《くし》なぞを見、その眼が半朱を視、達吉に、移った。堅気の家の令嬢から、八束喜与吉という事業家の夫人になった、というだけの経歴しかない夫人である。だが四十九歳になる女のカンは、この時達吉と半朱との間に何かの匂《にお》いを、嗅《か》ぎ取った。恐しい、厭な関係は、ないとしても。いや、それがなくてどうしてあんなことが、……杉村達吉の応答には少しの誠意も感ぜられない。半朱に手紙のことを確めた様子も、巧妙だが、疑えば、疑われる。杉村達吉と伊藤半朱との様子には馴《な》れ合いの感じが強く、匂っている。夫人は悪寒《おかん》を、感じた。しかも偉い男だということが、一眼で解《わか》る達吉という男の、精神力のようなものが圧倒的に、夫人を圧《お》しつけてくるのだ。

夫人は首を深く垂れ、しきりに手と手とを握り締め、揉むようにして、はては又固く、握り合せた。白い夫人の掌《てのひら》の指の関節に紅《あか》い、糸のような色が現れては、消えた。

少時《しばらく》して夫人は顔を上げて、達吉を見た。

「何とか、何とか、半朱さんに、……別な方がいらっしゃいましても。その方はその方として、……与志子にさえ知らせませんければ、私共の方は……。そういうようなことに、何とか、……」

達吉は白いスウェータアの腕を延ばして、キリアジを一本とり、火を点《つ》けた。皮膚がどこかそそけ立ったような顔に、苦い脣《くちびる》の結び方をした達吉は、紙巻を一口ふかすと、夫人の方を見ずに、言った。

「まあ、僕も訊《き》いて見ましょう。大分弱っているらしいが、何かあるんだろうと思います。大体これはよく喋《しゃべ》る奴《やつ》ですが、肝心なことは何も言わない男で、身の上なんぞも僕もきいたことがありません。僕とのつき合いは仕事の上のことだけで」

夫人は達吉の城が不落なのを、知った。夫人は俯向いた。首から胸へかけての線が固くなり、顔が心持扉口の方へ捩《よ》じるように向いて、肩がすぼまった。白髪の混った美しい渦のある前髪が、微《かす》かに顫えている。

達吉の眼が夫人のようすを確めるように視、そうして、外《そら》された。「ベラミ」の暗い店の中で、半朱を搾《し》め木にかけたあとに浮んだ、その時と同じな寂寥《せきりょう》が、達吉の顔に、出ている。

夫人の顔が、或《ある》種の能面のように顰《しか》んで、肩がますます、狭まった。夫人は手を袂《たもと》に入れて何かしきりに探った。家を出る時に、何か吉《い》い報《し》らせを持って帰ることが出来るようにと、祈るような心持になった夫人は、どの揃《そろ》えを着て行ったら運がいいだろうと、そんなことを考え、今倫敦《ロンドン》に夫婦で滞在している長男の紀一の結婚の当時、結納の日に着て行ったひと揃えを着けて来た。季節がいくらかずれてはいるが、その着つけで行かれることを、夫人は喜んだのである。長襦袢《ながじゆばん》の袂《たもと》に手を入れた時、夫人はそれを思い出して、脣を嚙《か》んだ。少時《しばらく》手間どって夫人は手巾《ハンカチ》を、とり出した。

「ではこれで、お暇《いとま》をいたします。お邪魔を申し上げました」

夫人は白足袋の見える上履の爪先《つまさき》を揃えて、顔を手巾で隠すようにしたまま、立上った。

「やあ、どうも。お役に立たなくて」

片手を洋袴《ズボン》の後隠しに入れ、短くなった紙巻を撮《つま》んだ達吉が寝台《ベッド》から起ち上って、夫人を見た。

夫人は相手を見ずに扉口に進んだ。白い手が扉の把手《とって》にかかった時、夫人は立止まって、振り返った。

達吉は不敵な顔をして、立っていた。真面目《まじめ》に見開いている黒い眼の底に、微かな冷笑と、興味とがみえている。一寸おどけたような表情の中に、小ゆるぎもしない自負と確信とが居据わっている。こういう種類の男の避け得ない弱点が、不用意に晒《さら》け出された顔である。自分たちの仲間の優勢に誇りを抱いていて、そうでない人間の悲惨《みじめ》な、ようすを見る時、面白がり、嘲笑《わら》わずにはいられなくなる、この種の男の亀《かめ》の腹のような部分である。

その達吉の表情は瞬間に消えたが、夫人の頭に深く、突刺った。夫人の眼が狼《おおかみ》のように、光った。

夫人は達吉の眼を真直《まっす》ぐに、視た。

「あなたがたがどういうお考えでいらっしゃるのか、それは私は存じません。けれど、あなた方は私共の世界とは異《ちが》った常識外の世界で、私共なぞよりもっとご立派なことをなさっていらっしゃるのだと、お思いなのでしょう。いいえ、それはあなたのお顔に書いてございます。私共はあなた方のお考え通り、常識の中で生きておる人間でございます。でもそれだからと申して、どうして私共が馬鹿にせられなくてはならないのでございます。軽蔑《けいべつ》されなくてはならないのは、あなた方の方ではございますまいか」

達吉は一寸首を反《そ》らすようにして、夫人を下眼遣いに、見た。

「今のお話は僕にはよく解りませんが、僕や半朱君が常識外れだと仰言《おっしゃ》るようですが、奥さん、よくご自分のお言葉をお考え下さい。僕はともかく半朱君はこれから世間に出る若者です。文学の方はあまり素質がありませんが、数学がいいらしいので、これからそっちの方へ進めさせようと、僕は考えています。若い子供の将来に傷がつくようなお言葉は、失礼ですが、お控え下さい」

そう言って紙巻の灰を気づいたように灰皿に押しつけた。

夫人は脣を噛んで、黙り、達吉をきっと、視ると、確《しっか》りとした足どりで部屋を出た。達吉は半朱に眼配せをし、二人で玄関まで夫人を送った。夫人は灰色の草履をはこうとしながらうまく行かず、ようよう履き終ると顔を半ば手巾に埋め、急ぎ足のつもりらしいがのろのろと、門に向って歩き、やがて夫人の後姿は門の外に消えた。夫人の姿が見えなくなると達吉は、自分の後に隠れるようにしている半朱を見返り、達吉は先に立って部屋に帰った。

「大分参ったね」

半朱は稚《おさな》い脣を固く結び、眼を伏せ、夫人のいた椅子を廻《まわ》ってベッドの背に摑《つか》まって、立った。

「あれでいいんだ。恐らくもう何も起らないだろう。君のことにかけて、あっちの娘のことで釘《くぎ》を打ったからね」

ようよう達吉の酷《ひど》い言葉の、裏にあったものを諒解《りょうかい》したらしい半朱は、鳩《はと》のような眼を凝とさせていたが、達吉を見て、言った。

「達吉って可怕《こわ》いね」

「可怕くってもう嫌いだろう？」

寝台《ベッド》にかけていた達吉は打って変った温い声で、言い、半朱を見たが、立上って書棚からジンの罎《びん》を下ろし、洋杯《コップ》に注いだ。その骨のがっしりした大きな手を、まだ怖《おそ》れの退《の》かない顔でじっと見ている半朱を達吉はふり向いて、見た。

「気付《きつ》け薬を作って遣《や》ろう」

そう言うと達吉は出て行った。

なんとなく緊張が去った半朱は、何思ったか夫人のいた椅子を壁の方に後向きにし、寝台《ベッド》に腰を下して、達吉の注いだジンに脣をつけ、一口飲み下した。氷の触れ合う音がして達吉が、メドックと砂糖に、檸檬《レモン》を絞った洋杯を載せた盆を持って帰って来て、盆を卓子に置き、半朱が少し退《すさ》ったあとにかけ、ポンシュを作り始めた。

「何だい、あれは。僕がいなくなったらどうするんだい、ハンスは」

依然として瞳《ひとみ》を凝とさせ、籠《かご》の上に布を掛けられた夜の鳥のように、瞬《まばた》きもしない半朱に達吉がポンシュの洋杯《コップ》を差し出したが、半朱は黙って首を振った。

「じゃあ、ジンか？」

半朱は肯《うなず》いて、暗い、だが甘えの滲《にじ》んだ眼を上げ、黙って寄り添い、達吉の腕に手をかけ、巻きつくように腕の上部にまで絡《から》みつけ、その腕の上に頰を伏せた。

可哀《かわい》そうな夜の鳥

嘴《くちばし》を窓硝子《まどガラス》に打《ぶ》つける。

アルフォンス・ドオデの「苦悩」の中の言葉が、ふと達吉の胸に浮んだ。

達吉の手が柔《やさ》しく半朱の腕を解き、半朱の脇《わき》に手をかけて、胸に抱き寄せた。達吉の胸の中にかしいだ半朱の半身が弛《ゆる》いくの字に反り撓《しな》って、半朱の腕が達吉の胸に匍《は》い、顔は低く胸の上に伏せたまま、半朱の両手が達吉の後首の辺りを愛撫《あいぶ》した。

達吉の腕が半朱の細い胴を締めつけ、唇が静かに、半朱の髪の中に、埋まった。

＊

八束夫人の訪問から後《あと》、半朱は達吉の家に宿《とま》り切りになっていて、森川町のアパルトマンへはまる切り、帰らなかった。外へ出る時には達吉と必ず一緒に出る。表通りの果物屋に行くことさえ、半朱は、怖れた。八束の家の人間のだれかに会うかも知れぬと、いうのである。

達吉の家には週に一遍家政婦が来て、冷蔵庫に次の日までの食糧を確保して置くのだが、果物なぞはその途中で切れることもあり、又季節のものが出てくることもある。それで達吉は半朱に買物を頼んだが、半朱は達吉の家を出た角の果物屋に行くにも、郵便を出すのにも、達吉との散歩の時を利用していて、達吉と一緒の時以外には、家を一歩も、出なかった。

半朱が与志子と式を挙げる筈《はず》だった十月五日の水曜日、達吉は半朱を映画と食事に伴《つ》れて行くことにした。午《ひる》近くになると空が暗くなって来たが、二人は揃《そろ》いの濃紺《ネイヴィブルウ》のレエンコオトに達吉の洋傘を一本持って、出かけた。半朱は薄い水色《ブルウ》の、細い繻子《しゅす》のネクタイ、達吉はコオトよりも濃い濃紺と、血のような暗紅色との斜め縞のを、覗《のぞ》かせている。達吉は思考も態度も、四十男のように老成した男だが、こんなネクタイをすると、たしかにまだ三十七歳の若さが出て、二人は余り年の違わない兄弟か、遊び仲間のように見えた。

表通りでタクシイを止め、浅草の田原町で下りた二人は映画を見た帰り、仲店を田原町の方へ横丁を抜ける間にある、「フジキチン」に寄って、珈琲《コオヒイ》を飲んだ。岡田の鶏《とり》を喰おうと達吉は提案したのだが、まだ喰べたくないと半朱が言うので、「フジキチン」で休むことにしたのである。二階へ上る階段口に橙色《だいだいいろ》の電燈《でんとう》が点《つ》いていて、壁紙に模様のある欧露巴《ヨオロッパ》風のこの店には、珍しく新鮮な花が卓子に置いてある。紅い半開の薔薇《ばら》のある卓子で、半朱は達吉からフランスの小説の話を、聴いた。

「フジキチン」を出ると二人は銀座の酒場《バア》の「エルザレム」へ行くことにし、田原町まで歩いて、タクシイを止めた。車が上野駅のガアドを潜《くぐ》った頃から、半朱は気分が悪いと言って、達吉の肩に、倒れるように凭《もた》れかかった。顔が青ざめ、額に冷たい汗が滲んでいる。

「大丈夫か？　下りるか？」

半朱はうやむやに首を動かすだけである。京成電車の乗り場の辺りで達吉は車を止めさせ、半朱を援《たす》け起して車を下りたが、車が走り去ると同時に、空の底が抜けたような豪雨に見舞われた。生憎《あいにく》珈琲類以外の食物も出しているような、胸の悪い匂いの立て籠《こ》めていそうな店ばかりである。山下まで来ると烈《はげ》しい割に細い雨は空から上野の森、街一面、広い石の階段を灰色の飛沫《しぶき》で蔽《おお》い、山の上の森の辺りは灰色の雨の煙の中で、薄く、遠く、感ぜられた。達吉は半朱を脇に抱えるようにし、一本の洋傘では傘がないのも同様の有様で、ともかく精養軒に入ろうと石段を上り、ようようのことで精養軒まで辿《たど》りついた。ボオイに訳を言って控え室でコオトと靴を脱ぎ、上履きになって、タオルを借りて顔や手、洋服を拭《ふ》いた。冷たい雨に搏《う》たれたせいか半朱の気分も直ったので、一服してから食堂へ入った。

メニュウを見ていると半朱が小声で、

「出よう」

と言うので頭を上げると、半朱は眼に何か報らせようとしながらもう腰を浮かしている。振り向くと五十を二つ三つ出た、いかにも一級の事業家らしい背の小さい四角い感じの男が食事をしている。伴れは同年配の仕事の仲間らしい男で、他に一人秘書かなにかと見える若い、馬鹿《ばか》に色の白い男がいた。八束喜与吉であろう。半朱には気の毒だが、達吉は逃げたくなかった。

「席を代ろう」

と半朱を眼でなだめ、半朱と席を代った。八束喜与吉はとうに半朱に気づいているらしいが、全くこっちに気づかぬ顔で、ゆったりと構え、麪麭《パン》を千切ったり、肉刺《フオオク》を動かしたりしながら、相手の男としきりに話し込んでいる。達吉はみていて、八束喜与吉が、須賀子の見たことをきいていることを、知った。

達吉はボオイを呼んで、鶏の清肉汁《コンソメ》と冷肉《コオルドビーフ》に萵苣《ちさ》のサラドゥ、乾葡萄《ほしぶどう》入りの温いプディングに、果物と珈琲を誂《あつら》えると、手帳を出して宴会の予定か、締切りの日程でも書き込むような、生真面目な顔つきを作り、走り書きで、喜与吉が例のことを知らされていないと思うと、いうように書いて半朱に、渡した。半朱が弱っているので、気にして見ていると、幸い向うはもう珈琲になった。

やがて八束喜与吉は勘定を済ませ、いかにもそういう男らしい、自分の家の中でも歩くようなちょこちょことした歩きつきで入口に近い達吉達の方に近づいたが、伴れ

を一寸やり過すと、離れたところから小腰を屈《かが》めるようにして半朱の顔を覗き、

「半朱君、暇な時、又来給《きたま》え」

そうしてから達吉の方へ会釈《えしやく》をして、出て行った。背中が大体かがんでいる男らしかったが、そればかりではなく、半朱の件で俄《にわ》かに年を取った、というような、気配が、表情から体つきの全体にあって、達吉は会釈を返しながら、遣り切れぬものを、受け取った。ヒステリックになってむかって来た細君の須賀子以上に、喜与吉から、達吉は苦いものを、受け取った。

半朱は喜与吉が行ってしまうと、ほっとした顔で、達吉を見た。

「今日、こなきゃよかった」

「このところたて続けだね」

「黙って。もう一人の人のこと言わないで……」

半朱はヒステリックな、細い、鋭い声で、言った。

「そんなことを言おうとしたんじゃないよ。体が参るぜ。食慾《しよくよく》は出たか？」

「ごめんね。僕変になっていたんだ」

「この頃ずっと変だよ。もっと落ちつかなくっちゃいけない。僕がそんなに頼りないか？」

「ううん。ちがうったら。怒らないでよ」

半朱はいくらか無理に喰ったらしかったが、冷肉《コオルドビーフ》も二切残した切りで平らげ、プディングを喜んで、喰べた。達吉は半朱の皿の冷肉の残りを肉刺《フオオク》で取って喰いながら、

「こんなに腹が減ったことは近頃ないね」

そう言って半朱を見て、微笑《わら》った。

＊

浅嘉町の達吉の家に、赤門前にある進駐軍の中古品を置いている店から、彫刻のあるセミ・ダブルのがっちりした寝台《ベッド》が、運び込まれた。半朱の為《ため》のものである。寝台は達吉の書斎と向い合っている、今まで物入れにしていた六畳の洋間に、家政婦に掃除をさせて、風を通してから、入れられた。

その後半朱は、時折理由もなく気分が鬱《うっ》するらしかったが、どうかすると女のようにはしゃぐこともある。そうして達吉が、もうその必要がないと言って、旅行を止《や》め、十一月に入ってから仕事の切りめがついた時に改めて行こうということにしたことに対して不平を抱いていて、それを言い出しては達吉を手古摺《てこず》らせていた。

そもそも半朱が最初に訪ねて来た日、達吉は半朱の、ラファエロの天使《エンジエル》のような稚《おさな》

い固い美貌《びぼう》と、直ぐに血の色の登る白い皮膚の色、襯衣《シャツ》の上からも解《わか》る、附き過ぎない固く締った肉附き。それらのものに眼を奪われると同時に、こういう女性的な特質に、強い牽引《けんいん》をおぼえたのである。達吉の書いたものを読んでいるのではなくて、唯《ただ》達吉の文壇的に華やかな存在に憬《あこが》れて来たらしい軽薄さも、一寸《ちよつと》した狡猾《こうかつ》さや、抜けめのなさも、明瞭《はつきり》と相手にさとられていて、それを知らずにいる、というような子供臭いものである。そういう幼児的な、すべて人の前に手を公開していて遣る、といったようなところに、見ていて擽《くすぐ》られるような快さがある。捷《すばし》こく、大人びて振舞うかと思うと、達吉の出して来て見せる色刷りの挿絵のある外国の本なぞに熱心になって見入る時なぞはまるで子供の顔になる。半ば開いた脣《くちびる》は、乳首を欲しがる赤子のようである。達吉の眼でそういう細かで深い観察がなされていることに気づかずに、ふとした時、小鳥のような眼を凝《じつ》とさせているのが、達吉を強く誘惑した。自分の美貌と、可《か》愛《わい》らしさを意識していて、時々、陶酔《うつとり》としたような睫毛《まつげ》の長い眼で、上目遣いに達吉を視《み》、脣尻《くちじり》を、微笑とまで行かない形に、幾らか吊《つ》り上げるようにしたり、眉《まゆ》を一寸吊り上げてものを見たりする表情には、美少年特有の利己と、冷淡とが浮んでいたが、半朱のはそれらのものも無邪気で、厭味《いやみ》が無い。半朱が最初に来たその日の夜、達吉は睡《ねむ》らずに、明かした。半朱の置いて行った告白体の自伝小説が、一頁から達吉を惹《ひ》きつけたのだ。文学としては新鮮で、或《あ》る種の垢《あか》が一つもついていないこと以外には大したことはなかったが、その文章は半朱の女性的な内部を、行の間に、全面に亙《わた》って滲《にじ》ませていたからだ。達吉がその夜読むつもりで小卓に置いた、ピエロンの「痛みの心理」はとうとう一頁も読まれずに、しまった。要するに半朱というものは、外観も、内容も、すべて達吉を誘惑して止まない、一つの誘惑物で、あった。達吉は半朱というこの青年を、どんなことがあっても、自分のものにして遣ろう、そうしてどんなことがあっても手から離すまいと、最初の日に、想《おも》った。

達吉はビアズレイの画集に好奇の眼を光らせ、耳朶《みみたぶ》を紅《あか》くしている半朱の横顔に眼を当てていて、上気したような、ひどく高揚した精神の中で、そう思ったのだ。

その時の、不思議な惑乱が、つまずきのようになって、現在の域まで深入りをした達吉で、あった。

達吉は殆《ほとん》ど、命の薄い小鳥に溺《おぼ》れた男のように、仕事の時間以外は半朱の媚《び》態《たい》の虜《とりこ》になって、暮した。極限というもののない、無技巧な、媚態である。達吉は半朱の言う儘《まま》に、欲しがるものも買って与えた。半朱は不安と恐怖を紛らせようとしているように、しきりなしに、何ごとかを要求した。それは達吉の惑溺《わくでき》の中に快い自信をおぼえ、それをことごとに試そうとする、半朱の慾求でも、あった。達吉はそういう半朱のようすに、怒りでなくて血が逆流するようなものを覚え、半朱の我儘を、時には通さず、厳しいものを残していながら、達吉の惑溺は達吉の内部で、日々に深く、陶酔的になって、行った。

＊

やがて、式のある筈だった日も遠くに過ぎ去り、八束夫人の訪れた日から半カ月程の月日が、経《た》った。半朱の状態も落ちついて来て、達吉の指図に従い、高校時代と二年程行った大学時代のノオトを整理し始めた。学校時代の数学を、もう一遍頭へ入れた上で、それより上の数学の本を自習してから、教師につけという達吉の命令である。

半朱は達吉に見せた自伝風のものは新鮮さが買われて、達吉の関係の出版社が出版したが、その後の評判はよくない。既に無作作家の列に入る一歩手前に来ていた。美貌なのと、達吉の弟子というので名が知れているだけなのは半朱自身も心得ていた。半朱の写真の載る雑誌はよく売れるというので、美貌だけが売りものの映画役者なみに取扱われている傾向が、あった。半朱から大学時代の数学の教師の意見をきいた達吉は、ひどく面白そうな顔をして半朱を眺めた。そうして、（こんな子供がねえ）、そう言って眩《まぶ》しいものを見て眉を顰《ひそ》めた人のような、苦みのある、半朱の好きな微笑いを顔に刻んで、まじまじと、半朱を見た。(まずい小説なんか遣《や》ることはないじゃないか)達吉はそう言って、可愛くてならないというように、微笑ったのだ。寝台《ベッド》の中で、達吉の水色《ブルウ》の立て縞《じま》のある白い襯衣《シャツ》のはだけた胸に顔を伏せ、胸に脣を触れている半朱の顔を、顎《あご》に手をかけてひき起し、半朱の顔を両手で挟んで、半朱の眼に見入りながら、或朝達吉が、言った。

「僕の奥さんでいるだけじゃあ駄目だぜ。このおでこに数学が入っているんだな」

そう言って、達吉は半朱の額を指でぐいと、押した。半朱は少女のように微笑い、達吉のその指先に、脣を触れた。

＊

達吉は天気のいい或日、半朱を伴れて森川町のアパルトマンに行き、溜《たま》った部屋代を払い、荷物も大部分整理して、本棚と、ノオト、置時計、赤門前で買った肱掛椅子《ひじかけいす》、スタンド、なぞだけを浅嘉町に運んだ。達吉はもう半朱の兄貴分ではなくて、それを兼ねそなえた情人で、ある。

達吉の方は、八束の娘のことを、今だに胸に置いていて、外へ出る時なぞにも油断をしていなかったが、半朱は、不意に気にし出して怯《おび》えるかと思うと、忘れていることもあった。

そんな或日、達吉と半朱とは銀座に出て「銀の塔」で昼食をとり、有楽町まで歩いて、東映の切符売場の前に立っていた。半朱は黒い襟《カラ》つきスウェータアに、薄い水色《ブルウ》の合着、達吉は、濃紺と暗紅色のネクタイを自棄《やけ》のように曲げて、同じ濃紺の綿ギャバの塵《ちり》よけコオトを、ぶかぶかに引っかけている。

地下のフランスのギャングものに入って見ようと達吉が言い出したのである。達吉が後を向いて切符売場に肱をつき、財布を出そうと内隠しに手を入れた時、半朱の口から声にならぬ声が出たのを耳にして、達吉は後《うしろ》にふり返った。半朱の脣が、何かでこじ開けられたように半ば開いていて、痴呆《ちほう》のような眼が電車線路に釘《くぎ》づけにされている。電車線路から車道に二三歩踏み出した小柄な娘が、鳶色《とびいろ》の髪に囲まれた小さな顔の中の表情を無くして、すべての街の動きの中から一人だけ取り残されたように、立っている。何やら喚《わめ》く声と、急ブレエキをかける耳を裂くような音とが一緒になって、右側から走って来た車から発せられ、半朱が気が付いたようにそっちへ走り出そうとする、達吉はやにわに半朱の腕を摑《つか》んで、強い力で圧《おさ》えつけた。半朱の腕から力が抜け、達吉の肩に半朱の全身が凭《もた》れかかって来た。

次の瞬間、娘の体が弾《はじ》かれたように車の前方に飛び、叩《たた》き伏せられ、乗り上げた車の前輪の下に、腹を潰《つぶ》された何かの虫のように、横たわった。手袋をした小さな手が掌《て》の平を上にして手前に投げ出され、ショルダアバッグの紐《ひも》が首に巻きつき、スカアトが巻き上って、白い下着から黒い絹の靴下の足が、これも黒の靴の踵《かかと》を立てて、地面を引っ掻《か》く爪《つめ》のような形で止まっている。

達吉は自分の惑溺の犠牲《いけにえ》の姿を、確《しっか》り見届けておこうとしているかのように、恐しい顔で死体、明らかにもう死体になった娘の姿を見詰めていたが、頭の一部が停止していたのである。ふと達吉の眼が鋭く光ると、半朱の耳の傍《そば》で言った。

「人目につくよ」

達吉は半朱の腕を担《かつ》ぐようにして大股《おおまた》に東映を廻《まわ》っている石畳を東日新聞の方へ曲り、新聞社の発送部の前の辺りでタクシイに手をあげた。後《うしろ》で意味のない一つの低い音になった大勢の人声が湧《わ》き上る中から、警官の大声に群集を追い払うらしい声がしている。止まったタクシイに半朱を押しこめるようにして乗せ、達吉は後から乗り込んで扉を閉めた。

「急いでくれ。東大前の通りだ」

車が、野次馬の垣根の後を廻って尾張町へ向って走り出すと、達吉は後の窓から後方を見た。群集の中から女が飛び出して、死体の傍にかがみこんだらしい。八束の娘と同年配の女である。偶然友達が通り合わしたのだろう。と、達吉は思った。若い娘は立上り警官に何か手短かに、囁《ささや》くように言うと、白い手で額を抑え、傍にいた見知らぬ男の肩に、倒れかかった。車の前輪を持ち上げる作業が、始まった。

与志子も東映に友達と誘い合せて、来たのである。着ていた薄茶《ベェジュ》の薄いオーヴァーは、暗紅色の絹のワンピイスと揃《そろ》いで、半朱との最初の旅行の為に、須賀子が選んだものである。半朱のこと以来与志子は紅い色のものを着るような楽しい気分がないといって、その日も白のブラウスに古いスーツの上からそのコオトを羽おったが、須賀子があまり淋《さび》しいといって、勧めるので、黄金色《きんいろ》を帯びて青く光る玉虫のブロオチをブラウスの襟《えり》に止め、オーヴァーより幾分濃い色のバッグをかけて、出て来た。時間が遅くなったので急ぎ足に線路を渡って、車道に二三歩踏み出した時、東映の前に立った半朱の、気楽そうな、口笛でも吹きそうな顔が、此方《こっち》を見た。与志子の顔の皮膚が強く四方へ引張ったように固くなり、表情がなくなった。手も足もその儘の形で停止した。恐怖の混じった愕《おどろ》きが、咽喉《のど》を塞《ふさ》いでいて、(ハンスさん)と言ったつもりが、脣はカラカラに乾いて、何の声も出なかった。半朱の顔が変ったのも、自分に向って走って来ようとしたのも、分ったのか分らぬのか、与志子は固く、石像のようになった儘、轢《ひ》かれた。

群集の中から飛び出した娘は与志子と誘い合せて、これも遅くなって東映に向って歩いていた、半朱の件を知っている親しい友達の一人の、浅賀田鶴子で、あった。

＊

半朱は半ば気を失った人のように、なっている。達吉は半朱を抱き起して膝《ひざ》の上に横にさせ、自分はシイトの後に寄りかかった。

車は室町を過ぎ、神田駅のガアドを潜《くぐ》っている。達吉は半朱の額に手をあてた。冷たい汗が手に触った。

「大丈夫か？　ハンス」

半朱は薄く眼を開いて、夢の中で何かを見るような眼で、達吉を見た。

「ああ」

半朱は呻《うめ》くような声を出して、ぐったりと仰向《あおむ》けになり、なにかを訴えるように達吉を見、黙って眼を閉じた。車の外は妙に明るい。白い、明るい光の中で、あっという間に来た与志子の死が、頭の中に浸《し》み入って来ていて、それが生涯除《と》れそうにない気が、達吉はしていた。半朱はやがて、忘れるだろう。年も若い。自分が美しいということと、溺愛せられているのだという意識が、苦い心のしこりを溶解する。達吉は密生した長い睫毛《まつげ》に閉じられた、半朱の眼に、凝と眼を当てていた。

　車が家に着いて、達吉が半朱を抱えるようにして門を入ると、家政婦の長塚花が玄関に立っていた。その日に来る筈《はず》になっていたのである。

「やあ失敬、すっかり忘れていた」

　達吉が声をかけた。

「おや、伊藤さんはどうなすったんですか？」

長塚花が不機嫌な顔を不審顔に切り代えて、言った。

「貧血を起したんだ。今日は、時間が空《あ》いちゃったろうから給料は上げよう。明日《あした》都合どう？」

「いいえ、それは宜《よろ》しいんですがね」

　長塚花は達吉の遣り方をもう充分心得ているので、一応形式だけの辞退をしてから、言った。

「ここんとこ二三日塞がってますけど、来週の月曜日でしたらまいりますが」

「じゃ、そうしてくれ給《たま》え」

達吉は半朱を書斎の寝台《ベッド》に下ろし、花に檸檬《レモン》ジュウスを、言いつけた。

花は檸檬ジュウスに氷と、砂糖を添えて、持って来て卓子に置き、達吉の出しておいた五百円札を、くどくどと礼を述べて受け取り、一寸半朱を見てから、出て行った。台所口を出て、木戸から、玄関と門とを繋《つな》ぐ煉瓦《れんが》の道に出ると、花は窪《くぼ》んだ眼で家の方を振り返った。

「あの二人はなんだか御夫婦みたいだねえ。それになんだかわけがありそうだよ」

長塚花は呟《つぶや》いた。花は外廻りの掃除でもしながら、もっと様子を見ていたい心持がしてならなかったが、達吉が給料は余分に呉《く》れる代りに、変に気むずかしく、命じた以外のことをしたり、話しかけたりすることを極端に嫌うので、その儘帰るよりなかった。

達吉が汗を拭《ふ》く為《ため》の湯とタオルとを取りに湯殿に入って行って帰ると、半朱は枕《まくら》を外して、顔を横に寝せていたが、達吉の掛けた掛布《かけぬの》を、五月蠅《うるさ》そうに押し退《の》けた。

達吉は半朱の上着を脱がせ、襯衣の釦《ボタン》を外して胸を弛《ゆる》め、固く絞ったタオルで額を拭いて遣り、ついでに新しく絞ったので頸《くび》から胸の奥まで拭き、タオルを洗面器の横に投げると、半朱の心臓に手を当てた。心音はゆっくりと、弱く、搏《う》っている。達吉は額の髪に触ってみて、後隠しから手巾《ハンカチ》をつかみ出して、湿った髪を拭きとって遣った。

半朱の咽喉が何かを呑《の》み下したように動いたと思うと、半朱は達吉の手を払いのけるようにして俯伏《うつぶ》せになり、歔欷《きょき》し始めた。

「僕が殺したんだ……」

半朱は歔欷の間々に、途切れ途切れに、言った。

達吉は、半朱の髪を拭いた手巾ごと上着の隠しに白い手を突込んだ儘、底深く光る眼を、半朱にあてている。半朱は嗚咽《おえつ》しながら起き上って達吉を探した。そうして達吉の胸に縋《すが》ろうとして達吉のようすを見て呼吸を止めて、達吉を見た。眼を大きく開いた儘、空しゃくりをしていたが、倒れるように横になった。急に痩《や》せて細くなったような小さな顎を仰向け、半朱は明らかに今までとは違った内容で泣きはじめた。顔も蔽《おお》わず、涙は乾いていて、細い、咽喉の隆起が、上下している。達吉は半朱の横によこたわり、半身を半朱のそれに重ね、両手で半朱の咽喉を軽く締めつけるようにし、半朱の眼に見入っている。両手の下で咽喉が周期的に動いている。半朱の眼は下を白く、上瞼《うわまぶた》に瞳《ひとみ》をひきつけ、哀《かな》しみとも、倦怠《けんたい》とも、判断の出来ぬ色を浮べて、動かない。乾いた歔欷が、時々ひきつけるような吃逆《しゃく》りを起す。半朱の手が達吉の手首にかかる。達吉の手が弛んで、柔《やさ》しい愛撫《あいぶ》に変った。

半朱の手が、達吉の手首から登り、柔しく手を支え、半朱は顎をひいて顔をうつむけ、達吉の両手に交る交る脣《くちびる》を触れた。

今更愕くことはない半朱の習性なのだが、今半朱が突き離されて、愕いて呼吸《いき》を止めると同時に、八束与志子の死へのヒステリックな恐怖を全く頭の外に追放した、というより、忘れ去って、切りかえた機械のように、達吉に冷たくされた哀しみに没入した瞬間の変転と、子供のような乾いた空吃逆《しゃく》りをしはじめた、知らずにやる媚態《びたい》に、達吉は半朱の性質を百も承知でいながら、新しく深い惑乱をおぼえたのである。全身の血が、微温な湯のようになり、沸《に》えながらゆるく、体の隅々まで活潑《かっぱつ》に流れ廻るのを、達吉は感じている。達吉は濡《ぬ》れたような愛情の翳《かげ》りを、瞼の裏に潜め、半朱の小さな顔に、見入った。脣は或《ある》種の能面のように下脣が半ば弛んで、下歯が見えている。達吉の柔しいようすに刺戟《しげき》されたのか、半朱は再び歔欷しはじめた。半朱なりの苦悩が、たてに寄せた眉間《みけん》の皺《しわ》に現れ、そこはかとない疲労がみえる。

達吉は体を起し、立上って湯殿への扉とは反対側の、入口から右側の窓際《まどぎわ》の書物《かきもの》卓《づくえ》の抽出《ひきだ》しからアンプルに入った催眠剤と注射器とを出し、手と針の尖端《せんたん》を消毒すると、半朱の上膊《じょうはく》に注射を打った。

半朱の眼がどこか遠いところから還《かえ》ったように、達吉の眼に見入り、ふとその眼が横に流れた。

「やっぱり僕が殺したんだ」

「ハンスじゃあない。僕だよ」

達吉が、言った。

「生きてた時より可怕《こわ》いんだ」

「うむ。……注射を打ったから睡《ねむ》れるよ。咽喉乾かないか？」

「水だけ飲みたい」

「声が嗄《しわが》れてるじゃないか。よくああ泣けるね」

達吉が湯殿に入り、含嗽《うがい》の洋杯《コップ》をゆすいだのに水を注いで来て、卓子の上の氷の大きな奴《やつ》を放り込んだのを、半朱は美味《うま》そうに咽喉を鳴らして飲み、再びぐったりと倒れ、達吉の方に手を差し延べた。達吉が寝台《ベッド》の端に腰をかけ、その手を両手にとって軽く持っていてやると、半朱は色の無い脣で、微笑《わら》い、瞼を重そうに、見開いて、達吉を見た。

「やっぱり僕が殺したんだ。……でも達吉も一緒だから。……平気だ」

達吉は悪意のない苦笑いをした。

「まあ、そんなところだね」

半朱の眼が半ば閉ざされ、疲れたように顔を壁の方に向けた。

達吉は半朱の向う向きになった顔を、注射器を蔵《しま》いに、寝台《ベッド》を廻って振り返ると、小鳥のような眼をまだ開いている。達吉は注射器を抽出しに入れて抽出しをしめ、半朱の顔を持って仰向け、吸い込まれるように、脣を合せた。深い、遠い、洞窟《どうくつ》に向って、少しずつひきいれられて行くような、深い接吻《せっぷん》が、半ば睡りに入りながら、応《こた》えている半朱の脣に、溶け入った。達吉の頰に、深い窪みが入り、悪寒《おかん》に襲われた人のような、苦しげにさえ見える閉じた睫毛、眉《まゆ》の辺りが、既に夕闇《ゆうやみ》の匂《は》いはじめた部屋の中の、寝台《ベッド》の背で窓の光線を遮《さえぎ》られた薄闇の中に、恋の酒に酔い果てた男の顔を、暈《ぼんや》りと映し出して、いた。半朱の手が、達吉の肩に力なくかかり、直《す》ぐに落ちた。

時折達吉の首が角度を変え、半朱の脣との合わさる面が、変えられる。

長い時刻《とき》が流れ、辺りの昏《くら》さは濃くなった。時刻《とき》は永遠に、繫《つな》がっていた。達吉は平常、そんなことを言っている男だが、今は何も想《おも》っていない。だが達吉と半朱との接吻の時刻は永遠の時刻に、つながっていた。自然の中に、入っていた。

やがて達吉は顔を上げ、睡りに入った半朱の額に脣を触れ、半朱の手を掛布の中に入れて遣《や》って、立上った。

達吉は両方の窓を閉め、寝台《ベッド》を廻って書物卓の廻転椅子《かいてんいす》にかけ、キリアジを罐《かん》から出して火を点《つ》けた。その儘《まま》椅子の背中に寄りかかった達吉の眼は、窓に映っている空に向けられ、脣は恋の余炎を燻《くすぶ》らせている。キリアジを咥《くわ》えた儘の脣から濃い煙が溢《あふ》れて、卓子の上を流れる。右手が紙巻を除《と》り、椅子の肱《ひじ》に落ちる。

いつ歇《や》むとも知れぬ恋の火を蔵した達吉の顔は、その裏側にぴったりと張り着いた寂寥《せきりょう》と、苦い苦汁とを、その瞬間征服し、踏み砕いて、いた。

（「群像」昭和三十六年十二月号）

解説

富岡多恵子

森茉莉《もりまり》さんは明治三十六年生れである。十六か十七歳で結婚されてパリに遊ばれた時の話を何度か森さんから聴いたことがあるが、どんな話も物語のように思えた。いつも森さんは、或《あ》る時ね、で話をはじめられる。昔或るところに、が今昔物語であるならば、森さんの話は〈或る時物語〉といえる。その森さんの或る時は、とつぜんやってくる。或る時は森さんにもとつぜんやってくるのだろうが、聴く方にはもっととつぜんである。森茉莉というひとは、或る時を無限といっていいくらいにたくさんもっているから、どの或る時にしようかといつも困った顔をし、他人が喋《しゃべ》っている間はずっと、いちばんすてきな或る時をつかまえようと、時の列を凝視して坐《すわ》っているのである。

このひとにとって、過去の時間はすべて物語である。その過去は、五十年以上も前にパリで遊んだ時のことだけでなく、またまだ幼い時に父親である森鷗外《おうがい》が馬に乗った姿の記憶のディテールのようなものだけでなく、昨日喋ったひとのこと、一時間前にかかった電話もみんな物語である。その物語にたいする記憶力は驚くべきものであるが、それらの時間はすべて〈或る時〉なのである。そしてこれが、このひとの書くものを、私小説でもノンフィクションでもないものにしている。

それでは、森茉莉さんにとっては、時間はすべて過去形であるかというと、そうではない。森茉莉さんの未来形は、いつもこれから書くか、その時書いている小説（勿論《もちろん》、森茉莉さんの喋る物語や、まだ語られない〈或る時〉の列とは別物である）の中にある。作家、森茉莉は、〈或る時〉の列の中にその時生きているが、未来は小説の中にあずけられているのである。これは、過去の〈或る時〉の複数が未来の小説を書かせるのとは異なるといえる。

小説を書いている時、この作家は現実の会話の中でそこに出てくる主人公を、三人称のままで一人称のように語ることがよくある。パウロはね、マリアはね、モイラはね、という風に、自分があたかもそれらの主人公の目で世界のあらゆるものを見ているのである。これが森茉莉の未来形である。

だから、真実は虚と実の間の、うすい皮膜の中にあるという近松門左衛門《もんざえもん》流の認識は、森茉莉にはあまり有効にはたらかない。森茉莉には、あくまでつくりものの中に真実がある。彼女が現実にする〈或る時物語〉も、ひょっとしたらすべてつくりものかもしれない。いや、多分、それはつくりものである。〈或る時〉にあった事実は、彼女に語られる時につくられたゆえに事実となり得たし、事実として定着した。しかし、それが真実となるためには、森茉莉の中から小説家、森茉莉が出てこなければならなかった。彼女が、たんなる夢想家ならば、無限の〈或る時物語〉に酔いしれるだけで人生の時間はていねいにつぶされることだろう。

つくりものは、あくまで徹底してつくりものである時にはじめて現実のものとなり得るのは、古今東西の芸術品が示す通りであるが、小説家、森茉莉のつくる小説も、その人工的なつくりものの手ぎわ、その装飾性、及び豪華絢爛《けんらん》たる点に於《おい》て、徹底している。小説の主人公の名前を見てもよくわかる。菓子屋の店員の名前が巴羅《パウロ》である。その菓子屋の店員が、薔薇《ばら》色《いろ》の車に乗っているのである。しかもその薔薇色の車のとまっているところは、パリの静かな屋敷町ではなく、東京の渋谷からすこし入った北沢という、変哲のない町である。

小説家、森茉莉によって描かれると、どんなつまらぬ街角も、平凡な喫茶店も、ステキな場所として出現し、どんな人物もステキな男や女となって登場して動いていく。現実の世界ではとうていお目にかかれぬ、イキでおしゃれな、姿かたちも息のむごとく若くて美しい、ケモノのようにしなやかな動きをする菓子屋の店員があらわれたりするのである。現実にはあり得ないような、理想的なステキさを出現させるのは、どの小説にも共通している。

まさしく彼女の小説はロマンの名にふさわしい。舞台装置、衣裳《いしよう》、化粧、小道具、役者、台詞《せりふ》のすべては、ロマンを造形するために周到に用意されている。劇場で、観客と舞台を区切る幕があり、それがロマンの世界と現実とを厳然と切り離すように、彼女の小説の世界は幕の向うにガクブチの舞台にあって、現実をよせつけない。たとえ、この小説家が現実からの発想によってつくった場所や人物であっても、現実のにおいをそこに嗅《か》ぎとれないのである。勿論、このことと、小説に小説的な現実感があるとかないとかというのは別の問題である。

過去の〈或る時〉を語るか、ロマンをつくるかしている森茉莉にとって、〈或る時〉の現実、その時の現実、今の現実は無関心なことというより、現実は信じられないものなのではないかとさえ思われる。森茉莉にとって現実の時間は、一刻一刻こわれていくものであるのに比べて、ロマンの時間は一刻一刻すすみ、確実にそこにある。ロマンの中につくられた美しさは永遠であるが、現実の美しさはすぐにこわれる。森茉莉というひとは、美しさの大好きなひとであり、美しさがこわれるなんて許しがたいことなのである。美しさは深まり増殖されてしかるべきもので、こわれるはずのないものなのである。

小説家、森茉莉の、美しさをつくりあげる熱狂は、逆に、現実への虚無感を垣間《かいま》みせる。ロマンの中に、徹底して美しさが構築されればされるほど、遮断《しやだん》されている現実の中に吹く風の音が聞える。

現実の中で、森茉莉さんのする〈或る時物語〉に登場するのは、たいてい場所や人物の姿かたちや、着ていたもののおどろくべき詳細であって、その時人間の喋ったコトバはめったに出てこない。最近、森鷗外が日露戦争から帰ってきた時、その鷗外を迎えに出た森茉莉の母親の着ていた着物と羽織の柄や色まで聴かされたことがあった。その時、森茉莉さんは四ツぐらいだったという。

その〈或る時〉に出てくる現実の人間のドラマよりも、景色が語られる。つまり森茉莉には、〈或る時〉はすべてひとつの景色なのである。その景色にしか、この小説家のドラマはない。「寝台の中に入ってから冷蔵庫から出して喰った塩漬肉《ハム》の残り、珈琲《コオヒイ》の滓《おり》の残った白いモオニング・カップ、茶色の牛乳入れ、麵麭《パン》の塊などが載ったステンレスの盆が、置き去られたように、寝台《ベッド》に寄せて置いてある卓子の上に載っていて、陶器の灰皿の中にはフィリップ・モオリスの吸殻が、樋《とい》の下の穴に詰まった落葉のように粘り着いている」という風な描写も、やはり景色の描写である。そして、『恋人たちの森』のパウロとギドウの男ふたりの愛に於《お》けるよりも、こういう景色に、パウロ自身のドラマが強くあらわれる。一瞬の時間を定着したのが景色であるなら、その時間の平面がすでにドラマであり、時間が立体をつくる必要はあまりない。こういった点で、森茉莉はヨーロッパ的教養人であるが、その小説は静寂である。

真のリアリストでないと真のロマンティシストではあり得ないように、森茉莉は、ロマンティシストであることでリアリストである。普通の人間が現実を見るのに慣れた目でロマンの世界を見るのに比べて、森茉莉は、ロマンの世界を見るその目で現実を見るから、現実のウソはまたたく間にあばかれる。それこそ或る時、或る若い女のひとに、森茉莉さんが面と向って、あ、このひとキツネみたいにシッポがある、と叫んでいるのを聴いたことがある。まるでその女のひとのうしろにシッポがあるのを見るような目付を彼女はしていた。きっと、彼女にはシッポが見えていたのだろう。

敬愛してやまぬ室生《むろう》犀星《さいせい》のことを、森茉莉さんは、ふところから星をこぼすひとだとどこかに書いていた。室生犀星は、ふところに小さな星をいっぱいもっていて、その星を気に入ったひとにはパラパラとふりかけたりこぼしたりしていたと森茉莉はいい、或る時、どこかの新聞社のお使いの小僧さんに、原稿を渡しながら犀星は小さな星をこぼしたのをこの目で見たというのである。それはたしかにそうだっただろう。森茉莉は、たしかに、現実の世界で、犀星が働き者の礼儀正しい若い男に小さな星をこぼしてやったのを見たにちがいない。こういったことが、森茉莉の現実認識なのである。

室生犀星は晩年、若い時から書いた詩を一冊の全詩集にまとめる時、多くの詩篇から永遠という文字をとりのぞき、その犀星のすてた永遠という文字をひろって、えてるにたす（永遠）という詩集をつくったと西脇順三郎《にしわきじゅんざぶろう》氏は書いておられる。美の永遠を好む小説家、森茉莉はこぼされた小さな星とともに、犀星の永遠もひろうのだろうか。

森茉莉さんは、八年か九年がかりで、八百枚以上の長篇小説を最近書きあげられた。その直後、小説を書いている間は食べてもねむっても小説のことがあって楽しくなかったけれども、書いてしまったらなにもかも楽しいので、しばらくひとにも会いたくない、といわれた。そして、すこしたって会うと、また長い小説を書く、といわれた。ロマンの世界の扉を開けること、そこに生きることが森茉莉の未来形でなくエテルニタスの実践であるらしかった。

（昭和五十年三月、作家）

森茉莉著
私の美の世界
美への鋭敏な本能をもち、食・衣・住のささやかな手がかりから〈私の美の世界〉を見出す著者が人生の楽しみを語るエッセイ集。

森鷗外著
雁（がん）
望まれて高利貸しの妾になったおとなしい女お玉と大学生岡田のはかない出会いの中に、女の自我のめざめとその挫折を描き出す名作。

森鷗外著
青年
作家志望の小泉純一を主人公に、有名な作家、友人たち、美しい未亡人との交渉を通して、一人の青年の内面が成長していく過程を追う。

森鷗外著
ヰタ・セクスアリス
哲学者金井湛なる人物の性の歴史。六歳の時に見た絵草紙に始まり、悩み多き青年期を経ていく過程を冷静な科学者の目で淡々と記す。

森鷗外著
阿部一族・舞姫
許されぬ殉死に端を発する阿部一族の悲劇を通して、権威への反抗と自己救済をテーマとした歴史小説の傑作「阿部一族」など10編。

森鷗外著
山椒大夫《さんしょうだゆう》・高瀬舟
人買いによって引き離された母と姉弟の受難を描いて、犠牲の意味を問う「山椒大夫」、安楽死の問題を見つめた「高瀬舟」等全12編。

芥川龍之介著

蜘蛛《くも》の糸・杜子春

地獄におちた男がやっとつかんだ一条の救いの糸をエゴイズムのために失ってしまう「蜘蛛の糸」、平凡な幸福を讃えた「杜子春」等10編。

芥川龍之介著

侏儒《しゆじゆ》の言葉《ことば》・西方《さいほう》の人

著者の厭世的な精神と懐疑の表情を鮮やかに伝える「侏儒の言葉」、芥川文学の生涯の総決算ともいえる「西方の人」「続西方の人」の3編。

有島武郎著

小さき者へ・生れ出づる悩み

病死した最愛の妻が残した小さき子らに、歴史の未来をたくそうとする慈愛に満ちた「小さき者へ」に「生れ出づる悩み」を併録する。

有島武郎著

或る女

近代的自我の芽生えた明治時代に、封建的な社会に反逆し、自由奔放に生きようとして敗れる一人の女性を描くリアリズム文学の秀作。

井伏鱒二著

山《さん》椒《しよう》魚《うお》

大きくなりすぎて岩屋の棲家から永久に外へ出られなくなった山椒魚の狼狽をユーモア漂う筆で描く処女作「山椒魚」など初期作品12編。

井伏鱒二著

黒い雨

野間文芸賞受賞

一瞬の閃光に街は焼けくずれ、放射能の雨の中を人々はさまよい歩く……罪なき広島市民が負った原爆の悲劇の実相を精緻に描く名作。

泉鏡花著

歌行燈・高野聖

淫心を抱いて近づく男を畜生に変えてしまう美女に出会った、高野の旅僧の幻想的な物語「高野聖」等、独特な旋律が奏でる鏡花の世界。

泉鏡花著

婦系図

『湯島の白梅』で有名なお蔦と早瀬主税の悲恋物語と、それに端を発する主税の復讐譚を軸に、細やかに描かれる女性たちの深き情け。

井上靖著

氷壁

奥穂高に挑んだ小坂乙彦は、切れるはずのないザイルが切れて墜死した――恋愛と男同士の友情がドラマチックにくり広げられる長編。

井上靖著

額《ぬか》田《たの》女《おお》王《きみ》

天智、天武両帝の愛をうけ、〝紫草《むらさき》のにほへる妹〟とうたわれた万葉随一の才媛、額田女王の劇的な生涯を綴り、古代人の心を探る。

宇野千代著

おはん

野間文芸賞受賞　女流文学者賞受賞

妻と愛人、二人の女にひかれる男の情痴のあさましさを、美しい上方言葉の告白体で描き、幽艶な幻想世界を築いて絶賛を集めた代表作。

円地文子著

女坂

野間文芸賞受賞

夫のために妾を探す妻――明治時代に全てを犠牲にして家に殉じ、真実の愛を知ることもなかった悲しい女の一生と怨念を描く長編。

織田作之助著

夫婦善哉《めおとぜんざい》 決定版

思うにまかせぬ夫婦の機微、可笑しさといとしさ。心に沁みる傑作「夫婦善哉」に、新発見の「続 夫婦善哉」を収録した決定版！

岡本かの子著

老妓抄

明治以来の文学史上、屈指の名編と称された表題作をはじめ、いのちの不思議な情熱を追究した著者の円熟期の名作9編を収録する。

尾崎紅葉著

金色夜叉

熱海の海岸で、許婚者の宮の心が金持ちの他の男に傾いたことを知った貫一は、絶望の余り金銭の鬼と化し高利貸しの手代となる……。

川端康成著

雪国

ノーベル文学賞受賞

雪に埋もれた温泉町で、芸者駒子と出会った島村——ひとりの男の透徹した意識に映し出される女の美しさを、抒情豊かに描く名作。

川端康成著

山の音

野間文芸賞受賞

得体の知れない山の音を、死の予告のように怖れる老人を通して、日本の家がもつ重苦しさや悲しさ、家に住む人間の心の襞を捉える。

川端康成著

眠れる美女

毎日出版文化賞受賞

前後不覚に眠る裸形の美女を横たえ、周囲に真紅のビロードをめぐらす一室は、老人たちの秘密の逸楽の館であった——表題作等3編。

梶井基次郎著

檸（れもん）檬

昭和文学史上の奇蹟として高い声価を得ている梶井基次郎の著作から、特異な感覚と内面凝視で青春の不安や焦燥を浄化する20編収録。

菊池寛著

藤十郎の恋・恩讐の彼方に

元禄期の名優坂田藤十郎の偽りの恋を描いた「藤十郎の恋」、仇討ちの非人間性をテーマとした「恩讐の彼方に」など初期作品10編を収録。

幸田文著

木

北海道から屋久島まで木々を訪ね歩く。出逢った木々の来し方行く末に思いを馳せながら、至高の名文で生命の手触りを写し取る名随筆。

国木田独歩著

武蔵野

詩情に満ちた自然観察で、武蔵野の林間の美をあまねく知らしめた不朽の名作「武蔵野」など、抒情あふれる初期の名作17編を収録。

国木田独歩著

牛肉と馬鈴薯・酒中日記

理想と現実との相剋を越えようとした独歩が人生観を披瀝する「牛肉と馬鈴薯」、人間の孤独を究明した「酒中日記」など16短編を収録。

倉田百三著

出家とその弟子

恋愛、性欲、宗教の相剋の問題について、親鸞とその息子善鸞、弟子の唯円の葛藤を軸に「歎異鈔」の教えを戯曲化した宗教文学の名作。

太宰治著
人間失格

生への意志を失い、廃人同様に生きる男が綴る手記を通して、自らの生涯の終りに臨んで、著者が内的真実のすべてを投げ出した小説。

夏目漱石著
それから

定職も持たず思索の毎日を送る代助と友人の妻との不倫の愛。激変する運命の中で自己を凝視し、愛の真実を貫く知識人の苦悩を描く。

夏目漱石著
硝子戸の中

漱石山房から眺めた外界の様子は？　終日書斎の硝子戸の中に坐し、頭の動くまま気分の変るままに、静かに人生と社会を語る随想集。

永井荷風著
ふらんす物語

二十世紀初頭のフランスに渡った、若き荷風の西洋体験を綴った小品集。独特な視野から西洋文化の伝統と風土の調和を看破している。

中河与一著
天の夕顔

私が愛した女には夫があった——恋の芽生えから二十余年もの歳月を、心と心の結び合いだけで貫いた純真な恋人たちの姿を描く名著。

梨木香歩著
沼地のある森を抜けて

紫式部文学賞受賞

はじまりは、「ぬかどこ」だった……。あらゆる命に仕込まれた可能性への夢。人間の生の営みの不可思議。命の繋がりを伝える長編。

恋《こい》人《びと》たちの森《もり》

新潮文庫　も－2－1

昭和五十年四月三十日 発行
平成十六年二月二十日 三十二刷改版
令和六年十二月二十日 三十九刷

著者　森《もり》茉《ま》莉《り》

発行者　佐藤隆信
発行所　株式会社 新潮社
郵便番号 一六二―八七一一
東京都新宿区矢来町七一
電話 編集部(〇三)三二六六―五四四〇
読者係(〇三)三二六六―五一一一
https://www.shinchosha.co.jp

価格はカバーに表示してあります。

乱丁・落丁本は、ご面倒ですが小社読者係宛ご送付ください。送料小社負担にてお取替えいたします。

印刷・株式会社三秀舎　製本・加藤製本株式会社

ISBN978-4-10-117401-3 C0193